HEYNE BIOGRAPHIEN

In der Reihe »Heyne Biographien« sind bereits erschienen:

Ingeborg Drewitz

BETTINE VON ARNIM

Romantik – Revolution – Utopie

Wilhelm Heyne Verlag
München

3. Auflage

Genehmigte, ungekürzte Taschenbuchausgabe
Copyright © 1969 by Eugen Diederichs Verlag, Düsseldorf/Köln
Printed in Germany 1980
Zeittafel, Ergänzungsbibliographie und Stammtafel wurden erarbeitet von Dr. Hubert Fritz
Umschlagfoto: Archiv für Kunst und Geschichte, Berlin
Bildnachweis: Archiv für Kunst und Geschichte, Berlin
Umschlaggestaltung: Atelier Heinrichs, München
Gesamtherstellung: Presse-Druck Augsburg

ISBN 3-453-55056-0

Inhalt

IV *Erkennen und Altern*

Anhang

Die Biographie Bettine von Arnims neu zu schreiben stand längst an, seit das Familienarchiv in Wiepersdorf erschlossen und von Gertrud Meyer-Hepner archiviert worden ist, seit auch die Herausgabe des Ehe-Briefwechsels und die Erschließung des Armenbuchkonvoluts, das 1929 bei der Versteigerung von handschriftlichem Nachlaß Bettines für das Frankfurter Hochstift erworben wurde, die Neuausgabe ihrer Werke (betreut von Gustav Konrad) und der Briefauswahl (besorgt von Joachim Müller) ergänzt.

Geisterte noch bis in die Nachschlagewerke unserer Gegenwart das koboldhafte, halb genialisch halb exzentrische Kind, als das sie sich vor der Veröffentlichung von ›Goethes Briefwechsel mit einem Kinde‹ gern dargestellt und als das sie später in der Berliner Gesellschaft des Vormärz nicht ohne Spott benannt wurde, so war sie durch die Interpretation der Dichter wie Rilke, Hermann Hesse, Romain Rolland und Rudolf Alexander Schröder doch als eine der großen Liebenden in der deutschen Literatur gewärtig. Auch hatte die Bettine-Forschung längst die Bedeutung ihrer sozialen und politischen Aktivität erkannt, die einigermaßen lückenlos nachzuweisen nun erst möglich ist. So hat denn auch eine Fülle von Einzelveröffentlichungen in den letzten Jahren Dunkelstellen der Biographie ausgeleuchtet und geläufige Urteile sind zu revidieren. Gewiß, noch immer sind Überraschungen möglich, da seit den Auktionen von 1929 wichtiges Handschriftenmaterial in alle Welt verstreut ist. Jedoch erlauben die sorgfältigen Kataloge der mit der Auktion betrauten Firma Henrici Rückschlüsse auf das Material und lassen, wenn auch begrenzt, die biographische Auswertung zu. So tritt eine der interessantesten und wichtigsten Frauengestalten des 19. Jahrhunderts aus dem Halbdunkel, in das Vorurteil und Mißverständnis sie eingehüllt haben, vor uns hin und fügt sich in das gleichfalls in Veränderung begriffene Bild der Epoche vor der Reichsgründung von 1870.

Bettine von Arnim – auf die gewohnte Schreibweise »Bettina« wurde verzichtet, da sie selbst fast immer Bettine unterschrieb, also auf eine Vorliebe für diese anheimelndere Form ihres Namens geschlossen werden kann, die recht charakteristisch ist – hat über ein halbes Jahrhundert die Blicke der Zeitgenossen auf sich gezogen. Durch Herkunft und Heirat, vor allem aber durch ihre Vielseitigkeit und überwache Intelligenz, durch ihr leidenschaftliches Verlangen nach dem Dialog, ihr immerwährendes Verströmen in Briefen und fiktiven Briefen hat sie an vielen Leben teilgehabt. Ihre Großmutter Sophie Laroche brachte ihr die Dichter des 18. Jahrhunderts familiär nahe, durch ihre früh verstorbene Mutter Maxe Brentano wurde sie eigentümlich mit Goethe vertraut, als Schwester Clemens Brentanos und Freundin Achim von Arnims stand sie den Heidelberger Romantikern nahe. Dennoch verlief ihr Leben keineswegs vorgezeichnet. Die schweifenden Studien in den Mädchenjahren, die Ausbildung in Gesang und Komposition, die Neigung zum Zeichnen, die Lektüre der Reden Mirabeaus, die Lust am Gärtnern, die zwanzig Ehejahre in Berlin und Wiepersdorf, die Geburten und die Erziehung der sieben Kinder, die vielen Freundschaften, die Fähigkeit auf ihr Gegenüber einzugehen und dann doch wieder das Sich-verstecken hinter dem enfant terrible lassen kaum die Umrisse ihrer zweiten Lebenshälfte ahnen. Sicher, ihr schlägt Verehrung entgegen, Leidenschaft, aber auch Ablehnung. Und immer ist der Klatsch auf ihren Spuren. Sie ist nie das züchtige Mädchen oder die sanfte Frau, die geduldet wird; sie drängt sich vor, will beachtet werden; getrieben von ihren noch nicht zielbewußten Begabungen leidet sie am Unerfülltsein. Und doch gibt es Augenblicke wirklichen Glücks. Beethoven ist ihr unbeholfen-freundschaftlich zugetan, die Grimms eignen ihr und dem Erstgeborenen die erste Ausgabe der Märchensammlung zu, die Freundschaft zu Rahel Varnhagen überspringt die Konvention, Schinkel ist von ihren zeichnerischen Leistungen angetan, Schleiermachers Predigten gehen ihr nahe. Aber nie stellt sich Idylle ein. Arnims Resignation vor der Umwelt, Goethes Alterskühle, die Distanziertheit des Schwagers Savigny, Krankheit und Geldnot bestimmen die Jahre bis zu Arnims Tod. Erst nach der Veröffentlichung und dem großen Erfolg von ›Goethes Briefwechsel mit einem Kinde‹, ihrem ersten Buch, findet die Fünfzigjährige in die Rolle, die sie nun, durchaus zögernd und vorerst ungewiß, als Aufgabe begreift. Als Baum, der Jünglingsblüten trägt, wie sie sich sieht, als Vorrednerin des Volkes, wie Gutzkow sie nennt, als Briefpartnerin König Friedrich Wilhelms IV. von Preußen, als politische Schriftstellerin, Verlegerin und Herausgeberin der Werke Achim von Arnims, als Vertraute der Notleidenden und immer angefochten, immer streitbar, immer leidenschaftlich unkonventionell lebt sie dieses zweite, ihr eigene Leben, das hochbegabten Frauen zu leisten ansteht.

Wenn auch die Bettine-Renaissance in beiden Deutschland durch die Erschließung des Familienarchivs ausgelöst wurde, so ist doch die Entdeckung, fast kann man sagen Neuentdeckung ihrer Persönlichkeit zugleich aus der Rückbesinnung auf die von den Geschichtsbüchern verschwiegene Sozial- und Parteigeschichte des 19. Jahrhunderts zu verstehen, die nach 1945, wenn auch viel zu spät, eingesetzt hat. Sich der so berühmten, aber auch unbekannten Bettine zu nähern, ihre Spiegelung im Bewußtsein der Zeitgenossen einzufangen und ihr Engagement, sei es in Sachen der Göttinger Sieben oder der schlesischen Weber, sei es in Fragen der Verfassung zu deuten, ihre Freundschaft mit den polnischen Revolutionären, ihr Bemühen für die Opfer des ungarischen Freiheitskampfes, ihre Verbindung mit den Männern der Opposition in Preußen vor und nach 1848, ihren Einsatz für Gottfried Kinkel im Zusammenhang ihrer Biographie und der Werke zu sehen, war die lockende Aufgabe des vorliegenden Buches.

Dem Direktor des Freien Deutschen Hochstifts im Frankfurter Goethe-Museum und seinen Mitarbeitern ist für die Bereitstellung des Handschriftenmaterials, insbesondere des noch unveröffentlichten Nachlasses von Irene Forbes-Mosse, zu danken.

Die Handschriften im Bettina-von-Arnim-Archiv im Goethe-Schillerarchiv der Nationalen Forschungs- und Gedenkstätten der Klassischen Deutschen Literatur in Weimar konnten wegen seit Januar 1968 anhaltender Bauarbeiten nicht eingesehen werden. Jedoch erlaubte das durch Gertrud Meyer-Hepner veröffentlichte Material durchaus Rückschlüsse. So muß es einer zweiten Auflage vorbehalten sein, die Auswertung des Weimarer Materials zu ergänzen.

Zu danken habe ich Herrn Oskar von Arnim für Hinweise und Ratschläge sowie den Mitarbeitern der Preußischen Staatsbibliothek innerhalb der Stiftung Preußischer Kulturbesitz, die mir bei der Beschaffung der meist noch nicht in Berlin stehenden Bücher, Periodika und Dissertationen behilflich waren, zu danken auch dem Eugen Diederichs Verlag, der die Anregung zu dieser schon überfälligen neuen Biographie von Bettine von Arnim gegeben hat.

Berlin, den 6. Mai 1969   Ingeborg Drewitz

Anmerkung

Die Schreibweise der Bettineschen Texte folgt der Auswahl des Bartmann-Verlages. Original-Schreibweisen (nach Erstveröffentlichungen aus den Archiven in Weimar und Frankfurt) wurden weitgehend dieser Schreibweise angeglichen, die den Text nicht angreift, sondern nur heutiger Lesegewohnheit zugänglicher macht. Auch die vielen Zitate von Zeitgenossen wurden versuchsweise der heutigen Rechtschreibung angepaßt (mit Ausnahme von Namen und Titeln), um eine gewisse Einheitlichkeit des Textbildes zu erreichen. Das Personenregister wurde nach der Werkausgabe im Bartmann-Verlag erstellt, die weitgehend der Schellberg-Fuchsschen Ausgabe unbekannter Briefe von 1942 folgt (Die Andacht zum Menschenbild, Jena). Ferner wurde die Neue Deutsche Bibliographie herangezogen. Persönlichkeiten, die nur beiläufig genannt werden, sind ausschließlich namentlich erfaßt. Die Bibliographie gibt Aufschluß über das benutzte Material.

I   Jugend

*... denn eine zu große Masse von Gedanken durch-
strömt mich und führt mich wie ein gelichtetes Schiff
auf die hohe See ...*

Herkunft und frühe Erfahrungen

Frankfurt, Freie Reichsstadt, in der die römischen Kaiser Deutscher Nation gekrönt werden, nachdem ihnen nach alter Zere-
monie die Stadtväter Einlaß in die Tore gewährt haben, hat in
den achtziger Jahren des 18. Jahrhunderts noch mittelalterliches
Gepräge. In Wälle eingeengt drängen sich die hochgiebligen,
schmalbrüstigen verwinkelten Bürgerhäuser der reichen Han-
delsstadt, die als Umschlagplatz für die Güter des Nordens und
Südens und Westens reich und berühmt geworden ist, wie zu
Merians Zeit, der die Stadt anderthalb Jahrhunderte früher aus
Dankbarkeit für das Bürgerrecht, das sie ihm gewährte, gesto-
chen hat. Die Kontore sind in den Erdgeschossen, die Waren-
lager oft unterm Dach; selten erreicht die Sonne die Tiefe der
Gassen; die Höfe sind kaum mehr als Lichtschächte; doch haben die reichen Handelsherren schon Gärten vor den Wällen,
in denen Sommerfeste gefeiert werden. Die jahrhundertealte
Unabhängigkeit der Freien Reichsstadt hat das Selbstbewußt-

sein der Bürger entwickelt, für das Toleranz und Großzügigkeit auch im Lebensstil selbstverständlich sind. Theater, Konzerte, häusliches Dilettieren in den Künsten, Lektüre der eben modernen Bücher gehören zum Alltag, sonntäglicher Kirchgang, Maskeraden und Bälle bestimmen den Rhythmus der Wochen und des Jahres. Die verwinkelten Häuser sind bis unters Dach bewohnt. Die Familien sind groß, die Frauen, von den Geburten erschöpft, sterben häufig jung, und von den vielen Kindern jeder Familie müssen nicht wenige früh davon. Das Leben ist prall und todnahe. Pietismus und die Frivolität des späten Rokoko schließen einander nicht aus. Die protestantischen Bürger bringen den katholischen Bürgern keine Vorbehalte entgegen, Ehen zwischen Angehörigen beider Konfessionen sind nicht selten. Nur die Juden sind noch Ausgeschlossene. Die Judengasse ist das Getto. Hier wird jiddisch gesprochen und hebräisch gelehrt. Hier ist noch – anders als derzeit im Preußen Friedrichs II. – die mittelalterliche Ordnung, wie sie dem Äußeren der Stadt entspricht, in Kraft, wenn auch die Veränderungen, die ein Jahrzehnt später in der Folge der französischen Revolution eintreten werden, sich schon allenthalben vorbereiten. Zuviel Unruhe ist ausgesät. In Mannheim haben Schillers ›Räuber‹ Furore gemacht, sein ›Fiesko‹ und die ›Luise Millerin‹ sind Dramen des Aufbegehrens, das er in seiner Proklamation von der ›Schaubühne als moralische Anstalt‹ bestärkt. Aber auch die nun abklingende Wertherleidenschaft hat die Erstarrung der Moralbegriffe fühlbar werden lassen, und die Dramen des Sturm und Drang künden ein neues, ein soziales Bewußtsein an. 1788 wird der junge, welterfahrene, republikanisch gesinnte Georg Forster Bibliothekar in Mainz; die Gespräche und Pläne, die ihn und seine Freunde beschäftigen, dringen bald auch zu dem Haushofmeister der Frankfurter Familie Gontard namens Hölderlin. Aber noch unterhält die Lektüre der Frankfurter Gelehrten Anzeigen die gebildeten Bürger, vergessen sie über den Reisebeschreibungen von Cook die Nachrichten von der Unzufriedenheit in Frankreich und das Handelsabkommen zwischen Preußen und den Vereinigten Staaten von Nordamerika, wenn sie sich aus den Kontoren in die Wohnräume zurückziehen, die einfach aber mit dem Charme des Rokoko eingerichtet sind. Wie eh lärmen am Frankfurter Mainkai die Schauerleute; wie eh lagert Geruch von Rosinen und Früchten und Wein und Öl und Korn und Kaffee über der schweren fauligen Ausdünstung der Schmutzwasserrinnen; und wachsen in Zimmern und auf kleinen Dachterrassen und in den Sonnenwinkeln der Höfe und im Treibhaus am Stadtrand Orangen und Rosen, Myrrhen, Balsamnelken, Ranunkeln und Granaten. Das Selbstverständnis der ausgreifenden Handelsverbindungen hat den Bürgern dieser Stadt Ruhe und Gelassenheit gegeben, eine Mitgift, vielleicht nur eine Erinnerung, die sich in den Krisen der kommenden Jahrzehnte bewähren soll.

Mit Recht hatte die Kaufmannsfamilie Brentano aus Tremezzo am Comer See, die ihren Stammbaum bis auf die Viscontis zurückverfolgen kann (was sie derzeit, mit Handel vollkommen beschäftigt, noch gar nicht interessierte), hier am Schnittpunkt der alten Handelsstraßen 1698 eine Niederlassung gegründet. Peter Anton (auch Pietro Antoni oder Pier Antonio genannt), der 1735 in Tremezzo geboren war, hatte die Frankfurter Niederlassung im Haus zum Goldenen Kopf frühzeitig übernommen und sich im Einvernehmen mit seinen Brüdern 1771 selbständig gemacht. Er hatte seine Cousine Walpurga Paula Gnosso geheiratet, die ihm sechs Kinder geboren hatte, als sie 1770 starb. Es war natürlich, daß der vielbeschäftigte Großkaufmann und Kurtrierische Geheime Rat und Resident bei der Reichsstadt Frankfurt an die Wiederverheiratung dachte. Er bewarb sich um Maximiliane, die älteste Tochter des Kurtrierischen Kanzlers Georg von Laroche und seiner Frau Sophie, die als Wielands Doris, vor allem aber als Verfasserin empfindsamer Romane eine Dame der Literatur, die jungen Berühmtheiten der Zeit gern unter ihren Gästen im Hause in Thal-Ehrenbreitstein sah. So hatte ihre Tochter Maximiliane, genannt Maxe, eben dem Kindesalter entwachsen, den jungen Goethe gefesselt, als er nach seiner Trennung von Charlotte Buff in das Haus des Kanzlers kam. »Es ist eine sehr angenehme Empfindung«, schrieb er später im 13. Buch von ›Dichtung und Wahrheit‹ über die Begegnung, »wenn sich eine neue Leidenschaft in uns zu regen anfängt, ehe die alte noch ganz verklungen ist. So sieht man bei untergehender Sonne gern auf der entgegengesetzten Seite den Mond aufgehen und erfreut sich an dem Doppelglanze der beiden Himmelslichter.« Auch die Brüder Jacobi und Herder und Merck waren von Maxe entzückt. Jedoch wurde sie, wohl auf Drängen der Mutter, dem Kaufmann Brentano zur Frau gegeben; der Vater Laroche galt ja, wenn auch der Empfindsamkeit abgeneigt, als gütig und humorvoll und hätte wohl kaum die Belange seiner Töchter mit so viel Zähigkeit betrieben wie seine Frau.

(Es lohnt jedenfalls, darüber nachzudenken, warum Sophie von Laroche, derzeit auf der Höhe ihres Erfolges mit dem ›Fräulein von Sternheim‹, dieser empfindsamen Huldigung der Freiheit in der Liebe, ihre beiden Töchter veranlaßte, möglichst gesicherte Ehen einzugehen. Es charakterisiert die Situation der Frau in der damaligen Gesellschaft, läßt aber auch schließen, daß Sophie zu sehr Dame war, um an das Wagnis einer Künstlerehe auch nur zu denken.)

Maxe fand kaum Gelegenheit, ihre Fähigkeiten zu erproben. Sie war in dem großen düsteren Haus in der Sandgasse neben dem neunzehn Jahre älteren Mann, der ihr anfangs sogar untersagte, mit Goethe weiterhin nachbarlich-ungezwungen zu verkehren, recht unglücklich. Erst die Geburten der Kinder lösten die Depressionen, zehrten aber das zarte Geschöpf Jahr um Jahr mehr auf. Wir wissen kaum etwas von ihr. Im Gedächtnis Bettines, die ihr als das siebente von zwölf Kindern am 4. April 1785 geboren wurde, bleibt sie ein schönes, wie von fern bewundertes Bild.

Seltsam genug ist dieses Geburtsdatum lange umstritten gewesen, weil Bettines Grabstein in Wiepersdorf den 4. April 1788 nennt und sie, sehr weiblich, in ihren späteren Jahren mit der Altersangabe nicht so genau war. Doch hat schon Ludwig Geiger noch in Unkenntnis des reichen Briefmaterials, das uns zugänglich ist, nachgewiesen, daß das auch von Herman Grimm und Reinhold Steig angegebene Datum auf einem Irrtum bei der Abschrift aus dem Kirchenbuch beruht – eine Randnotiz, gewiß, und dennoch bezeichnend für die Schwierigkeiten des Unterfangens, Bettines Leben nachzuerzählen, das in ihren Briefbüchern mit den Umdatierungen immer nur wie in einem wenig gekrümmten Spiegel zu erkennen ist und sich im Urteil der Zeitgenossen so widersprüchlich darstellt, als sollte es der Neugier entzogen werden.

Von dem Kind, das auf die Namen Elisabeth Catharina Ludovica Magdalena getauft wurde, wissen wir wenig anderes als was Bettine später in ihren Briefen mitgeteilt hat. So will sie von Goethe, der längst wieder ins Haus kam, bei seinem Besuch am Wochenbett der Mutter aus der Tiefe der finsteren Stube ans Fenster getragen worden sein, ihm also den ersten Blick ins Licht verdanken. Abgesehen von der Blindheit der ersten Tage – wer weiß schon, ob die Episode, die ihr erzählt wurde, sich nicht mit einer anderen von Maxes Töchtern zugetragen hat? Wer kennt schon die Grenzen zwischen Wunschvorstellung und Wirklichkeit? Sind sie entscheidend, um ein Leben zu verstehen? Und bleiben nicht von jeder frühen Kindheit nur Bilder?

Als Bettine später für den Bruder Clemens ihre Kindheit zu erzählen versuchte, stellte sich sogleich der märchenhafte Ton ein: »Es war einmal ein Kind, das hatte viele Geschwister. – Eine Lulu und eine Meline, die waren jünger, die andern waren alle viel älter«; und zwischen all den Namen fand sie fast sofort den des verwachsenen Halbbruders Peter (aus des Vaters erster Ehe) heraus, der, nicht im Kontor beschäftigt und auch zum Lernen zu schwach, seine Liebe auf das Kind richtete, es mit auf den Turm des Hauses schleppte, mit ihm Tauben und Hühner fütterte, ihm auf dem winzigen Gartenfleckchen im Hof einen Springbrunnen baute, es zu Weihnachten heimlich unterm Muff versteckt mit in die Kirche nahm, ihm Märchen erzählte und es Stiegen klettern lehrte, und der starb, als Bettine dreijährig war. Sie hatte noch seinen Sturz treppab miterlebt und erfuhr nun, daß er begraben war. Der Tod faszinierte und erschreckte sie. Sie grübelte weiter über Sarg und Trauerzug und ›Nicht mehr sein‹, als eine befreundete Dame gestorben war, an deren Bett sie immer hatte spielen dürfen und mußte im darauffolgenden Frühjahr hinter dem Sarg der Mutter hergehen und in das unheimlich gewordene Haus zurückkehren, in dem der Vater hilflos vor Schmerz umherirrte. Sie, die schon von der Mutter zu ihm geschickt worden war, wenn es kleine Wünsche zu gewähren galt, weil er ihrem Schmeicheln und ihrem Übermut nicht widerstehen konnte, schlich sich nun zu ihm ins Zimmer, das nur vom Licht der Straßenlaterne erhellt war, hielt ihm den Mund zu, bat ihn, in seinen Klagen zu verstummen und umhalste ihn dabei so heftig, daß sich sein Schmerz in Tränen löste und er ihr in gebrochenem Deutsch den Wunsch, sie möchte so gut werden wie ihre Mutter, wie zum Segen mitgab.

Eine rührende Szene, die sie genau und selbstverliebt darstellen wird; aber das Gedächtnis eines Kindes trügt nicht und jede frühe Erinnerung ist ich-bezogen. Bettine war ja erst achtjährig, als die Mutter starb. Das hohe verwinkelte Haus blieb in der Erinnerung labyrinthisch, denn sie wurde nun zusammen mit der älteren Schwester Kunigunde, genannt Gunda, und der jüngeren Lulu in das Ursulinen-Kloster nach Fritzlar gebracht, dem ein Pensionat angeschlossen war, in dem vierundzwanzig Töchter aus guten Familien erzogen wurden. Meline, die jüngste Schwester, folgte ihnen wenig später.

Die Fritzlarer Jahre waren glücklich, wenn auch Bettine schon sehr genau beobachtete; wenn sie die rauhen Wintermorgen in der Kapelle erinnert und den eigentümlich wortlosen Schmerz nach der Rückkehr der Nonnen in die Zellen, nachdem sie noch eben im Gesang vereint gewesen waren; wenn sie den Tod der Mère cellatrice und Bienenmeisterin bei der Gartenarbeit beschreibt. Die alte Nonne hatte sich ihrer besonders angenommen, ihr sanfter Tod war fast tröstlich, dankte sie ihrer Geduld doch die Freude am Säen und Pflanzen und der täglichen Pflege der Beete im Klostergarten, die Freude am leisen Rhythmus des Jahres, am Wachsen und Vergehen, die ihr bis ans

Lebensende bleiben wird. So genoß Bettine denn auch den Übermut der Schülerinnen und der jungen Nonnen, streifte gern allein durch die Terrassengärten, kratzte mit dem Besitzerstolz, den Kinder ihres Alters für den eigenen Namen haben, ihre Initialen in eine Linde, lernte vor den Bienenkörben ihre Angst überwinden, liebte die Gesänge und das Angelusläuten, das ihr manchmal überlassen wurde, war aber auch sorgfältig bei den feinen Handarbeiten und wie berauscht vom Taumel und Tanz bei der Hopfenernte, wenn die jungen Nonnen die Rankenbündel einbrachten. Wenn die alternde Bettine in den ›Gesprächen mit Dämonen‹ von der Klosterbeere erzählt, dieser hellen sauren Stachelbeere, deren Kerne in den einzelnen Zellen gegen das Licht hin sichtbar an die Nonnen in ihren Kammern erinnern, bekräftigt das Bild die klare Heiterkeit der vier Fritzlarer Jahre.

Bettines erste erhaltene Briefe sind an die älteren Schwestern und den Vater gerichtet und betont kurz, aber in ihrer Unbefangenheit keineswegs manieriert. Das Kind nahm teil am Leben der Geschwister, ermahnte sie altklug, zu Bällen zu gehen, tadelte schwesterliche Schreibfaulheit. Gern wird der Brief an den Vater, den sie im Günderode-Briefwechsel veröffentlicht hat, zitiert: »Lieber Papa! Nix – die Link durch den Jabot gewitscht auf dem Papa sein Herz, die Recht um den Papa sein Hals. Wenn ich keine Händ hab, kann ich nit schreiben. Ihre liebe Tochter Bettine.« Dazu zwei gezeichnete Hände. Es heißt, der Vater hätte diesen Brief noch auf dem Sterbelager im März 1797 bei sich gehabt. Jedenfalls mag dieser nicht unliebenswürdige, wenn auch oft aufbrausende Mann, der im Leben nur Arbeit gekannt hatte und, fast grotesk, mühsam italienische Verse skandierend im Zimmer auf und ab ging, als er nach Maxes Tod zum drittenmal auf Freiersfüßen war, dieser Patriarch, der zwanzig Kinder gezeugt hat, über dieses eine zutrauliche Kind mit seinem Charme verwundert gewesen sein. Sein Tod berührte Bettine in Fritzlar kaum. Sie hatte die Erfahrung vom ›Nicht mehr sein‹ zum erstenmal ausgeheilt, und vielleicht war ihr hier die erstaunliche Kraft im Ertragen von

Schicksalsschlägen, die sie immer wieder beweisen mußte, schon zugewachsen, weil sie die Freiheit des eigenen Erlebens ungefährdet, ja, ganz selbstverständlich hatte erproben können.

Als Fritzlar im Mai 1797 durch die Franzosen unter General Hoche besetzt wurde, war das der Anlaß, Bettine, Lulu und Meline nach Frankfurt zu holen, wo der Halbbruder Franz und seine junge Frau Antonie, die Tochter des österreichischen Staatsministers Melchior von Birkenstock, nun die Stelle der Eltern einnahmen, und Franz mit rührender Großmut für die Geschwister sorgte und in allen kommenden Krisen wie ein Vater für sie einstand. Doch die Unruhe in dem großen Haus mit den vielen Angestellten ließ es ratsam sein, Maxes jüngere Kinder in die Obhut der Großmutter nach Offenbach zu geben. (Peter Antons dritte Frau hatte bald nach seinem Tod mit ihrem einen lebenden Knaben das Haus verlassen, blieb aber der Familie freundschaftlich verbunden.)

Die seit 1788 verwitwete Sophie von Laroche lebte zusammen mit ihrer zweiten Tochter, der kinderlosen und geschiedenen Hofrätin Möhn, in Offenbach in dem Haus, das Peter Anton Brentano für die Schwiegereltern erworben hatte und das sie die ›Grillenhütte‹ nannte und, wie schon das Haus am Rhein, der Gastfreundschaft offen hielt. »Segnen Sie mich ein zur Erziehung meiner drei jüngsten Enkelinnen, die zu End dieses Monats zu mir kommen«, schrieb sie Anfang Juli 1797 an ihren Darmstädter Freund Petersen. Die drei kleinen Mädchen mögen ihr Alter erheblich beunruhigt haben und es nimmt für sie ein, daß sie so selbstverständlich bereit war, sich ihrer Erziehung zu widmen. »Eine lebhafte Frau, zwar sehr Schauspielerin und sehr verschieden von meinem Ideal einer Patriarchin, aber sehr interessant, es war mir recht wohl bei ihr«, notierte Savigny, der ihr 1799 bei Wieland in Oßmannstädt zum erstenmal begegnete.

»Zwar sehr Schauspielerin«: ein Wesenszug, der fast auf Bettine passen könnte und sich schon damals, als sie dem Bruder Clemens zum erstenmal bewußt begegnete, im jähen Rollenwechsel anzeigt. »Meine alte Puppe vor zwei Jahren! Heut hat's mich geplagt, ich mußte sie wieder einmal betrachten, mit der ich mich zum letztenmal unterhalten hatte, als Du zum erstenmal hierherkamst, Clemente! Du weißt noch, wie ich sie geschwind unter den Tisch warf, als Du hereintratst, und ich sah Dich an und kannte Dich nicht und hielt Dich für einen fremden Mann, der mir aber zu wohlgefiel mit seiner blendenden Stirne und Dein schwarzes Haar so dicht und so weich, und Du setztest Dich auf den Stuhl und nahmst mich auf einmal in Deine zwei Arme und sagtest: ›Weißt Du, wer ich bin? Ich bin der Clemens!‹ Und da klammerte ich mich an Dich, aber gleich darauf hattest Du die Puppe unter dem Tisch hervorgeholt und mir in den Arm gelegt, ich wollte aber die nicht mehr, ich wollte nur Dich. Ach, das war eine große Wendung in meinem Schicksal, gleich denselben Augenblick, wie ich statt der Puppe Dich umhalste.« Clemens war in diesem Oktober 1797 in den Semesterferien aus Halle gekommen und hatte seinen kleinen Schwestern zum erstenmal Aufmerksamkeit geschenkt. Sein Briefwechsel mit Bettine setzt erst ein paar Jahre später nach dem Tod der Schwester Sophie ein, der er von Jugend auf angehangen hatte, seit er mit ihr nach Koblenz zu Tante Möhn, der Schwester der Mutter, geschickt worden war, um die von den Geburten überforderte Maxe zu entlasten. Offenbar ahnten die Eltern nicht, was den Kindern im Hause Möhn durch die Trunksucht und Brutalität des Hofrats und seine dadurch verschreckte und überreizte Frau, die Tante Luise mit dem Spitznamen Sperber, zu ertragen aufgegeben war und sie zueinander drängte. Ein geistreicher Brief der sechzehnjährigen Sophie, der nur aus Sprichwörtern zusammengesetzt ist, verrät die auch Bettine eigentümliche Begabung, sich hinter Mutwillen zu verbergen. Doch Sophies Tod nach einer gescheiterten Liebe bezeugt eine Verletzlichkeit, die ihr, anders als Bettine, nicht zu überwinden gegeben war. Sie war durch ein in früher Kindheit zerstörtes Auge entstellt und gehemmt, ohne daß einer in dieser großen, reichbegabten Familie sonderlich Notiz davon nahm. Wer hätte sie sonst diesen Szenen, die der Hofrat seiner Frau bereitete, ausgesetzt?

Clemens gelang es, die Erinnerungen an den Hofrat, der mit dem Messer in der Hand seiner Frau auflauerte oder betrunken in den Wirtshäusern lungerte, und all die wirren Bilder dieser Jahre mit seinem ersten Roman ›Godwi‹ zu verdrängen. Was Wunder, daß Sophie von Laroche, noch immer eine Dame der Literatur, von dieser Veröffentlichung ihres Enkels und seinem Einfluß auf Bettine nicht sonderlich begeistert war! Es gab Erfahrungen, über die man ihrer Ansicht nach zu schweigen hatte. »Il s'est enfermé avec Bettine qu'il inhibe de ses principes, je l'avoue, à mon grand chagrin.« Sie wußte (oder wollte ja nur wissen), daß Clemens im Gymnasium in Koblenz und als Lehrling beim Vater versagt hatte, sie wußte von mit Versen und Bildern versehenen Rechnungen und den Fratzen, die er den Kunden geschnitten hatte, von seiner Unzugänglichkeit und seinem Scheitern im Erziehungsinstitut Winterweber in Mannheim und bei dem berühmten Pädagogen Salzmann in Schnepfenthal, von seinen Extravaganzen in Langensalza, wo er zu einem Geschäftsfreund der Familie geschickt und in papageiengrünem Rock, Scharlachweste und pfirsichblütenen Beinkleidern zum Kleinstadtschrecken geworden war. Clemens' Widerborstigkeit in Zusammenhang mit den Möhnschen Entgleisungen zu bringen, hätte sie nie gewagt. Doch sie erinnerte sich an die Nachsicht, die ihre Tochter Maxe gerade gegenüber diesem Sohn hatte walten lassen, und an die Gutmütigkeit des Buchhalters Schwab im Brentanoschen Hause, der den Jungen noch immer in Schutz genommen hatte, wenn der in seiner Kammer zwischen zahmen Eichhörnchen und Vögeln anstatt über den Rechnungen gehockt hatte. Die Gefährdung des genialischen Clemens sah sie sicher so an wie ihre gleichaltrige

Freundin, die Rätin Goethe, die ihm ins Stammbuch geschrieben hatte: »Wo dein Himmel ist, da ist dein Vaduz,/Ein Land auf Erden ist dir nichts nutz!/Dein Reich ist in den Wolken und nicht von dieser Erde und so oft es sich mit dieser berührt wird es Tränen regnen.«

Großmutter Laroche wußte nicht, was die Schriftstellerin Sophie von Laroche hätte ahnen können, daß Clemens das Vertrauen der Schwester brauchte, daß er sich in der Rolle des Erziehers von Bettine gefiel und, begeistert von Bettines strömender Sprache, sie zum Schreiben und Beschreiben anregte, daß er in ihr die ungewöhnliche Partnerin entdeckt zu haben glaubte. Partnerschaft hatte ja in Jena, im Umgang mit den Brüdern Schlegel, mit Tieck und Novalis, eine ganz neue Bedeutung auch für ihn gewonnen. Die Mystifizierung des Gegenüber bei völliger erotischer Unbefangenheit war so unbürgerlich wie Clemens zu sein wünschte. Er ließ Bettine teilhaben an seiner Hochgestimmtheit. In Jena hatte er das Ansehen nicht nur Wielands und Goethes, der alten Freunde der Familie, gewonnen. Die Vorlesungen Fichtes, Schellings und Johannes Wilhelm Ritters hatten ihn angeregt und die Zuneigung der begabten Schriftstellerin und Übersetzerin Sophie Mereau hatte ihn berauscht. Zwar hatte die Gattin des Juristen Friedrich Mereau seine Werbung vorerst abgewiesen, doch er wußte sich verstanden. In aller Aufgeregtheit aber begleitete ihn die Freundschaft des ruhigen, konzentriert arbeitenden Friedrich Karl von Savigny und ließ ihn fast pedantisch bemüht sein, die Verbindung zwischen dem Freund und der Schwester Bettine zu schaffen. Er mochte fühlen, daß der zielbewußte schweigsame Freund, der damals an seiner Habilitation arbeitete, ihnen beiden an Lebenssicherheit überlegen war. Es entging ihm wie auch Bettine, daß Savigny sich längst schon für die ältere Schwester Gunda entschieden hatte. Doch konnten sie beide im Glauben an ein Dreiecksverhältnis ihre Geschwisterliebe um so unbefangener entfalten. »Bettine wird mir so heftig, so begehrlich, daß ich sie ängstlich von mir weisen muß«, äußerte Clemens einmal zu Gunda, wehrte aber ihren Einwurf auch ab:

»Laß das, mein Umgang mit Bettine ist das einzige Tugendhafte, was ich in meinem Leben tat.«

Bettine überwand durch die Sonderstellung, die ihr der Bruder zubilligte, das Gefühl von Minderwertigkeit, das sie zwischen den Geschwistern so oft überfiel. Zu deutlich war ihr das eigene Anderssein, das sie immer wieder veranlaßte, sich undiszipliniert zu geben, um sich darzustellen. Das ziellose Lesen in der Larocheschen Bibliothek langweilte sie wie das Lernen, immer wieder flüchtete sie in den Garten und an den Main, kletterte angesichts fremder Besucher auf Bäume und über Hecken, gab sich kindisch, weil sie noch nichts anderes zu geben hatte. Nur das Musikstudium, zu dem sie der Bratschist der Kapelle des Kaufmanns Bernard in Offenbach, Philipp Carl Hoffmann, anleitete, und die Lektüre der Reden Mirabeaus, die sie gemeinsam mit der Großmutter betrieb, befriedigten sie, wenngleich ihre Meinung manches Mal nicht mit der der alten Dame übereinstimmte. »Ein kurzes, wildes, untersetztes Mädchen ... wurde (sie) stets als ein grillenhaftes unbehandelbares Geschöpf angesehen ... eine gewaltige Schwätzerin«, die auf Apfelbäumen herumkletterte und »mit überschwänglichen Ausdrücken ihre Bewunderung der Mignon in ›Wilhelm Meister‹ aussprach«, notierte ein englischer Besucher im Hause Laroche und beschrieb halb verärgert halb amüsiert, wie sie Mignons Haltung nachahmte. Andere Besucher der Grillenhütte waren Bettine jedoch zugeneigt, liebten die Ungebärdigkeit des Kindes, so der blinde Herzog Aremberg, einer der französischen Emigranten, die zu den ständigen Gästen in Offenbach gehörten; oder Herder, den sie für seinen onkelhaften Kuß ohrfeigte; oder auch der junge Soldat, dem sie beim Durchmarsch französischer Truppen zur Flucht verhalf, eine rasche Begegnung, ein Kuß, den sie protokolliert wie die von dem alten Herrn, halb verspielt, halb ernst.

Gegen allzu aufdringliche Freundschaft aber grenzte sich Bettine energisch ab. »Das gelob ich Dir, daß ich nicht mich will züglen lassen, ich will auf etwas vertrauen, was so jubelt in mir, denn am End ist's nichts anders, als das Gefühl der Eigenmacht«, schrieb sie an Clemens nach der Ankunft der Madame de Gachet, emigrierter Prinzessin aus der Vendée. »Ein Südwind auf brennenden Sohlen in einer Wirbelwolke von Staub wehte mir ins Gesicht«, charakterisierte sie die Fremde fast unmittelbar nach der Begegnung. Clemens hatte der Gachet einen Brief an seine Schwester mitgegeben, in dem er sie ihr, wieder bemüht pädagogisch, anempfahl. Daß Bettine zu jung war, entgegen ihrer spontanen Empfindung die Kühnheit und den Eifer zu bewundern, mit dem die französische Prinzessin Verbindungen gegen die zu knüpfen suchte, die ihre Familie der Guillotine ausgeliefert hatten, begriff Clemens nicht. Doch »... ich kann's nicht weiter ausdrücken, ich kann nur sagen, was auch in der Welt für Polizei der Seele herrscht, ich folg ihr nicht, ich stürze mich als brausender Lebensstrom in die Tiefe, wohin's mich lockt. – Ich! Ich! Ich! – Ich greife um mich mit meinen Fluten, ich eile in stolzen Wogen durch die Triften. Ich durchziehe euch, ihr Haine ...« Bettine wehrte sich unentschieden zwischen Schauder und Bewunderung gegen das allzu deutlich zur Schau getragene Schicksal der Fremden. Und als die Gachet sie auf den Schoß nahm und umklammert hielt und ihr versprach, sie mit nach Spanien zu nehmen, wo sie mit Clemens zusammen leben wollten, reagierte Bettine wieder als das Kind, das sich mit allen Fasern an die Familie gebunden wußte, und nannte voller Stolz die großen Brüder und beschwor Vater und Mutter und die Geschwister, die in der Familiengruft in der Karmeliterkirche ruhten, herauf gegen die unbekannte Angst vor der herrischen, überschwenglichen Frau.

Es liegt nahe, in Bettines Verhalten gegenüber der Gachet mehr als die Selbstbehauptung eines jungen Mädchens zu sehen, an ihre Begeisterung für Mirabeau zu erinnern oder an ihre Entrüstung über die bösen Bemerkungen, die Lavater noch kurz vor seinem Tode über die Physiognomie des Präsidenten der Nationalversammlung gemacht hatte (die Großmutter hatte sie ihr zu lesen gegeben), um auf einen Konflikt hinzudeuten, auf den auch Clemens' abschwächende Darstellung der französischen Revolution in einem der Briefe im Zusammenhang mit der Gachet-Episode schließen läßt, und Bettine hier schon politischen Instinkt zuzubilligen. Sicher, sie beobachtete den Gegensatz zwischen ihren und den Gedanken der Besucher der Grillenhütte, die Revolution in all ihren Phasen gehörte zum Tagesgespräch, und französische Zeitungen wurden ständig gelesen und kommentiert. Doch wenn Sophie von Laroche auch ihrem Wesen und ihrer Bildung nach der Republik zugeneigt war, verschreckte sie die Entartung der Republik unter Robespierre und sie blieb, darin von den Emigranten bestätigt, in ihrer Zustimmung zurückhaltend. Noch war ja der zweite Koalitionskrieg nicht beendet und die Lage an Rhein und Main durchaus unklar. Bettine schon politische Entschiedenheit zuzugestehen, hieße die Reflexionen der Sechzehnjährigen strapazieren, die noch eine Aufnehmende, eine Lernende war. Dennoch wird die Leidenschaft, mit der sie Mirabeaus Gedanken akzeptierte, für ihr ferneres Leben bestimmend sein.

Noch hatten die kleinen Koketterien auf den sommerlichen Festen, hatte aber auch die Freundschaft mit dem Gärtner mehr Bedeutung für sie. Dem half sie beim Aufbinden der Blumen und Kappen der trockenen Zweige, beim Gießen und beim Binden der Sträuße und tadelte Clemens, der ihr das hochmütig verweisen wollte, aus dem klaren Gefühl der Achtung für den Mann aus einem anderen Stand. Dennoch blieb ihr die Melancholie der Jungmädchenzeit nicht erspart, das Ungenügen an sich selber, die eigentümlich reife Erfahrung dieses Lebensalters, nirgendwo hinzugehören, die sie bald spröde, bald anschmiegsam sein ließ. Clemens versuchte sie dann durch Aufträge aufzumuntern, bat sie, eine Sammetmütze für seinen Freund Ritter zu sticken oder ließ ihr Bücher zustellen, die sie lesen sollte. Der Dialog zwischen beiden, der Zwang, sich immer wieder gegeneinander abzugrenzen und sich doch immer von neuem des anderen zu vergewissern, nötigte Bettine zum Verzicht auf die Rollen, die andere junge Mädchen in dem Alter durchprobieren, und ließ sie eigentümlich altklug erscheinen. »Kind meiner Max, was hast du für wunderliche Gedanken«, seufzte die Großmutter Laroche auf, als ihr die Enkelin ihre

Tagebuchnotizen vorgelesen hatte, und bewunderte dann doch das Lebensbild, das Bettine entworfen hatte: den Vergleich mit einem Knaben, der nachts zur Wanderung rüstete und schon morgens beim nächsten Feigenbaum verharrte, dessen Früchte noch reifen sollten. Phantastin oder Schwätzerin, niemand wußte recht, was von beiden Bettine war, niemand auch, was aus ihr werden sollte. Während Lulu die Eitelkeiten der Hübschen übte und Meline sanft und anhänglich blieb, langweilte sich Bettine ganz offensichtlich, reagierte störrisch, bevorzugte sehr einfache Kleider und war sofort unsicher, wenn sie Vorbehalte spürte, etwa gegenüber Savigny, dem Clemens all ihre Briefe zu lesen gab, ohne daß der aus der Reserve herausging. Daß ihr das wehgetan hat, ist kaum zu bezweifeln, zumal sie ihre Verehrung für Savigny mit der Günderode teilte, an die sie sich unterdessen schon angeschlossen hatte. Doch wenn sie Savigny gegenüber Clemens' verärgertem: er sei eine Studiermaschine! verteidigte, fand sie schon den lockeren Ton, den sie im späteren Umgang mit dem Schwager, dem Habihnnie (frankfurterisch: Hawihnnie) durchhalten wird, reagierte sie instinktiv richtig auf seine so unbrentanosche Ausgeglichenheit. Er »war über die Maßen freundlich und schloß alle Schleusen seines Paradieses auf und schien dennoch so einsam unter uns allen, als wären wir wie eine Horde Räuber bei ihm eingefallen«, notierte sie nach einem Besuch der Familie Brentano auf dem Trages, Savignys Gut bei Hanau, im Sommer 1802, in jäher Hellsicht die Distanz gewahrend, die sie nie ganz wird überspringen können.

Um diese Zeit war sie Achim von Arnim schon begegnet und spielte, recht siebzehnjährig, mit der Laune der Verliebtheit, ohne sich doch mehr vormachen zu können. Arnim war mit Clemens, den er 1801 auf der Göttinger Universität kennengelernt hatte, als Auftakt zu der Kavaliersreise seines Standes in Frankfurt im Haus zum Goldenen Kopf zusammengetroffen. Beide hatten die Schwestern in Offenbach besucht. Bettine war mit nach Frankfurt gekommen, als die jungen Männer sich einschifften, um main- und rheinabwärts zu fahren,

»Arnim so schlampig in seinem weiten Überrock, die Naht am Ärmel aufgetrennt, mit dem Ziegenhainer, die Mütze mit halb abgerißnem Futter, das neben heraussah, Du (Clemens) so fein und elegant mit rotem Mützchen über Deinen tausend schwarzen Locken, mit dem dünnsten Röhrchen, einen lockenden Tabaksbeutel aus der Tasche«, schilderte Bettine den Abschied und verlachte die Geckenhaftigkeit des Bruders, als er ihr von unterwegs, von Koblenz aus, seine jähe Liebe zur Braut seines Jugendfreundes gestand, teilte auch mit, daß die Günderode über seinen Aufzug gelächelt hätte, »sie lächelt immer nur über Dich« und unterschrieb: »Deine barbarische Schwester.«

Die Reise war für Clemens' und Arnims Pläne und ihre Zusammenarbeit an der Volksliedersammlung ›Des Knaben Wunderhorn‹ entscheidend. Clemens hatte Arnim ja noch als »Ritters großen Nebenmann in der Physik« vorgestellt – Arnim hatte schon als Student in Halle ab 1799 in ›Gilberts Annalen für Physik‹ veröffentlicht und dort die ›Vereinigung der Freunde freier Physik‹ gegründet, die auch für die jungen Dichter Houwald und Contessa, denen er im Hause des Komponisten und Salinendirektors Reichhardt auf dem Giebichenstein begegnet war, Anziehung hatte, weil in den naturwissenschaftlichen Vorträgen noch der Geist der Geheimbündnerei um Friedrich Wilhelm II. von Preußen, der Geist der Wöllner und Bischoffwerder nachwirkte. Auch in Göttingen hatte Arnim weiter Physik betrieben und war zum Vorzugsschüler des Professors Blumenbach geworden. Gleichzeitig hatte ihn die Begegnung mit Clemens Brentano und dem vielseitig begabten August Winkelmann (der später Arzt in Braunschweig wurde und sehr jung an Typhus starb, ohne sich recht in die bürgerliche Existenz eingelebt zu haben) in seinen poetischen Neigungen bestärkt. Der ihm befreundete Verleger Dietrich hatte seinen ersten Roman ›Hollins Liebeleben‹ ediert, zu dem er, ähnlich wie Clemens zu seinem ›Godwi‹, durch das aufsehenerregende Erscheinen von Friedrich Schlegels ›Lucinde‹ ermutigt worden war. Winkelmann hatte, von seinen dichtenden Freunden begeistert, die Drucklegung überwacht. Arnim war noch nicht entschlossen, die Physik aufzugeben. Auch auf der großen Kavaliersreise hat er in Genf noch physikalische Studien getrieben; doch haben die Stunden auf dem Main und Rhein, wo er sich mit Clemens in der Erfindung von Liedern überbot, zu denen der die Gitarre spielte, und die Gespräche über das Sammeln von Volkssagen und Volksliedern, über die Suche nach alten Büchern und Handschriften, die Clemens schon eifrig betrieb, Arnims Leben die Richtung gegeben. Wie weit Savigny Clemens' Beschäftigung mit alten Texten angeregt hatte, läßt sich nicht belegen, jedoch erlaubt seine Ermutigung für Jacob Grimm, die Sammeltätigkeit zu betreiben, den Schluß, daß der schweigsame Studiengefährte auf Clemens' reiche aber ungezügelte Phantasie eingewirkt hat.

Bei seinem Besuch in Frankfurt und Offenbach hatte Arnim die große herrliche Freiheit der Reise vor sich, die er zusammen mit seinem älteren Bruder unternahm, von dem er sich für den Besuch bei den Freunden und die Rheinreise getrennt hatte. Er war ganz dem Genuß seiner Jugend hingegeben, der Leichtigkeit, mit der ihm die Verse zufielen, dem Zauber, den die Rheinlandschaft für den Norddeutschen hatte, dem Glück auch, bequem im eigenen Wagen und reichlich mit Reisegeld ausgestattet unterwegs zu sein. Die einzige Verpflichtung, die Großmutter Labes in Berlin den Brüdern Arnim abverlangt hatte, nicht um Geld zu spielen oder zu wetten, war nicht schwer zu erfüllen, wenn die Welt offen stand. Daß die Begegnung mit Bettine in solcher Hochstimmung nur eine Episode blieb, war natürlich. Auch sein zweiter kurzer Aufenthalt in Frankfurt nach dem Abschied von Clemens und vor der Reise in die Schweiz festigte das Verhältnis noch kaum. Sicher, sie gerieten bei einem Spaziergang gemeinsam mit Karoline von Günderode in ein schweres Unwetter und mußten die Nacht im Stift, in dem die Günderode wohnte, unter einem Dach verbringen; die Mädchen waren albern und Arnim scheu. »Deine Bettine habe ich nur dreimal sehen können«, schrieb er nach dem Besuch an Clemens, »aber einen frohen Abend habe ich in ihrem Garten gelebt. Ich habe einmal Deine ganze Familie aus der Verbindung von Feuer und Magnetismus konstruiert und Dich auch; Bettine ist die höhere Vereinigung von beiden.«

Anders, jungmädchenhafter, nimmt sich Bettines Darstellung aus, wenn sie von dem Spaziergang über die stillen Feldwege nach der Grünen Burg erzählt, vom hereinbrechenden Unwetter und wie Arnim seinen grünen Mantel um die Mädchen hüllte; seine »elektrisierende« Jugendnähe und das nächtlich übermütige Geschwätz der Mädchen, gegen das er sich im Nebenzimmer durch husten und räuspern zu wehren suchte, die Scham beider, ihm morgens zu begegnen, die Selbstverständlichkeit, mit der er ihnen Vergißmeinnichtsträuße von der Wiese mitbrachte und Bettine bat, seinen Handschuh zu flikken, sie sich aber mit kleiner List des zweiten Handschuhs bemächtigte, um ein Pfand zu haben, verraten Verliebtheit, sicher; doch kaum mehr. Arnim wich denn auch aus, als Clemens ihm den Brief der Schwester zum Lesen schickte: »Sie (Bettine) kann nur ewig durch *sich* froh werden und traurig, die ganze Richtung unserer Kräfte treibt entgegengesetzt«, und er stellte dem Freund dar, wie Bettine nach einem leichten Sturz beim Wettlauf durch Kornfelder seinem Kuß ausgewichen war. Er spürte das Außergewöhnliche Bettines, ihr Wesen »steigt zur Kunst und nur in dieser Tätigkeit wird sie Ruhe finden«, aber es war ihm doch sehr fremd, sehr beunruhigend. Mutterlos aufgewachsen, bedeuteten ihm die reifen Frauen wie Frau Dietrich in Göttingen, die Gräfin Schlitz, seines Onkels Frau, die Madame de Staël, die Frau von Krüdener und bei seinem Aufenthalt in England die Sängerin Guiseppa Grassini noch mehr.

Auch Bettine wußte, daß sie nichts an Arnim band, sooft Clemens Grüße an sie weitergab, um die Neigung zu festigen. Die Sorge, Bettine könnte unverheiratet bleiben, beschäftigte die Familie. »Bettine kann gut werden, wenn sie einfach und natürlich bleibt und nicht eigene Länder entdecken will, wo keine weibliche Glückseligkeit zu entdecken ist«, hatte der Bruder Franz vor der Begegnung mit Arnim geschrieben, und es war beschlossen worden, Bettine aus der Offenbacher Ungebundenheit nach Frankfurt zu nehmen, um sie in die Gesellschaft einzuführen, ihr aber auch häusliche Pflichten aufzugeben; mit geringem Erfolg. »Bettine ist ein herzensgutes Mädchen, aber étourdi und leichtfertig bis ins Unbegreifliche, sie hasset so ganz alles, was nur eine entfernte Ähnlichkeit mit sittlichem Zwang hat«, mußte Franz ein Jahr später feststellen. Bettine wich dem unruhigen Leben der großen Familie gern aus, blieb auf dem Zimmer, das sie mit Gunda teilte, auch wenn die sie immer wieder ermahnte, der Schwägerin Toni zur Hand zu gehen, und Clemens sie drängte, abends im Familienkreis vorzulesen; sie ging auf Bälle mit und zog sich von den Tanzenden zurück. Als das schwarze Schaf der Familie angesehen, blühte ihre Laune nur auf, wenn es Feste vorzubereiten gab, wie etwa den Geburtstag der alten Claudine, die Maxes Kinder aufgezogen und betreut hatte und ihnen allen lieb war. Dann hatte Bettine Einfälle, bastelte und klebte, doch spielte sie, hier etwa in der kleinen Szene, die Clemens für Claudine erdacht hatte, nicht mit, hatte vielleicht zu wenig Grazie, verkroch sich in ihr Zimmer und bereitete die Hopfenstangen vor, an denen sie im Sommer Hopfen über den Altan ziehen wollte und auch Bohnen, dazu Sonnenblumen, Aurikeln und Ranunkeln, besuchte den Gärtner in Offenbach, der ihre Rosenstöcke, den Granatbaum und den Orangenbaum überwintert hatte, erlebte wie berauscht ein großes Feuer in Offenbach mit, spielte immer wieder ihre Zuneigung zu den Juden gegen Clemens aus, der sie ihr als ihrer Herkunft nicht würdig auszureden suchte.

Die Freundin

Ohne die Freundschaft mit Karoline von Günderode, die sie verstand, die ihr zuhörte und sie anleitete, hätte ihr die Frankfurter Zeit wohl noch ärger zugesetzt. In ihren Briefen an Clemens bockte sie jetzt oft gegen seine erzieherischen Absichten auf. Zwar riß der Wortstreit sie nicht auseinander, doch war die Entfremdung nicht mehr zu übersehen. Nachdem die Ehe von Sophie Mereau geschieden war, die, sehr intelligent, leidenschaftlich, aber kühl bis zur Ironie, zur Partnerin von Clemens wie vorbestimmt war, konnte er sich Hoffnungen machen. Er brauchte immer jemanden, der ihm Halt gab, auch wenn er sich, wie Bettine gegenüber, als Lehrmeister aufspielte. Im Sommer 1803 war er mit Sophie in Weimar zusammen, genoß Klatsch und Tratsch und Aufsehen und Ansehen, immer ein wenig Schauspieler, immer ein wenig Taschenspieler mit den Gefühlen anderer und doch sensibel, immer ein wenig neben sich selbst, Künstler, der fähig ist zu sublimieren. Bettine war anders, war noch identisch mit ihrem Schmerz. »Da suche ich nun in Deinen früheren Briefen, wie es sonst mit uns war, so ganz gedächtnislos bin ich und finde ein Lauffeuer verbundener Gefühle und Gedanken, ein Morgenrot, ein Morgenlicht, ein Aufblühen, ein Mittagsblühen ... Ich bin ermattet ... Oh, welche schwere Verdammnis, die angeschaffenen Flügel nicht bewegen zu können«, klagte sie, war gereizt gegen die Frankfurter Gesellschaft, teilte aber doch auch die Bedenken der Familie gegen Clemens' Verbindung mit der Mereau, wollte dem leicht entflammbaren Bruder seine Liebe nicht glauben, denn noch war ihre eigene Bindung an ihn zu eng. Es bedurfte der leidenschaftlichen Bemühungen von Clemens und Sophie Mereau, sie zu überzeugen. Nur gegen das ›Philistergesetz‹ der Ehe hatte sie Vorbehalte (oder waren es die Vorbehalte der Liebenden, die sie nachredete?). »Grüß Sophie von mir, und wenn Du schon in Marburg bist, so schreib ihr, daß ich alle Tage an sie denke.« Eine Schwangerschaft machte Sophiens Plan, als Partnerin ihr eigenes Leben neben Clemens durchzuhalten, jedenfalls hinfällig. Im November wurde die Ehe geschlossen. Für Clemens begannen die vollkommensten Arbeitsjahre seines Lebens.

Wenige Monate später, im April 1804, heirateten Savigny und Gunda und rüsteten zu einer Studienreise nach Paris, wohin sie die jüngste der Brentano-Schwestern, Meline, begleiten sollte. Der Bettine im Alter nächste Bruder Christian studierte in Marburg. Das große Haus an der Sandgasse war recht leer geworden. Sicher, mit Georg und seiner Frau Marie verstand sich Bettine gut, sie kam auch mit Franz und Toni aus, nur fehlte die Bindung durch Sympathie zu der Schwägerin, die ja dem Haus vorstand. »Wie mach ich's bloß, daß ich aus dieser Verbannung des Wirklichen erlöst werde?« hatte Bettine einmal gefragt und ihre Geborgenheit in Wunschvorstellungen und Träumen beschrieben; noch immer das heimatlose Kind, das auf den schwankenden Pappeln, die den Offenbacher Garten säumten, zu Hause war; das die junge Jüdin Veilchen, bei der sie die Goldstickerei erlernte, ihrer großen Selbständigkeit wegen bewunderte, mit der sie Geschwister und Großvater versorgte; noch immer ganz unkonventionell in der Beurteilung der Umwelt: »In Frankfurt riecht es nach Schacher; sonntags sind die Läden geschlossen! was steckt hinter diesen eisernen Stäben und Gittern? – Schacher, Geld! – Was machen die Leute mit dem Geld? – Ach! Sie geben Diners, sie putzen sich und fahren mit zwei Bedienten hinten auf.« Dennoch fehlte der hellwachen Intelligenz Bettines die Aufgabe, fehlte die sanft leitende Hand der Großmutter, fehlte die Möglichkeit, sich anders als sprunghaft zu bilden und sich so durch eigene Fähigkeit und Tätigkeit vor der Routine des Alltags zu bewahren. »Sie verzehrt sich innerlich; Arnim, wenn Du sie recht begreifen könntest, lieber Arnim, wir sind solcher Engel nicht wert!« Immer wieder warb Clemens für die Schwester, beschrieb, wie sie Arnim zu zeichnen versuchte, wie sie die Blumen, die er ihr geschenkt hatte, getrocknet aufbewahrte, begriff nicht, daß die Unentschiedenheit beider füreinander einen Reifeprozeß andeutete, in den einzugreifen ihm verwehrt war. Bettines unbändiges Bedürfnis nach Freiheit: »Zu was? – Dazu, daß ich das ausrichte und vollende, was eine innere Stimme mir aufgibt zu tun«, ihre Gleichgültigkeit gegen das, was derzeit in der Welt vorging (der Reichsdeputationshauptschluß zu Regensburg 1803, Napoleons Kaiserkrönung 1804), ihr Sich-verkriechen, während sich Geschwister und Schwäger in Heidelberg trafen, wo Savignys für einige Wochen Station machten, wohin Clemens mit seiner Frau aus Marburg übergesiedelt war und wo er den ihm befreundeten Philologen Friedrich Creuzer mit der Günderode zusammenführte –: all das verrät, wie mühsam sie sich am Rande der Schwermut hielt. »Wenn ich so denke, daß gestern ein Tag war, wie heute einer ist und morgen einer sein wird und wie schon so viele waren und noch viele sein werden, so wird es mir oft ganz dunkel vor den Sinnen.« Aber sie nahm wieder bei Hoffmann Klavierstunden, sie las an den Abenden vor, sie trieb auf Savignys Anraten und mit Unterstützung der Günderode Geschichte. Und ihre Freundschaft mit der älteren, sehr stillen Dichterin, bei der sie sich aussprechen konnte, half ihr wieder, sich zu erkennen, ihres Andersseins bewußter zu werden als vorher in der Spiegelung durch Clemens, nicht mehr damit zu kokettieren, auch nicht mehr daran zu leiden, sondern sich daran zu orientieren.

Während Arnim auf der Reise im Überfluß an persönlicher Freiheit die Gebundenheit reflektieren lernte, vornehmlich angeregt durch die Bekanntschaft mit dem Grafen Schlabrendorff, dessen damals anonym gegen Napoleon gerichtete Schrift in der allgemeinen Siegesstimmung und dem blinden Abscheu vor der Revolution in Paris Aufsehen erregte, und der ihm die neunziger Jahre in Frankreich schilderte, deren Augenzeuge er gewesen war, wurde Arnim seine Bindung an Preußen deutlich. Er begriff Preußens entscheidende Lage innerhalb der deutschen Staaten, fühlte sich aber wohl auch in der glitzernden Riesenstadt Paris von der Kargheit des Lebensstils in dem vorwiegend agrarischen Preußen angezogen. »O mein heiliges Vaterland, ich fühle, daß du mich hier in der Fremde noch begeisternd anhauchst, du hebst mich, du treibst mich, zu dir hin lebe ich, fühle mich leicht wie eine Feder«, notierte er. Anders als es Clemens erwartet hatte, setzte er sich mit seiner Herkunft auseinander. Der hatte ihm 1802 besorgt und für seine eigene Ungebundenheit charakteristisch geschrieben: »Wenn ich Deinen letzten, lieben, großen herzlichen Brief lese, so rührt mich Dein Plan für eine große poetische Tätigkeit immer besonders, aber die Ironie darin schmerzt mich; und wenn ich denke, daß

Du wieder den ganzen Plan vergessen haben kannst, so werde ich gar traurig, denn dann kannst Du mich einstens auch vergessen ... Wird Dich nicht der Staat und der Stand gefangen nehmen? werden Dich nicht die toten Finger Deiner Ahnen festhalten? wird Dir Deine Familie, der es wie aller Familie wohl im Ganzen gleichgültig ist, nicht so freundschaftlich die Hand drücken, daß Du Dich in den Sessel von jeher setztest, etwa so poetisch bist, als es geschmackvoll ist, so wirkend als man absehen kann, und so freundschaftlich, als es artig ist? Lieber Arnim, verzeihe meine unfreundlichen Prophezeiungen und erblicke meine Liebe darin. Denn wenn ich nicht fühlte, wie ich einen großen Teil meines verlorenen Mutes in dem Gedanken, mit Dir in einer gemeinsamen Absicht zu wirken, wieder erbauen könnte, so würde ich nicht so ängstlich vermuten. Getäuschte Hoffnungen sind bitter, besonders für mich, der ich mich nie stückweise wage, sondern immer alles dransetzen muß ...« Nicht die Familie stand Arnims Entwicklung quer, er war ja durch das Testament der Großmutter Labes, die Grundbesitz für die Enkel hinzuerworben hatte, gesicherter als sonst die zweiten Söhne des preußischen Adels, war nicht genötigt, die militärische oder die Beamtenlaufbahn zu wählen. Aber der Zweifel an der eigenen Fähigkeit und die im gefährdeten Preußen sich vordrängenden, ins Allgemeine weisenden Aufgaben stellten ihn mitten in einen Konflikt, den er nie austragen durfte, weil er sich nie an einer öffentlichen Aufgabe beweisen konnte. Seine Rastlosigkeit in den späteren Jahren und die Ermüdung der schöpferischen Kräfte waren der Preis, den er zu zahlen hatte.

Er mag es vorausgeahnt haben, als er ermattet von der großen Reise zurückkehrte, die er wie im Rausch angetreten hatte. Der Vater war unterdessen gestorben, und ihn hatte eine Leberentzündung viel länger, als es für die Übernahme der Verwaltung der väterlichen Güter angebracht war, in England festgehalten. Um sich wiederherzustellen, verbrachte er den späten Sommer 1804 auf Zernikow, dem Gut der Großmutter, und nahm dann im Herbst eine eigene Wohnung in Berlin hinter der Hedwigskirche, wo Hofgesellschaft, gehobenes Bürgertum, Künstler und Gelehrte wohnten, vertauschte sie jedoch bald mit einer größeren Wohnung hinter dem Packhof. Dort besuchte ihn Clemens, dringend erwartet, noch im Winter, um die Herausgabe alter Lieder und Balladen, die beide seit 1802 beschäftigte, voranzutreiben; ausgeglichene Arbeitswochen, in denen sich beide wieder nahe kamen, beide gereifter, beide bewußter arbeitend. Clemens überwand die Erschütterung über den Tod seines ersten Kindes, Arnim wurde mit dem Zweifel am eigenen Können fertig. In der behaglichen Atmosphäre dieses Winters wurde ihm auch die Zusammengehörigkeit der großen Brentanofamilie, von der Clemens immer wieder sprach, im Gegensatz zu seiner eignen Einsamkeit bewußt. Die Reise hatte ihm ja gezeigt, wie wenig ihn mit seinem Bruder Pitt (Karl Otto Ludwig von Arnim) verband, und die Großmutter Labes war mit dem Alter fast unerträglich herrisch geworden. Wenn die Freunde beim Summen der Kaffeemaschine und von Clemens' Pfeifenrauch eingehüllt über den Büchern saßen, aus Christian Reuters ›Schelmuffsky‹ oder Gottfried von Straßburgs ›Tristan‹ vorlasen, wenn sie sich mit dem Liederbuch beschäftigten, das Sophie Brentano angeregt und das sie der Großmutter Laroche zu widmen beschlossen hatten, wenn sie einander neue Vertonungen von Reichardt vorsangen, der in diesen Wochen bei seinem Schwiegersohn Pistor, Arnims Schul- und Studienfreund, in der Mauerstraße zu Gast war, und schließlich auch, wenn sie gemeinsam auf den Weihnachtsmarkt gingen und Clemens immer wieder von Bettine erzählte, erinnerte sich Arnim, was er im Frühsommer an Clemens und Sophie geschrieben hatte, als ihnen das erste Kind gestorben war: »Nur um eines bitte ich Dich, störet Euer Vertrauen nicht. Es ist eine höhere Durchdringung als Liebe und die Liebe hat nur darin ihren Wert. Vertrauen ist die höchste Leidenschaft und die höchste Tat zugleich.« Er begann sich auf das Wiedersehen mit Bettine zu freuen. Bei der Abreise gab er Clemens eine Tasse als Gruß für sie mit. Schon der Frühling sollte ihn ja zur Drucklegung der Liedersammlung, die sie nach dem Titel einer französischen Romanze ›Des Knaben Wunderhorn‹ nennen wollten, auch an den Main und Rhein führen.

Bettine hatte durch die Freundschaft der Günderode ihre Lebensfreude zurückgewonnen und nahm wieder lebhaft an den Familienereignissen teil. Überglücklich machte sie der Vorschlag des Ehepaars Savigny, die ihnen im April geborene erste Tochter Bettine zu nennen, sah sie doch darin eine Anerkennung durch Savigny, um die sie in ihren Briefen und ihren Studien so bemüht war. Als die Schwägerinnen im Sommer aufs Land gingen, blieb sie in Frankfurt, gab sich sehr selbständig und genoß es. Sie spöttelte altklug über Lulus bräutliche Aufregung und daß sie selbst wohl »sitzen zu bleiben scheint«; sie versuchte Clemens über den Verlust auch des zweiten Kindes zu trösten; sie besuchte dann und wann die Großmutter in Offenbach, die noch immer das Haus voller Gäste hatte, und führte mit Isaak von Sinclair, der den erkrankten Hölderlin in Homburg betreute, Gespräche über den Dichter. »Keiner ahnt ihn und weiß, was für ein Heiligtum in dem Mann steckt«. Sie spielte auch mit dem Wunsch, ihn zu besuchen und zu pflegen, weil sie seinen Wahnsinn, über den man in Frankfurt wegwerfend sprach, aus seiner »zu feinen Organisation« verstand, hielt Freundschaft mit Jacob Gontard, dem Sohn der Diotima (Susette Gontard), war hingerissen von Hölderlins Gedichten, die ihr Sinclair zu lesen gab. »Was ist doch die Sprache für ein heiliges Wesen! Er war mit ihr verbündet, sie hat ihm ihre heiligsten innigsten Reize geschenkt!« Solche jäh aufblitzenden und brillant formulierten Gedanken, die ihren Mut und ein sehr ausgeprägtes Wertgefühl bezeugen, täuschen darüber hinweg, daß sie kaum tiefer in die Dichtung Hölderlins eingedrungen ist. Ihre Fasziniertheit blieb oberflächlich, wenn sie auch später sein Gedicht ›Hälfte des Lebens‹ (Mit gelben Birnen hänget und voll mit wilden Rosen) komponiert hat und in ihrem einzigen bedeutenden Gedicht ›Petőfi dem Sonnengott‹ sich Hölderlins Rhythmus anempfunden hat. Ihre Fähigkeit aufzunehmen, sich zu begeistern, und sehr bewußt eine Gegenmeinung zu formulieren, verrät die Unsicherheit der Vielbegabten, die ihr zeitlebens anhaftet und sie immer wieder vor sich selber in Frage stellt. Die Briefform als die ihr gemäße literarische Ausdrucksweise hat sie erst spät akzeptiert, wenn auch die Arbeit an den Briefen immer wesentlich zu ihrem Alltag gehört hat. Im Bewußtsein der Partnerschaft sich selbst darzustellen, diese der Schauspielerbegabung nahe Fähigkeit, die auch an Clemens auffällt, war für Bettine schicksalsbestimmend, läßt ihr Leben bei flüchtiger Betrachtung so reich an Freundschaft erscheinen und verschweigt, wie schwer es ihr, immer auf der Suche nach sich selbst, wurde, die Toleranzgrenze der Freundschaft einzuhalten.

Das nimmt ihrem Urteil über Hölderlin, den sie nie gesehen, dessen geistiges Panorama sie nie erfaßt hat, dennoch nichts von seiner Spontaneität und der Echtheit der Erfahrung vom möglichen, ja notwendigen Leben in und durch die Sprache. Sie lebte es so, sie lebte im Nachvollzug der Wirklichkeit in ihren Briefen auf. Die Spannung zum gegenwärtigen Augenblick erklärt manche Gereiztheit und manche Absurdität ihres Verhaltens und überschattet auch die Wiederbegegnung mit Arnim.

Er war Ende Juli zusammen mit Clemens nach Frankfurt gekommen, um die Drucklegung der Sammlung ›Des Knaben Wunderhorn‹ zu überwachen, die beide seit Ende Mai in Heidelberg satzreif gemacht hatten. Arnim hatte an der Freude des Paares über die Geburt der Tochter im Mai teilgenommen, aber auch an ihrem Leid über ihren Tod im Juli, er hatte Clemens' Heidelberger Freundeskreis kennengelernt und mit Sophie zusammen den gesundheitlichen Verfall von Clemens ansehen müssen. So war es ihm selbstverständlich, daß er sich allein um die Drucklegung kümmerte und das Erscheinen des Buches durch Anzeigen vorbereitete, während der Freund nach Wiesbaden zur Kur ging. Bei Besuchen dort und auf Ausflügen in die Umgebung begleitete ihn Bettine, war übermütig, beredt und charmant, denn »Arnim redet sehr wenig; was er sagt, ist gewöhnlich heiterer Scherz. Aber im Stillen, wenn ich ihm so seitwärts ging, hab ich mich an seiner Erscheinung geweidet. Zuversicht und Kraft sind ihr aufgeprägt. Es ist doch etwas Herrliches um dieses kräftige Auftreten auf dem Erdboden, um dieses heitere, klare, feste Blicken in die Welt hinaus, wie wenn sie einem dienen müßte. Das vermag Arnim, und zwar ohne gesuchte Kraft, ohne Brutalisieren, sondern so, daß die Kraft freundlich ist und gemildert und folglich schön. So soll der Mann sein.«

Creuzers Schilderung deckt sich mit Bettines Erinnerungen an diese Sommertage, an die kleinen Abenteuer der Wanderungen, deckt sich aber auch mit dem, was Arnim bedauernd und ein wenig erstaunt feststellen wird: daß sie beide weder über Bücher miteinander gesprochen noch welche miteinander betrachtet noch einander vorgelesen hätten. Das Sie, das sie in der Anrede beibehalten, bestätigt die Scheu beider, sich preiszugeben, etwa voneinander gestört zu werden. Arnim machte mit Clemens und Sophie eine Rheinreise in Erinnerung an die Rheinreise vor drei Jahren, die ihre Freundschaft bekräftigt hatte und in der Vorfreude auf das Erscheinen von ›Des Knaben Wunderhorn‹, das am 22. September 1805 in Beckers Reichsanzeiger für die Michaelismesse angekündigt wurde. Bettine und der ganzen Familie Brentano begegneten sie zur Taufe bei Savignys auf Trages. Jacob Grimm, Savignys Adlatus in Paris, die Günderode, Bostel waren unter den Gästen. Arnim, neben Bettine Pate, gewann Savignys Zuneigung. Die Familie hatte ihn nun aufgenommen.

Während Napoleons Truppen gegen Österreich marschierten, fand ›Des Knaben Wunderhorn‹, von Goethe vorbehaltlos begrüßt, ein großes Echo. Goethes Wohlwollen empfand Arnim bei seinem Besuch in Weimar »als wenn eine schöne Königin ihm durch die Haare führe und seinen Hals klatschte«. So ermutigt betrieb er, mit Clemens immer im Austausch, die Sammelarbeit weiter. Sie ergänzten ihre Verbindungen zu den großen Sammlern altdeutscher Texte, wie dem Rektor Gräter in Schwäbisch-Hall, dem Superintendenten Nachtigal, genannt Otmar von Halberstadt, dem Amtsverweser Elwert in Dornburg, durch ein Netz von Korrespondenzen bis hin nach Oberschlesien. Durch Aufrufe ermuntert schickten ihnen Fremde und Freunde Märchen, Lieder und Balladen zu. Auch Philipp Otto

Runges plattdeutsche Wiedergabe des Märchens ›Vom Fischer unn sine Fru‹ gelangte so an sie. Sie entdeckten die reichhaltigen Variationen der Motive in den verschiedenen Dialektbereichen. Clemens kopierte und verglich die Texte, interpolierte sie, um sie den unvorbereiteten Lesern zugänglich zu machen, und verstand die Unruhe des Freundes nicht, der von der Sorge um Preußen bedrückt war und sich im Winter nach der Wiederbegegnung mit dem Studienfreund Nostiz, dem Adjutanten des Prinzen Louis Ferdinand, kurz entschlossen der Armee zur Verfügung stellte. Doch Napoleons Sieg bei Austerlitz und der Friedensschluß zu Preßburg machten Preußens Eingreifen in den Koalitionskrieg hinfällig. Die Stimmung in Preußen war nach so hochgespannter Erwartung gedrückt und machte Arnim auch Bettine gegenüber gereizt, wenn sie ihm ihre vom Tage diktierten Briefe schrieb.

Sie und ihre Schwester Meline hatten Savignys auf den Forsthof nach Marburg begleitet, wo der Schwager ohne Vorlesungsverpflichtungen seine Pariser Studien auswerten wollte. Wieder wußte Bettine, daß sie nur geduldet war, die Familie hatte ihr vor der Reise abgeraten mitzugehen, weil sie Savigny lästig sein könnte. »Ich halte nun auch eben nichts besonderes von mir«, verteidigte sie sich, aber »ich hab ihn immer noch wie sonst lieb, und so scheu ich mich gar nicht, mit ihm zu leben.« Dennoch wurde es ihr manchmal schwer, so wenig ernst genommen zu werden. »Mein Gott! ich habe niemand, mit dem ich ernstlich sprechen könnte, ohne daß er mir gerade ins Gesicht sagen würde: Du sprichst Kinderei, Du lügst, Du bist gespannt, Du extravagierst ...« gestand sie der Günderode, der sie sich wie vordem Clemens in ihren Briefen anvertraute. Immer wieder brach sie in die Natur aus, durchstreifte den winterlichen Wald, stieg nachts auf einen alten Turm, um die Sterne anzusehen, fand im Anblick eines Baumes Ruhe oder besänftigte sich in der Sympathie mit den Ausgestoßenen. Die Familie, die Sorgen, die Frömmigkeit des Kleiderjuden Ephraim beschäftigte sie, so wie sie vordem die Familie der Goldstickerin Veilchen beschäftigt hatte. Sie versuchte, hebräisch zu lernen, sie ließ sich von Ephraim in der Mathematik unterweisen. Sie verglich die Würde und Strenge dieser Familie mit der Frankfurter Gesellschaft, schilderte einmal (in dem für die Herausgabe interpolierten Briefwechsel mit der Günderode der Zeit vorgreifend) einen Empfang beim neuernannten Fürst-Primas des Rheinbundes, dem letzten Kurfürsten von Mainz Karl Thedor von Dalberg (ihm wurde Frankfurt erst am 6. September 1806 übergeben), und merkte ein wenig bitter an, wie selbstverständlich nunmehr Napoleon gefeiert wurde. Mehr erfahren wir von ihr nicht über den Zusammenbruch des ›Heiligen Römischen Reiches Deutscher Nation‹. Auch für die nachrevolutionäre Neuerung, die Abschaffung des Galgens, hatte sie nur einen Satz übrig. Trotz ihrer Kenntnis Mirabeaus lag es ihr noch fern, politisch zu denken. Sie sah, wie der Schwager Karl Jordis sich um die Geschäfte des Königs Jérome in Kassel bemühte, durfte ihn begleiten, sah auch dort am Hof Eitelkeit und hörte die alberne Konversation, spielte wieder den Clown, um sich zu wehren, und dachte beim Durchzug preußischer Truppen wehmütig-zärtlich an Arnim.

Sie war nun bald einundzwanzig und gehörte noch immer nirgendwohin, war nichts, galt nichts, hatte nichts zu bestellen, litt unter ihren reichen Fähigkeiten und verkrampfte sich, gab sich kindischer als sie war. »Bettines Worte tun mir weh«, beklagte sich Arnim im Januar 1806 bei Clemens, »es ist ein schmerzliches Beziehen aller Welt auf sich, wodurch alles gesunde Weltleben zerrissen wird, wenigstens die schöne Decke verliert, worin es nackt und warm schlummert.« Und doch erkannte er deutlicher als die anderen, was an Bettine versäumt worden war. »Zeige ihr, wieviel herrlicher es ist, ein Lied aus C-Dur ganz und vollendet spielen zu können, als systematisch alle Lieder auf C-Dur zu bestimmen, ein Lied rein und klar aufzuschreiben, als zehne in den Wind zu komponieren ...« Wenig später bat er sie, auch Lieder zu sammeln. Mit der Unvoreingenommenheit des Fremden erkannte er ihren Spott, der ihm unangenehm war, als Familieneigenschaft. Der Briefwechsel wurde dichter, wenn er auch distanziert blieb.

Beide waren noch nicht zueinander entschlossen. Bettine hielt, solange sie in Marburg war, an ihrem Vertrauen zur Günderode fest. Mehr als drei Jahre hatte sie sich ja von ihr verstanden gewußt, war mit ihr wie ein Backfisch gewesen, hatte die Dichtungen der Freundin bewundert, aber auch kritisiert, sobald sie die Pose herausfühlte. Es war ihr nie aufgefallen, daß die Freundin ihr persönliches Leben vor ihr verschwieg. Dabei hätte sie schon die liebevoll mokante Schilderung ihres Zimmers kurz nach der Übersiedlung nach Marburg das Zurückweichen der Älteren spüren lassen müssen. (Bettine hat in der späteren Überarbeitung des Briefes den Spott der Freundin über die umherliegenden Bücher, die rappelnden Schmetterlinge in der Schachtel, die tintenübergossenen Noten deutlicher als freundliche Distanziertheit dargestellt, offenbar aus dem genau erinnerten Gefühl der Entfremdung, das sie damals mit brutal heiterer Gleichgültigkeit überspielt hatte.) Dennoch traf sie die Abwendung der Günderode hart, als sie im Sommer 1806 nach Frankfurt zurückgekehrt war. »Was ist die Liebe, die weichlich nur immer dahin strebt, sich das Schönste vom andern einzubilden! Leerer vergänglicher Schaum«, wird ihr Arnim zwei Jahre später über das Verhältnis zur Günderode schreiben, »ich will einen Freund lieber für schlechter halten als er ist, als für besser, so lerne ich gewiß sein bestimmtes besseres wahres Dasein kennen, während ich dort nur meine Seifenblase immer weiter blase, bis er hineingreift und alles verloren. Das Beste ist freilich, ihn ganz zu kennen, wie er ist.« Das traf nun freilich auf alle Freundschaften Bettinens zu. Damals im Sommer 1806 blieb ihr nur der Schrecken, das wortkarge Ende ihrer Mädchenfreundschaft zu der älteren, stilleren und doch gar nicht mütterlichen Freundin. »Als ich hinkam, stand sie vom Tisch auf, an dem sie geschrieben hatte. – Guten Tag! – Du bist schon so lange hier und hast mich noch nicht besucht? – Keine Antwort. – Du hättest es wohl noch länger anstehn lassen, wenn ich nicht von selbst gekommen wäre? – Kann sein. – Du scheinst ja sehr kalt. – Ich bin Dir bös (aber alles ganz kalt von ihrer Seite). – So? Du scheinst auch nicht wieder gut werden zu wollen? – Zum wenigsten wäre es mir leid, wenn Du darauf drängest, denn ich habe mich in Dir getäuscht und Du täuschtest Dich in mir. – Und so packte ich auf mit Freundschaft und Vertrauen und allen schönen Plänen, alles durcheinander.« Bettine ahnte, daß die Veränderung der Freundin durch ihr Verhältnis zu Creuzer veranlaßt war, sie wußte wohl auch, daß sie selber Creuzer zuwider war, aber sie erkannte nicht, was in Karoline vorging. Sie hatte nie über die eigentümlich jüngferliche Entwicklung, in die die Freundin durch den Aufenthalt im Stift und die Verarmung ihrer Familie gedrängt worden war, nachgedacht. Sie hatte das Schweigen der anderen für Tiefe genommen, wo es vielleicht Hilflosigkeit war, sie hatte drauflos geredet und geschrieben und geschwärmt, hatte die Erhabenheit, in der sich die Freundin gefiel, verlacht und nicht begriffen, daß die sich vor ihrer Vitalität fast ängstlich abschirmte, hatte es nicht begreifen können, weil sie zu jung und dem Leben zu neugierig zugewandt war. Savigny hatte die Günderode, die ihn ja einmal geliebt hatte, besser erkannt. »Den passiven Naturen ist das Höchste, ja das einzig Wichtige die Tiefe und Eigentümlichkeit ihrer Empfindung ... die meisten Menschen dieser Natur sind in Gefahr, das Tiefe und Bedeutende mit dem Außerordentlichen zu verwechseln und bei vielen bleibt und wächst dieser Irrtum immerfort ... Bei bedeutenden Menschen ist der selbe Irrtum fast noch gefährlicher, indem er sich bei ihnen mit der wahren Empfindung, die sie haben, vermengt und so unergründlicher wird. So bist Du, und daß Du so bist und bleibst, kommt von einer Gottlosigkeit her, die Deine gute wahrhafte Natur gewiß schon ausgestoßen hätte, wenn es die sinnliche Schwäche Deines Gemütes zuließe. Alles nämlich, was Deine Seele augenblicklich reizt, unterhält und erregt, hat einen solchen absoluten Wert für Dich, daß Du ihm auch die schlechteste Herkunft leicht verzeihst. Etwas recht von Herzen lieben, ist göttlich, und jede Gestalt, in der sich uns dieses Göttliche offenbart, ist heilig. Aber daran künsteln, diese Empfindung durch Phantasie höher spannen als ihre natürliche Kraft reicht, ist sehr unheilig.« Bettine wußte nichts von diesem Brief aus

Marburg, der eine verborgene Kritik an ihrem und der Günderode Verhältnis zueinander war, wußte auch nichts von der Leidenschaft, mit der die Freundin ihre Liebe zu Georg Friedrich Creuzer am Rande der Realität aufgebaut hatte, nachdem die Scheidung von Creuzers Ehe nicht zustandegekommen war. Den gediegenen Gelehrten hatte das genialische Dunkel der Günderodeschen Dichtung bewegt, seine ›Mythologie und Symbolik der Alten‹ (1810) zeugt von der Steigerung, die er durch die Begegnung mit ihr erfahren hatte; aber hatte ihn nicht schon sein Urteil über Arnim charakterisiert? Er war selber gehemmt und durch die Umstände seines Lebens eingeengt, nicht der Mann, der heiter, klar und fest in die Welt blicken konnte »wie wenn sie ihm dienen müßte«.

Bettine reagierte mit trotziger Naivität auf die Absage der Günderode. Sie teilte ihr mit, daß sie statt ihrer die Rätin Goethe zur Freundin gewählt habe, »und so lief ich auch zu dieser und bin nun bei ihr wie ein Kind«. Meline bestätigte den spontanen Entschluß: »Wir sind auf unsere Faust hingegangen (zur Rätin Goethe) und werden, da sie uns gut aufnahm, die Besuche erneuern.« Achtzehn Tage nach dieser Nachricht tötete sich die Günderode am Rheinufer in Winkel, wo sie bei ihren Freunden Servière zu Gast war, mit dem Dolch. Sie hatte den Körper mit einem Schal voller Steine beschwert, der sie hinüber ins Wasser gezogen hatte, und keine Nachricht hinterlassen.

Der Schock sollte Bettine nie wieder freigeben. Es blieb ihr das Bewußtsein einer Mitschuld, auch wenn sie die nicht recht begründen konnte. »Ich werde den Schmerz in meinem Leben mit mir führen.« Arnim versuchte behutsam zu trösten und die ungesunde Leidenschaft der Günderode zu deuten. Doch wenn Bettine 1810 mit Freyberg über das Vernarben des Schmerzes redete oder Goethe in Teplitz den Tod der Freundin ausführlich beschrieb, geschah das noch immer schaudernd und wie in Abwehr. Und selbst im hohen Alter wird sie noch das ihr so fremde Todesverlangen der Freundin umkreisen und es Varnhagen gegenüber aus dem Widerwillen der Günderode über das Verhältnis ihrer Mutter zu dem Haushofmeister der Geschwister zu erklären versuchen. Die Widmung des Briefwechsels, den sie stark bearbeitet und ergänzt 1840 herausgibt, ist ein Zugeständnis an das Pathos der Jugend, keine Erklärung: »Den Studenten; die Ihr immer rege, von Geschlecht zu Geschlecht, in der Not wie in des Glückes Tagen auf Begeisterungspfaden schweift; Euch Irrenden, Suchenden! Die Ihr hinanjubelt den Parnassos, zu Kastalias Quell; Ihr, die mit Trug noch nicht nach nichtiger Hoffnung jagtet!«

Zuneigung oder Entfremdung

Damals, unmittelbar nach dem Ereignis, forderte sich Bettine fast gewaltsam zur Lebensbejahung. Savignys zweites Kind, ein Sohn, war wenige Tage nach dem Tod der Günderode geboren und hatte nur vier Tage gelebt. In ihrem Trostbrief an den Vater schrieb sie: »Er ist falsch, der Tod ... darum muß man auf keine Weise in Verbindung mit ihm treten, nichts als leben – und eben darum sollt Ihr beide Euch dem Schmerz nicht überlassen, denn das ist Tod, sondern Ihr sollt auf neues Leben denken und an mich denken, ob ich Euch in Euerm Unglück zu etwas nützlich und wert sein kann.« Sie ist sich bewußt, daß das Geschehene »ohne Spaß eine Epoche in meinem Leben verursacht« hat. Welche Instinktsicherheit, sich in dieser Krise der Rätin Goethe anzuvertrauen und sich von dem anderen, gebändigten Leben, von dem die mütterliche Frau erzählt, mitreißen zu lassen, in die Rolle des Kindes zurückzuweichen, um sich dem in den Erzählungen heranwachsenden Wolfgang Goethe geschwisterlich anzunähern! Der Mutterstolz der alten Goethe, die so viel unkomplizierter war als die Großmutter Laroche in Offenbach, ihre Freude am bildhaften Ausdruck und ihre Erinnerungen an die frühen Kinderjahre des Sohnes kamen dem jungen Mädchen entgegen, das sich nach

Mutterschaft ebenso sehnte wie nach Geborgenheit. Eine für dieses Lebensalter beinahe typische Sympathie bereitete die zentrale Erfahrung von Bettines Leben vor: ihre Begegnung mit Goethe. Rätselhafte Partnerschaft, der Illusion fast immer näher als der Wirklichkeit und doch für Bettine die genaueste Erfahrung ihres Selbst: hinter der Maske des Kindes ihr Erwachen zur Frau.

Inzwischen war Arnim auf der Reise nach dem Süden in Göttingen, wo er sich mit Clemens und Sophie hatte treffen wollen, von der preußischen Mobilmachung überrascht worden. Es war ihm nicht vergönnt und seinem Charakter durchaus entgegen, »die Zeitgeschichte (von sich) abzublasen wie den Dampf einer fremden Pfeife«, auch wenn er sich das manches Mal wünschte. Schon Goethes Vorschlag, nach der Wunderhornsammlung altfranzösische, altspanische, altenglische und schottische Lieder und Romanzen folgen zu lassen, hatte er abgewehrt: »Dazu gehört schon ein gut Stück Leben, und man kann jetzt sein Leben höher losschlagen.« Er sah die preußischen Truppen Mitte August 1806 westwärts marschieren, sah die Bagagewagen, die Artillerie, die Schiffsbrücke, die begeisterten Soldaten, und schrieb, mitgerissen von ihrer Siegeserwartung, Kriegslieder, die er auf Flugblättern an die durchziehenden Truppen verteilte. Er plante die Herausgabe einer Zeitschrift: ›Der Preuße, ein Volksblatt‹. »Wir werden es ›den Deutschen‹ nennen, sobald Deutschland sich wiederherstellt von der langen Krankheit, welche jede Kraft vereinzelt und gegenseitig vernichtet, die wir mit Kunst und in der Stille pflegten und aufzogen.« Clemens, durchaus unpolitisch, konnte die vaterländische Begeisterung des Freundes nicht teilen. Er genoß in jenen Wochen das Wiedersehen mit Ludwig Tieck, der ihn zusammen mit dem Kunsthistoriker Rumohr auf der Rückreise von Rom besuchte. Sie tauschten Jenaer Erinnerungen, Tieck begeisterte die Brentanos durch die Vorlesung von Shakespeares ›Sommernachtstraum‹. Bettine ließ es sich gefallen, daß die Gäste sich in sie verliebten, und sie drängte erst nach einem freundlich höflichen Abschied ihre Zuneigung heftiger auf, als wollte sie die verabsolutieren; eine Eigenschaft, die ihr häufig verübelt worden ist und doch immer nur wieder auf den Zweifel an sich selbst schließen läßt. Arnim, der durch den Aufmarsch der preußischen Armeen an der Weiterreise nach Frankfurt gehindert war, sah bald die preußischen Truppen und die Königin auf der Flucht durch Göttingen zurückweichen und war entschlossen, nach Giebichenstein aufzubrechen, um von dort aus die vorjährige Verbindung zum Prinzen Louis Ferdinand wiederaufzunehmen, als ihn die Nachricht von der Schlacht von Jena und Auerstedt und vom Tode des Prinzen erschreckte. Die Festungen ergaben sich widerstandslos, die nordwärts abgetriebenen Korps Hohenlohe und Blücher streckten bei Prenzlau und Ratekau die Waffen. Am 27. Oktober zog Napoleon in Berlin ein. Das verbündete Kursachsen schloß einen Sonderfrieden. Der König hoffte, in Ostpreußen die Reste der Armee mit den Truppen der russischen Verbündeten zu vereinen. Arnim ging über Berlin, wo er seiner Großmutter im Trubel der Requirierung und Einquartierung beistand, zu seinen Gütern in der Uckermark, um zu retten, was Plünderungen und Zerstörungen hinterlassen hatten. Er sah Tanz und Saufgelage und verbrannte Dächer und ausgeraubte Scheunen, begriff wie im Rausch der Verzweiflung den Verlust und folgte dem König über Danzig nach Königsberg. Er hoffte, daß die Regenerierung Preußens von dort ausgehen und er daran Anteil haben würde.

Für Bettine war er aus den Augen. Sicher, sie sorgte sich um ihn, sie bangte nach der Jenaer Schlacht um ihn und sie atmete über seine Nachricht aus Königsberg vom Anfang Dezember auf, aber sie war doch zu sehr mit ihrer Umwelt beschäftigt, um sich der Sehnsucht hinzugeben. Clemens hatte nach dem Tod seiner Frau bei der dritten Geburt und dem Tod auch dieses Kindes in der Nacht vom 30. auf den 31. Oktober jeden Halt verloren. Er war, in den schwersten Stunden von Görres und seiner Frau betreut, nach Frankfurt in die Obhut Bettines gebracht worden, blieb aber nur bis zum 11. November und verkroch sich dann wieder in seine Heidelberger Wohnung, immer von Bettines Sorge begleitet. Noch im Januar schrieb sie seinetwegen an die Savignys, die sich in Wien aufhielten, und bat sie sehr umschweifig, weil sie wohl wußte, daß sie Unmögliches erbat, den Bruder zu sich zu holen, um ihn aus dem schwermütigen Brüten herauszureißen. Dennoch verschloß sie sich den kleinen Helligkeiten des Tages nicht, freute sich über das Blühen ihres Orangenbaumes im November, freute sich über Savignys Namenstagsgeschenk, nahm am Frankfurter Gesellschaftsleben teil, das unter dem Fürst-Primas sehr aufwendig war, auch wenn der alte Herr die Zügel straff in die Hand nahm. Die Zugehörigkeit zum Rheinbund bedeutete ja für die Frankfurter Kaufmannschaft die Öffnung neuer Märkte in Europa, die Kontinentalsperre schloß die englische Konkurrenz aus; der Luxus auf den großen Festen des Winters, die golddurchwirkten Stoffe und Seiden, die exquisiten Tafelfreuden und das Interesse am Sammeln von Kunstgegenständen bestätigten den uneingeschränkten, eher noch wachsenden Wohlstand. Bettine beobachtete, nahm teil, gab sich ironisch und konnte doch nicht verschweigen, wie überflüssig sie sich vorkam. »2 und zwanzig Jahre bin ich bald alt, und das Schicksal hat mich noch keines Blickes gewürdigt, geseufzt hab ich, gelacht hab ich, keine Spur ist davon zurückgeblieben. Hab ich je empfunden, daß eine liebenswürdige Seele auch Genuß in mir gehabt hätte?«

Als die Großmutter Sophie von Laroche im Februar 1807 starb, lag Bettine an Zahn- und Kopfweh krank und konnte die Schwägerin Toni und die Schwester Meline bei ihren letzten Besuchen in der Grillenhütte nicht begleiten. Oder wollte sie's nicht? Hatte sie Angst, sich die liebenswerte Erinnerung zu zerstören? Das Porträt der Großmutter in der ›Günderode‹ zeigt sie noch im Vollbesitz der Kräfte, ehe die Alterssklerose ihr Handeln verwirrte, sie bei Freunden borgte, Familiengeschenke quittierte und larmoyant wurde. Schon 1804 hatte Bettine ja mit Novalis geklagt: »Ach, wann wird das Blatt sich wenden/ und das Reich der Alten enden!« Dame der Literatur, zehrte Sophie von Laroche in den späten Jahren von der Erinnerung an ihre große Zeit in Thal-Ehrenbreitstein, wo der junge

Goethe sie in seinen Briefen mit »Mamachen« angeredet und ihr ›Fräulein von Sternheim‹ in den ›Frankfurter Gelehrten Anzeigen‹ lobend vorgestellt hatte, wo in Deutschland, England und Frankreich die empfindsame Liebe des Fräulein von Sternheim und des Lord Seymour das Gespräch der literarischen Zirkel belebt hatte. Sicher, sie schrieb bis ins hohe Alter ein Buch nach dem anderen, sie bewegte den greisen Wieland noch einmal, ihr letztes Buch ›Melusines Sommerabend‹ einzuführen, letztes Zeugnis ihrer lebenslangen Freund-Feindschaft; sie hielt Verbindungen aufrecht, war sprunghaft und geltungsbedürftig, charmant und bildungsbeflissen und konnte doch auch still durch den Garten gehen und hier und da ein welkes Blatt entfernen oder einen Zweig festbinden. »Was der Verstand nicht begreift, begreift das Herz«, gab sie Bettine zu bedenken. Sie war rührselig, doch noch immer elegant »in dem langen schwarzen Grosdetourkleid mit der langen Schleppe«. Bettine mochte die Ähnlichkeit herausspüren, die sich in der Toleranz der alten Dame ihr gegenüber bestätigte. »Ach, was willst Du, es gibt doch keine edlere Frau als die Großmutter!« Vielleicht dachte sie aber auch an den Großvater, wie ihn Sophie dargestellt hatte, den humorvollen, nüchternen, würdigen alten Herrn, der doch, legendär genug, als illegitimer Sohn des Grafen Stadion früh schon eine gründliche Erziehung genossen hatte und vom Vater mit einer ausgedehnten politischen Korrespondenz betreut worden war, die er an seinem einundzwanzigsten Geburtstag in dem Schreibtisch, den ihm der gräfliche Vater schenkte, wieder vorfand; eine kauzige Pädagogik, gewiß, die aber dem späteren kurtriererischen Kanzler recht förderlich gewesen sein muß.

Vielleicht wollte Bettine in den Tagen, an denen die Großmutter im Sterben lag und ihre Kindheit endgültig zurückblieb, ohne daß sich ihr schon eine Lebensaufgabe zeigte, allein sein, dem rituellen Zurschaustellen der Familienzugehörigkeit enthoben. Sie hatte tieferen Schmerz erfahren, und hier ging nur zu Ende, was zu Ende gekommen war. Jedenfalls war sie knapp eine Woche nach dem Tod der alten Dame wieder voller Unternehmungslust zusammen mit der Schwester Lulu und dem Schwager Jordis auf der Reise nach Kassel, wo Jordis sich nun endgültig als Hofbankier des Königs Jérome niederließ. Eine Geschäftsreise nach Berlin, auf der sie Schwester und Schwager begleitete, beide Frauen der französischen Truppen wegen, die überall im Quartier lagen, in Knabenkleidern, ließ auch Bettines Wunsch, in Weimar Station zu machen und Goethe zu besuchen, in Erfüllung gehen.

Die Verbindung mit Arnim war ganz unterbrochen. Er hatte sich in Königsberg Max von Schenkendorfs ›politischem Männerbund‹ angeschlossen, verkehrte mit Stägemann und Frau von Krüdener, die Steinschen Reformpläne beschäftigten ihn, aber auch, nach der Niederlage bei Preußisch-Eylau, Pläne zu einer Massenerhebung in Brandenburg und Pommern im Rücken der französischen Armeen. (Es gab ja damals hier und da Aufstände gegen die Besatzung; Christian Brentano erlebte den Marburger Aufstand im Dezember 1806 mit.) Arnim hatte sich mit Heinrich von Kleist befreundet, schrieb in der Zeitschrift ›Vesta Arni‹ über Frau von Krüdeners aufopfernde Pflege der Kranken und Verwundeten in den Lazaretten und über den Tod des jungen Arztes Eduard Schlosser, beschäftigte sich zum erstenmal mit Hamanns Werk, gehörte dabei zur Gesellschaft um den Hof. Die Königin sang Lieder aus ›Des Knaben Wunderhorn‹, am liebsten »Juchhei, lieblich ist die Jägerei« und »Es ritten drei Reiter zum Tore hinaus, ade« (so berichtete ein hannoverscher Diplomat aus Königsberg). Doch halb spielerisch halb sehnsüchtig entwarf er aus Sand und Kieseln die Rhein- und Mainlandschaft en miniature im Garten des Kommerzienrates Schwink, bei dem er wohnte. Seine Gedanken schweiften dorthin, wenn ihn auch die Tochter seines Gastgebers, Auguste Schwink, interessierte. Er bemühte die Künste und seine Liebe zu den Büchern zur Vermittlung seiner Leidenschaft – ohne Erfolg.

Als nach der Besetzung von Königsberg durch die Franzosen im Juni 1807 wieder Briefe befördert wurden und das Gerücht vom Tod Sophie Brentanos sich bestätigte, traf sein teilnehmender Brief Clemens schon in die unglückliche Verbindung mit Auguste Bußmann verstrickt. Der Wunsch, die Freunde wiederzusehen, war nicht mehr zurückzudrängen. Preußens Schicksal schien besiegelt, Arnims patriotischer Impuls war ermüdet. Zum erstenmal erfuhr er, was sein Leben bitter machen sollte: daß sein Land ihn nicht brauchte.

Die große Erschütterung — Begegnung mit Goethe

Bettine hatte unterdessen von ihrem ersten Besuch bei Goethe an Clemens und Meline berichtet, die den Savignys denn auch mitteilten, daß Bettine »als Andenken unserer Familie« einen Ring von Goethe zum Geschenk bekommen hatte. Christiane hatte sich aus Weimar zur alten Goethe in Frankfurt sehr freundlich über den Besuch geäußert. Daraufhin schrieb die Rätin wie mit offenen Armen an Bettine, nannte sie »liebe, liebe Tochter« und bat sie um die Anrede Mutter, eine herzliche Ermutigung zur Freundschaft, die Bettine drei Monate nach der Begegnung zum Anlaß ihres ersten Briefes an Goethe nahm. (Hier muß auf die unterschiedliche Datierung zwischen dem echten Briefwechsel und ›Goethes Briefwechsel mit einem Kinde‹ hingewiesen werden. Den Text- und Datenvergleich hat Waldemar Oehlke erarbeitet und in der von ihm ab 1920 im Propyläen-Verlag besorgten Ausgabe der Werke Bettines vorgelegt.)

Wie spontan Bettine die Sympathie Goethes erlebt hatte, bezeugt ein Brief an Savigny, in dem sie auf die Kühle zu sprechen kam, die zwischen dem Schwager und ihr unüberwindlich schien. »Ich sag Dir, Du bist recht gut, Du bist der beste, aber erinnere Dich, wie oft mir nicht wohl war bei Dir, daß ich wild und traurig wurde im Gemüt, daß ich recht fühlte, ich wußte nicht, wo aus noch ein im Leben. All das war verschwunden bei Goethe, und doch hatte ich mich davor am meisten gefürchtet. Er kam auf mich zu, gleich im ersten Augenblick, küßte mich auf die Stirn und behandelte mich wie eine lang verheißene Freude, die nun endlich erscheint. Auch war er mir gar nicht fremd, wie zwei Prinzen, die miteinander auf einer einsamen Insel erzogen sind, die an dem Ufer des Meeres ihren künftigen Lebensplan miteinander ersonnen haben, so war ich mit ihm.« An Goethe schrieb sie: »Und was will ich denn? Erzählen, wie die herrliche Freundlichkeit, mit der Sie mir entgegenkamen, jetzt in meinem Herzen wuchert, alles andere Leben mit Gewalt erstickt? wie ich immer muß hinverlangen, wo mir's zum *erstenmal* wohl war?« Und sie greift das Motiv auf, das sie immer wiederholen wird: sie zu seinen Füßen sitzend, andächtig oder plaudernd in der Haltung beinahe anbetender Liebe. Sie hatte die Begegnung mit Goethe als irreales Ereignis erfahren oder es doch fast unmittelbar danach stilisiert, während Goethe nichts anderes als »Mamsell Brentano« in sein Tagebuch notierte. Bettines Thema ist angeschlagen, das Ringen um den Gott, den sie sich erwählt hat, vor dem sie sich darstellen wird, um so endlich das lastende Unbehagen und den Zweifel an sich selbst zu überwinden. »Ich bin glücklicher jetzt im Andenken der Vergangenheit als ich damals in der Gegenwart war«, gestand sie nach der zweiten Begegnung. Sie arbeitete an ihrem Thema. Die räumliche Entfernung, dazu die Erinnerungen der Rätin Goethe erleichterten es ihr, die Erscheinung des beleibten Endfünfzigers zu entwirklichen, sich in ihren Gefühlen mit der jungen Maxe von Laroche zu identifizieren – sie hatte ja die Briefe des jungen Goethe über ihre Mutter in Offenbach gelesen! Ihr Leben schien ihr jäh einen Inhalt zu haben. Zwar wurde sie ungeduldig, wenn Goethes Antworten auf sich warten ließen, sie drängte sich mit übermäßigen Geschenken auf, aber sie begriff sich in Erwartung seiner Aufmerksamkeit. »Der tiefe Schauder, der mich schüttelt, wenn ich eine Weile mit zugesehen habe in der Welt, wenn ich dann hinter mich sehe in diese Einsamkeit, wenn ich's fühle, wie fremd ich bin, wo kommt mir der Tau her, der Segen, die Nahrung, die

Sonnenwärme? daß ich dennoch wachse in dem öden verschloß-
nen Gestein, daß ich grüne und blühe, daß ich selbst mich lieblich fühle in dieser Liebe zu Dir.« (Bukovany, 6. Juli 1810)

Sexuell ungestillt und dadurch in diesen Lebensjahren gehemmt wie sie war, zeichneten Goethes Briefe sie vor anderen
aus, so daß sie seine Reserviertheit bewußt übersah und man-
chen Tadel ironisch beiseite schob. Noch war Goethe der Repräsentant der deutschen Literatur, dessen Auszeichnung mehr
als jede andere Auszeichnung bedeutete. Auch Arnim hatte
hohe Achtung für ihn, und seine literarischen Unternehmungen
genossen das Wohlwollen Goethes. Im Licht seiner Zuneigung
reifte ihre Liebe zu Arnim.

Der von ihm geplante Aufbruch an den Rhein und Main verzögerte sich durch die Krankheit des Kapellmeisters Reichardt,
der auch in Königsberg gewesen war und mit dem er gemeinsam reisen wollte, bis in den Herbst. Arnim hatte Bettine seine
unerwiderte Liebe zu Auguste Schwink gestanden, er hatte ihr
auch die preußische Niederlage gefaßt und ernst dargestellt.
Bettine hatte ihm verständnisvoll, wenngleich ziemlich gedrückt
geantwortet. Sie war, durch Clemens' überstürzte Hochzeit mit
Auguste Bußmann, ohnehin überreizt und erkrankte, nachdem
sie einen zweiten, recht kühlen Brief Arnims erhalten hatte.
Denn auch die Verbindung zu Clemens war ja gestört. Der
hatte die sechzehnjährige Nichte des Bankiers Moritz Bethmann offensichtlich unter dem Druck ihrer hysterisch überstei-
gerten Leidenschaft entführt, drei Tage, nachdem sie sich beim
Empfang für Napoleon in der Residenz des Fürst-Primas,
dem Palais Taxis, im Treppenhaus angesichts der festlich gestimmten Frankfurter Gesellschaft heftig an ihn geschmiegt
hatte. So desavouiert, glaubte sich Clemens ihr verpflichtet; sie
reisten heimlich nach Kassel zu Lulu und Jordis und ließen sich
dort noch im August trauen. Das intelligente aber krankhafte
Mädchen konnte keine Gefährtin sein; Bettine sah wohl das
Elend der kommenden Jahre voraus und war darum so »kritt-
lich, ja sogar entsetzlich apprehensiv«.

Arnim sah der Begegnung bang entgegen. Würde er mit

Clemens weiter an der Liedersammlung arbeiten können? Sein eigener Lebensübermut war gebrochen, der ihn damals vor der preußischen Katastrophe hätte »Eichen ausreißen lassen können, um mit ihnen zu tanzen«, und Clemens' Begabung zerrieb sich an dieser Mädchenfrau, der er auf der Flucht vor dem Schmerz verfallen war. Würde Bettine ihn ansehen, der er noch gar nicht recht sicher war, nachdem sie sich von Goethe beachtet glaubte?

Arnim und Reichardt machten auf ihrer Reise in Sandow bei Crossen auf Tiecks Landgut Station, freuten sich an Tiecks kleiner Tochter, ohne die Spannung der Tieckschen Ehe wahrzunehmen. Auf dem Giebichenstein trafen sie mit Clemens zusammen, der ihnen von der ungeduldigen Erwartung der Schwestern berichtete, die ihnen von Kassel aus entgegenkommen wollten, sobald sie genaue Nachricht über die Rückkehr der Savignys aus München hatten. Wieder also die Familie, das Nest, das ihn aufnehmen wollte, seltsam ungewohnt und behaglich für den so geselligkeitsfreudigen Einzelgänger. In Weimar fand sich die Familie am 9. November bei Goethe zu Gast. Die frankfurterische Ungezwungenheit, die vom Wein und dem milden Herbst gesteigerte heitere Gesprächigkeit überwanden Arnims Entfremdung. Wieder sah er sich aufgenommen, wieder zu Hause bei den Freunden. Gemeinsam reisten sie nach Kassel, wo Arnim und Clemens den zweiten Band der Volksliedersammlung vorbereiteten und Arnim mit den Brüdern Grimm Freundschaft fürs Leben schloß.

Auch Bettine und Arnim fanden in diesen Wochen zum Du, ihre Befangenheit voreinander löste sich. Bettine ließ sich, ohne Arnim das Mißverständnis nachzutragen, wegen der Leichtfertigkeit tadeln, mit der sie von der Günderode sprach. Er konnte wohl nicht begreifen, daß sie anders mit der Erschütterung nicht fertiggeworden wäre. Sie kokettierte auch mit dem Architekten Engelhardt, den sie doch beide als den »kaledonischen Eisberg« verspotteten, aber die Übereinstimmung mit Arnim wurde immer spürbarer. Ihm mußte sie sagen, wie groß ihre Sehnsucht nach dem Tun war. Er mußte begreifen, daß sie nicht mehr das Kind war, das sie doch Goethe gegenüber, um der Narrenfreiheit ihrer Liebe willen, noch spielte. Er mußte wissen, daß außer Savigny niemand in der Familie war, der sie recht verstand, daß sie allein war inmitten des Trubels. Als sie sich im Januar trennten, weil Arnim in Heidelberg die ›Zeitung für Einsiedler‹ vorbereiten wollte, die ihm und seinen Freunden in ihrer Arbeit förderlich sein, ihren Einsichten und Entdeckungen den Boden bereiten, aber auch ein Forum für ihre eigenen literarischen Arbeiten sein sollte, gingen Briefe zwischen Frankfurt und Heidelberg hin und her, von Bettine später sorgfältig als drittes Bündel mit »Seitdem wir uns Du nennen« bezeichnet.

Der Streit mit Johann Heinrich Voß, der Arnims Zeitung nach wenigen Monaten zu Fall bringen sollte, setzte am 12. Januar 1808 ein, als der alte Voß in seinem Morgenblatt Rache für Clemens' und Görres' Spott im ›Uhrmacher Bogs‹ nahm und die Herausgeber von ›Des Knaben Wunderhorn‹ in der Parodie des Kriegsliedes für Karl V. als die zwei Butzemänner mit der kleinen Kilikeia und der großen Kumkum verhöhnte. Immer wiederkehrender Literaturstreit zwischen den Generationen, die einander nicht mehr verstehen! Arnims Antworten gehören zu seinen besten satirischen Arbeiten. Funkelnd vor Übermut sind hier seine und die literarischen Ziele der Freunde formuliert, das Programm der Heidelberger Romantiker, die anders als die Jenenser Romantiker zu einer Volksliteratur hinstrebten, die sie als Voraussetzung für die Entwicklung der Nation begriffen. Die Vorbereitungen zu der Zeitung gediehen, Arnim gewann August Böckh, Joseph Görres, Fouqué, Jean Paul Richter, den Maler Müller, die Brüder Schlegel, Ludwig Tieck und Ludwig Uhland, Zacharias Werner, Philipp Otto Runge, Bettine und Justinus Kerner zur Mitarbeit, verfaßte einen humorigen Prospekt, beschäftigte sich mit der graphischen Gestaltung des Blattes, war gern gesehener Gast des Verlegers Zimmer und seiner jungen Frau, lernte Creuzer schätzen, dessen ruhige Art im Umgang mit Studenten ihm zusagte, und begegnete den jungen Brüdern Eichendorff. Bettine nahm am Entstehen der Zeitung Anteil. Sie erfand das Märchen von der Königin, die sieben Jahre schwanger ging und dann einen siebenjährigen Sohn gebar, den ihr die wilden Tiere entführten, nach dem sie sich herzlich sehnte, obwohl ihr am selben Tag noch sechs Knaben geboren worden waren, bis er ein Lebensalter später, am Tage der Krönung der sechs Brüder, als der sprachlose König der wilden Tiere zurückkehrte und Tiere und Menschen miteinander versöhnte. Bettine bat Arnim auch zu dem großen Familienfest aus Anlaß von Savignys Geburtstag, das durch den Besuch der Rätin Goethe und ihre übersprudelnde Lebenslust zu einem besonderen Ereignis wurde. Arnim war damals krank, doch er hielt auch nicht mehr sehr viel von solcher Geselligkeit. »... ich kenn schon des Goldenen Kopfes Art.« Die Verspieltheit aller, angefangen von den Vorbereitungen bis zum Ausklang der Feste, war ihm zu fremd. Den Norddeutschen stieß die Raschheit und weinfrohe Launigkeit, so sehr sie ihm wohltat, zurück. Er tadelte einmal den allgemeinen Brauch, sich öffentlich zu küssen; er war Bettine ernstlich böse, weil sie mit Savignys kleinem Jungen, zu dessen Taufe er nach Frankfurt gekommen war, so wild umgesprungen war. Sie gab ihm brieflich recht, verwunderte sich nur, daß er ihr das nicht gleich gesagt hatte. Ihr Verhalten wurde selbstbewußter, sie nahm an Gundas Muttersorgen teil, sie freute sich über die Besuche des sanften geistesschwachen Halbbruders Anton, der ihre Blumen und Vögel so gern hatte. Sie trat Goethe gegenüber sehr sachkundig für die Gewährung der Bürgerrechte für die Juden ein, die das Inkrafttreten der Code Napoléon in den Rheinbundstaaten zur Folge hatte; sie unterrichtete ihn über Engelmanns christlich-jüdische Schule, die sie zusammen mit Graf Molitor besucht hatte, der als französischer Sachkenner in Erziehungsfragen und begeisterter Anhänger Rousseaus galt. Sie verteidigte jüdische Eigenschaften, über die Goethe wegwerfend sprach, mit der jahrhundertelangen Unterdrückung der Juden, und ließ wie nebenbei ihre Vorbehalte gegen Bräuche der christlichen Gesellschaft durchblicken. Sie gab sich betont republikanisch. Aber sie konnte auch ganz unbefangen und doch liebenswürdig die Familie am Teetisch verlachen, als Arnims Einsiedlerzeitung angekündigt war, die Toni eine Rhapsodie nannte, der Franz prophezeite, daß kein honetter Mensch sie abonnieren würde, während Marie sie inkognito halten wollte und Georg schwieg, Fritz Schlosser aber sich bereit erklärte, sie dem Casino zu empfehlen, und Savigny über Arnims Humor erfreut war.

Man sieht sie da zwischen all den Verwandten »kalt aber feurig«, beobachtend und doch beteiligt, stolz auf *ihren* Arnim. Sie wußte nicht, mit wieviel Scheu er sie noch immer ansah, wie er ihr Verhalten an Clemens' Verhalten maß. Der war im Frühling wieder zu ihm nach Heidelberg gekommen, nachdem er seine Frau nach unerträglichen Streitereien, dem Rat der Familie folgend, für einige Wochen zur Betreuung auf den Pfarrhof in Allenbach gebracht hatte. Sie arbeiteten wie früher jeder an seinem Tisch, sie wohnten in der vertrauten Umgebung auf dem Schloßberg, jedoch war Clemens im Umgang mit den Freunden hektischer als vordem, und Arnim gereizter gegen diese Familieneigenschaft, die er an Bettine hart tadelte, als Madame de Staël am Tage nach ihrem Besuch bei den Brentanos in Frankfurt sich Arnim gegenüber abfällig über Bettine äußerte. Natürlich entschuldigte Arnim das Verhalten der Freundin vor der »femme célèbre«, doch es kränkte ihn. Er war für Bettines Charme unzugänglich, anders als einer der Begleiter der Staël, Jean Charles Léonhard Simonde (de Sismondi), der nach der Begegnung an sie schrieb: »Vous jouiez sur mon âme comme un habile musicien sur un clavecin ... je ne savois jamais bien dans quel monde j'étois, ne ce que je devois croire de vous ... la seule chose qui me soit prouvée c'est que vous êtes fort aimable.«

Aber auch für Bettine war Arnim bei seinem Besuch in Winkel, wo sie auf Franz' Besitz einige Sommerwochen verbrachten, noch immer oder wieder quälend fremd. »Nun war er da und es war nichts besser. Der Mensch bleibt ein Mensch und kann sich deswegen doch wieder einen Menschen nicht zueigen machen.« Zu leicht flüchtete sie aus der Realität in Bilder, sah

Arnim lieber mit den Augen seines Onkels Schlitz, der ihr von der Kindheit und Jugend des Freundes erzählte, als er sie auf der Rückreise von Paris besuchte. (Er hatte den Erbprinzen von Mecklenburg-Strelitz zur Unterzeichnung des Beitritts zum Rheinbund begleitet.) »Ich kann Dir sagen, das tat mir ordentlich wohl, einmal jemand zu sehen, der Dich in Deiner Jugend gekannt, Du, der immer so allein war ohne alle Geschwister und Verwandte, oder doch diese sehr entfernt ...« Ein Jungmädchenzug auch das, diese Liebe zum Knabenbildnis des Freundes, die ihr den Blick dafür verstellte, daß Arnim das Alleinsein der Kinderjahre zur zweiten Natur geworden war. Sie wußte nicht, daß Arnim gerade in diesem Heidelberger Sommer von seinen großen Projekten, Romanen, Erzählungen und Theaterstücken bedrängt wurde, daß die Fülle des Erlebten zur Nötigung geworden war und ihn das Scheitern der Einsiedlerzeitung trotz der zur Schau gestellten Nonchalance nicht gleichgültig gelassen hatte. Seine Erkrankung nach den Wochen in Winkel und Bettines Anspielen auf ihre Doppelliebe zu ihm und Goethe – »Euer beider Andenken lodert in meiner Brust wie zwei kräftige Vulkane« – lassen auf ein Stagnieren ihrer Beziehung schließen. Anders als mit Clemens verband Arnim mit Bettine kaum mehr als die romantische Freude an der Natur. Die politische Erregung Europas, die Arnim mit Leidenschaft beobachtete, blieb ausgespart in Gesprächen und Briefen. Das harmlose Wohlbehagen, das die Brentanos wie eh und je genossen, während ihn die Nachrichten von Preußens Verarmung beunruhigten, war ihm schmerzlich; doch machte ihm auch die Spannung zwischen Ehrgeiz und Pflicht zu schaffen. Die Einladung der Madame de Staël, den Winter in Coppet zu verbringen, hätte seinen Namen zweifellos über die Grenzen Deutschlands hinaus bekannt gemacht, doch zwangen die Nachrichten aus Berlin seine Gedanken in eine andere Richtung und stellten seine literarische Existenz vor ihm selber wieder in Frage.

Erst die Aufbruchsstimmung der Brentanos im Herbst steigerte Bettines und Arnims Neigung zur erotischen Faszination. Bettine, Clemens und seine Frau Auguste wollten die Savignys nach Landshut begleiten, wo Friedrich Carl von Savigny einen Ruf an die Universität angenommen hatte. Wie immer gab der bevorstehende Ortswechsel Bettine einen starken Auftrieb. »Nun soll ich sagen, wo ich herkomme und wohinaus ich will; wahrlich, das weiß ich selbst nicht. Den Kreis, der sich durch meine Ansichten nach und nach im Stillen um mich bildete, zerstörte ich oft schnell und kalt, bis endlich die Empörungsflamme wieder zu Asche versank, dann fing ich von neuem an, las viel, besonders Geschichte, bei der ich mich am allerbesten befand; denn da lebte ich mitten in Begebenheiten, die mir das Leben schätzenswert machten. Mein Herz übte alle seine Fähigkeit, in diesem mächtigen Strome mit fortzuschwimmen, dessen Ufer so mannigfaltig, so kraftvoll sich in seinen Wellen spiegelte; daher mag wohl auch meine Sehnsucht zum Reisen ihren Ursprung haben ...« Empfänger dieses Geständnisses ist der greise Jacobi in München. Denn wieder gelang es Bettine nach dem Tod der Rätin Goethe am 13. September 1808, sich so auf das Nächste zu richten wie bei jedem Verlust. »Kalt und feurig« sammelte sie Erfahrungen und legte sie ab. Die Rätin hatte ihre Erinnerungen vor ihr ausgebreitet, Stoff genug, um ihn an Goethe weiterzureichen und selber davon zu zehren; sie hatte sich vor der alten Dame noch einmal als Kind gefühlt und durch sie auch Eingang in Goethes Haus gefunden; sie tauschte Nachrichten mit Christiane Goethe und schloß den Sohn August in ihre Sympathie ein; in den Sommerbriefen aus Karlsbad war hinter familiären Mitteilungen Goethes Zuneigung spürbar geworden. Sie hatte nun nach dem Tod der alten Dame so etwas wie ein Faustpfand: die Briefe Goethes, die sie mitnehmen konnte, wohin sie auch ihre Neugier und das Bewußtsein, noch nicht fertig zu sein und nicht schon fertig sein zu wollen, diese Unrast hochbegabter Frauen, treiben würde.

Arnim, der nach der Einrichtung der letzten Ausgabe der Einsiedlerzeitung frei war, begleitete die Reisenden bis Aschaffenburg. Sie trennten sich vor der Stadt bei einem Orangengarten, den sie in ihren Briefen, in denen sie langsam voneinander Abschied nahmen, immer wieder nannten und den Arnim im Widmungsgedicht zu der Novellenreihe ›Der Wintergarten‹ 1809 als Motiv verwertet hat. Savignys und Brentanos reisten über Würzburg, Nürnberg und Regensburg, Bettine schilderte Landschaften, Kirchen, Besucher, ihre Aufmerksamkeit war hellwach, ihre Sehnsucht nach Arnim nun auch schon beinahe ein Faustpfand. Der erlebte in Frankfurt den Jubel der Bevölkerung beim Besuch Napoleons mit. »... denn alles, was der Pöbel Genialität nennt, heißt bei mir der Teufel; ich achte alle Eigentümlichkeit, aber ich bin ein Fels gegen jede, die sich über die Welt als ein Gesetz ausbreitet; dies ist derselbe Flügel, der die Kirchtürme niederstürzt und den Armen Staub statt Zimt auf den Reis bläst, damit die andern was zu lachen haben.« Er war fest entschlossen, nach Preußen zurückzukehren, denn es gab ja nach der Vertreibung von Napoleons Bruder aus Madrid durch die spanischen Aufständischen Hoffnung für alle, die unter der Fremdherrschaft litten. Bettine interessierte das Gerücht von Goethes Besuch in Frankfurt weit mehr, während sie sich nunmehr in München in der Rosenstraße bei Elisabeth von Moy einrichtete, die, eine Freundin ihrer verstorbenen Schwester Sophie, mit dem Emigranten Chevalier Charles Antoine de Moy de Sons verheiratet war. Emigrantenschicksal: Er schlug sich als Händler in »Seiden und anderen langen Waaren, Parfümerie, Gallantrie, und Bijouterie« durch, handelte auch mit englischer und französischer Wäsche, während Elisabeth als Putzmacherin einen Laden hielt. Bettine betreute vorerst gemeinsam mit Gunda, später, als die zur Einrichtung der Landshuter Wohnung übergesiedelt war, allein die Savignyschen Kinder Bettine (genannt Pouletter) und den halbjährigen Franz. Die lakonischen Berichte nach Landshut sind humorig und realistisch, ein ganz neuer Zug an Bettine. Die physischen Kräfte der 22jährigen verlangten danach, genutzt zu werden. Die Mutterrolle war wie ein Spiel. Sie tollte und tobte mit den Kindern und mit der rundlichen Wirtin Moy, übermütig dem Augenblick hingegeben, von den jungen Mädchen ihrer Generation und Herkunft nur darin unterschieden, daß die Herkunft sie nicht eingebildet und steif gemacht hatte.

Mit Savignys hatte sie Friedrich Heinrich Jacobi besucht, der seit 1807 Präsident der Bayrischen Akademie der Wissenschaften war, auch er einst ein Verehrer Maxe von Laroches. Bettine schenkte ihm sehr bald ihr uneingeschränktes Vertrauen, gab ihm die schon zitierte Selbstcharakteristik, plauderte mit ihm, erfuhr von Briefen Hamanns in seinem Besitz und spottete doch sehr bald schon über ihn. Die tantenhafte Betreuung des alten Herrn durch seine zwei jüngferlichen Schwestern (»canailleuse Kaffeeschwester« nannte Clemens die eine), aber auch Jacobis Abneigung gegen Goethe und sein Widerwillen gegen Arnim hatten die Freundschaft erkalten lassen. Arnim hatte Jacobis Abhandlung ›Über Gelehrte Gesellschaften, ihren Geist und Zweck, Rottmanners Kritik derselben und Amans Nachschrift darüber‹ unfreundlich kritisiert, Jacobis Eitelkeit war gekränkt. Eitelkeit aber war für Bettine zeitlebens lächerlich. Ihr Bedürfnis nach Zuneigung war jedoch ungebrochen. »Wir hören Wunderdinge von Bettine, wie sie in München Epochen macht, die Gesandten empfängt pp.«, schrieb Meline aus Frankfurt an Savigny und teilte mit, daß sie aus dem Nachlaß der Frau Rat Goethe das Seekatzsche Familienporträt ›Die Alte und ihr Mann als Schäfer und Schäferin. Der Sohn und die Tochter im Walde spielen mit den Schäflein‹ für Bettine erworben habe. Melines ein wenig ironische Bemerkung zielte auf die Freundschaft mit dem Grafen Friedrich von Stadion, der, ein Verehrer Maxes und über den Großvater Georg von Laroche mit der Familie verwandt, als Domherr zu Mainz im schwarzen Mantel des Deutschen Ordens das Haus zum Goldenen Kopf Ende der achtziger Jahre besucht und bei Maxes Kindern den Namen »der schwarze Fritz« hatte. In München hielt

ihn 1808 und 1809, nunmehr als kaiserlicher Diplomat, der
Auftrag, die Lösung Bayerns aus dem Rheinbund vorzubereiten und es für die bevorstehende Auseinandersetzung mit Napoleon als Bundesgenossen Österreichs zu gewinnen. Trotz
dieser großen, bedrängenden Aufgabe, deren Scheitern seinem
Leben die Kraft nehmen sollte, war er Bettine väterlich zugetan. Sein Einfluß läßt sich an ihrer derzeit erwachenden Teilnahme für die Gegner Napoleons und ihre Leidenschaft für
den Aufstand der Tiroler ablesen, die auch ihre Sympathie zum
bayrischen Kronprinzen bestimmen sollte, den sie im Laufe des
Winters kennenlernte. »... er hat etwas zusprechendes Freund-
liches und wohl auch originell Geistreiches; sein ganzes Wesen
scheint zwar mehr nach Freiheit zu ringen, als mit ihr geboren
zu sein; seine Stimme, seine Sprache, seine Gebärden haben etwas Angestrengtes wie ein Mensch, der sich mit großem Auf-
wand von Kräften an glatten Felswänden hinaufhalf, eine zit-
ternde Bewegung in den noch nicht geruhten Gliedern hat.«
Ihn ersuchte sie in einem Brief, den ihr gemeinsamer Klavier-
lehrer Bopp dem Prinzen überreichte, um Milde mit den Ti-
rolern; er ließ ihr das Glas übereignen, aus dem er auf die Gesundheit der Tiroler getrunken hatte. Doch wurde ihm der
Oberbefehl über die bayrischen Truppen, um den er sich be-
worben hatte, als der Krieg zwischen Napoleon, dem Rheinbund und Österreich unaufschiebbar schien, nicht übertragen,
denn Napoleon verdächtigte ihn der Verbindung mit Graf
Stadion.

Anders, sehr viel schwärmerischer, wie noch aus einer anderen Phase ihres Lebens, war Bettines Verehrung für Ludwig
Tieck. Der war mit seiner Schwester Bernhardi, die ihren Mann
verlassen hatte, und mit deren Kindern im Oktober 1808 nach
München gekommen und vorerst nicht unempfindlich für Bettines Sympathie gewesen, noch ganz den Träumereien der Jenenser Romantiker verpflichtet, die im freien Spiel der Neigungen die Verwirklichung ihres Ich entdeckt und in Anspruch
genommen hatten. Das Zusammentreffen mit Sulpice Boisserée
brachte interessante Stunden in den Münchener Galerien; Bet-

tine genoß es, dabei zu sein, mitzureden, kennenzulernen. Und wie schon bei Tiecks Besuch in Frankfurt konnte sie sich nicht genug tun, ihre Zuneigung aufzudrängen. Als Tieck von der Gicht für Monate ans Bett gefesselt wurde, besuchte sie ihn getreulich jeden Tag und ließ sich von der Reserviertheit seiner Schwester ebenso wenig beeinflussen wie vom Vorbehalt der Savignys, die dem ständig auf Borg lebenden Tieck ausgeholfen hatten (allerdings von Bettine gewarnt) und viel Ärger davon hatten. Ihr Urteil über ihn steht hoch über dem Zynismus, mit dem er ›Goethes Briefwechsel mit einem Kinde‹ später abgetan hat. »Tieck ist ein großer Dulder ... keine Bewegung kann er machen, ohne aufzuseufzen, sein Gesicht trieft von Angstschweiß, und sein Blick irrt über die Schmerzensflut oft umher wie eine müde geängstete Schwalbe ... und ich steh verwundert vor ihm und beschämt, daß ich so gesund bin; dabei dichtet er noch Frühlingslieder und freut sich über einen Strauß Schneeglöckchen, die ich ihm bringe ...« Das also ist »Fräulein Brentano – Bettina –, das Kind ... eine der seltsamsten Erscheinungen, die je ein menschliches Auge gesehen hat ... im wunderlichen Aufzug, in einfachem Hauskleid, ohne Mantel, ohne Shawl, den damals üblichen ridicule am Arm schwärmte sie schon um sieben Uhr früh in den Straßen herum, lief den Leuten in die Häuser und war nicht wieder wegzubringen. Grob sein half nicht, dadurch wurde man sie nicht los, wenigstens hat mein Onkel Ludwig vergebens das Äußerste aufgeboten ...« So gehässig urteilte vierzig Jahre später Thomas Bernhardi, der damals in München sieben Jahre alt war, und gab damit wohl nur den Familientratsch wieder. Dafür aber war Bettine unempfindlich oder stellte sich taub. Das war unter ihrem Niveau.

So hatte sie sich auch die Zuneigung des Theologen Sailer erworben, als die Schwestern Jacobi eines Nachmittags über sie hergezogen waren, weil sie sie nicht anwesend glaubten. Ein Kuß auf die eben noch hämischen Münder und ein belustigtes Pardon versöhnte die alten Damen; Bettine dankte ihnen mit humorvoll liebenswürdigen Porträts, wenn sie etwa die sommerliche Kahnfahrt auf dem Starnberger See darstellte, auf der die Schwestern für den berühmten Bruder eine Schlafmütze bereit hielten, damit er sich nicht verkühlen sollte, oder auch, wenn sie sich erinnerte, daß die Jacobi-Schwestern immer einen Schemel für sie hinstellten, auf dem sie ihrer kurzen Beine wegen bequem saß. Ein Zug von Noblesse steckte in all ihren Bemerkungen und widerlegte Arnims Tadel von der ›Geniefabrik‹, zu dem ihn Clemens' Berichte über Bettine veranlaßt hatten. Nur gegen das Sendungsbewußtsein, das das Ehepaar Schelling zur Schau trug, war sie empfindlich und reagierte mit Haß, den sie nicht einmal im Alter nach Schellings Berufung nach Berlin ablegte. Wieder kränkte sie die Eitelkeit. Sie wußte ja nichts über Carolines Schicksal und Leistung, neidete der älteren vielleicht unbewußt das späte Glück, und sie spürte die Aversion Carolines, die sich doch nur mit geistiger und moralischer Anstrengung gegen die zerstörerischen Erfahrungen ihres Lebens behauptet hatte. »Wir besitzen gegenwärtig die ganze Ange Brentanorei ... Bettine Brentano, die aussieht wie eine kleine Berliner Jüdin und sich auf den Kopf stellt, um witzig zu sein, nicht ohne Geist, tout au contraire, aber es ist ein Jammer, daß sie sich so verkehrt und verreckt und gespannt damit hat ...« schrieb Caroline, während Bettine die Ältere »häßlich wie eine abgetragene Wildschur« fand. Frauen unter sich – die Aversion der Alternden, die der anderen den Vorsprung der Jugend neidete, »weder jung noch alt, weder hübsch noch häßlich, weder wie ein Männlein noch wie ein Fräulein«, und der vitale Realismus der Jüngeren, die das Geschnäbel des Schellingschen Paares albern fand. Biographien vom Rande her. Denn auch in München überwand Bettine nicht die Melancholie trotz ihres Umgangs mit den verschiedenartigsten Menschen, wie etwa dem Arzt und Erfinder Sömmering, dem Philosophen Baader oder dem Maler und Farbentheoretiker Klotz, für dessen Anerkennung sie sich bei Goethe lebhaft einsetzte, ehe sie erkannte, wie eigensinnig und kauzig der alte Mann in der lebenslangen Isolierung geworden war. »Klavierspielen, Arien singen, fremde Sprachen sprechen, Geschichte und Naturwissenschaft, das machte den liebenswerten Charakter, ach und ich hab immer *hinter* allem erst nach dem gesucht, was ich lieben möchte.«

Die Briefe an Goethe halfen ihr, das von so widersprüchlichen Erfahrungen verwirrte Selbstbewußtsein zurückzufinden, als sie zu Weihnachten den mit dem Tod der Frau Rat unterbrochenen Briefwechsel wieder aufnahm. Die Sorgfalt, die sie auf die Darstellung und Charakterisierung einzelner und auf die Formulierung ihrer Gedanken verwendete, war Arbeit, die die Erfahrungen verdichtete und von ihr abrückte. Goethe war, auch wenn er nicht antwortete, das Echo, das sie brauchte. Sie spielte ihm nun nicht mehr das Kind vor, sondern eine junge Frau, die sich ihrer Eigenart immer deutlicher bewußt wurde.

Sicher hat das intensive Musikstudium bei dem damals berühmten Hofkapellmeister Peter von Winter, haben vor allem die Gesangstunden ihre Unausgeglichenheit gebändigt. Sie spürte ihre Stimme wachsen, sie nahm jetzt auch die Schwierigkeiten des Komponierens ernst. Ihr Tag war fest in Stunden unterteilt. Sie kümmerte sich dabei um den Grafiker Ludwig Grimm, dessen Ausbildungskosten sie zusammen mit Savigny und Clemens übernommen hatte, um die Grimms zu entlasten, die ohne Vermögen für ihre jüngeren Geschwister geradestehen mußten. Bettine hatte sich besonders darum bemüht, für den begabten jungen Mann den richtigen Lehrer zu finden, und glaubte ihn bei dem Kupferstecher Karl Heß in München gut aufgehoben, saß ihm auch zu einem Porträt, das Goethe entzückte, aber Arnim enttäuschte, der es in Einzelheiten treffend, im ganzen fremd fand. Bettines Unruhe, ihre sehr lebhafte Mimik, ihr sich beim Sprechen entfaltender Charme ließen sich auch wohl kaum ins Bild bannen. Nicht umsonst ist das schönste Porträt von ihr ein Altersporträt, auf dem die Züge geprägt und beruhigt erscheinen.

»... Eine junge Brentano, Bettina, 23 Jahre alt, Carl La Roche's Nièce, hat mich hier in das größte Erstaunen versetzt. Solche Lebhaftigkeit, solche Gedanken- und Körpersprünge (denn sie sitzt bald auf der Erde, bald auf dem Ofen) so viel

Geist und so viel Narrheit ist unerhört. Das nach sechs Jahren Italien zu sehen, ist mehr als einzig. Sie hat mir den Tod der Günderode erzählt. Man ist wie in einer anderen Welt«, hatte Wilhelm von Humboldt im November 1808 aus München an seine Frau geschrieben, nachdem er Bettine bei Jacobi begegnet war, und hatte dann auch in Weimar viel von ihr gesprochen, so daß Goethe mit leiser Ironie anmerkte: »Wilhelm von Humboldt hat uns viel von Dir erzählt. Viel, das heißt oft. Er fing immer wieder von Deiner kleinen Person zu reden an, ohne daß er so was recht Eigentliches zu sagen gehabt, woraus wir denn auf ein eigenes Interesse schließen konnten ...«

Ironie, Nicht-ganz-ernst-nehmen, Klatsch, Tratsch, Verwirrung, Bezauberung, Entrüstung – aber auch Verliebtheit, Zuneigung, Freundschaft. In Landshut, wo Bettine die Wochen um Weihnachten verbrachte, gewann sie die Brüder Ringseis für sich, von denen sie schon durch die Mitarbeit an der Einsiedlerzeitung wußte, entspann sich aber auch ihre Neigung zu dem Juristen Max Prokop von Freyberg; dabei freute sie sich an der Wiederbegegnung mit dem Kunstgelehrten Rumohr, der eine Vignette in einen ihrer Briefe an Goethe zeichnete; mit ihm durchstreifte sie die winterlich herbe Landschaft um Landshut. Ganz so, wie Clemens an Arnim schrieb, dem sein ›Hauskreuz‹, seine Frau Auguste, die Landshuter Tage vergällte, ging es dort doch nicht zu. »Hier ist die Universität nichts als die Gesellschaft katholischer Pfarrer. Sie kommen abends alle zusammen bei einem guten Mann und modernen Mystiker, dem Religionsschriftsteller Sailer, und spielen Schach, oft zu zehend. Wenn man sie einzeln fragt, warum sie Schach spielen und immer und ewig und nie miteinander diskutieren, so sagt jeder einzelne, dieser und jener wüßte gar nichts zu sprechen, und was man spreche, werde allen wieder bekannt, und so spielte man lieber Schach.« Doch bei Savigny gingen die Studenten aus und ein, und Bettine genoß für einige Wochen den altgewohnten Familientrubel. Nur hatte sie sich schon zu sehr an die Selbständigkeit und das strenge Studium gewöhnt und sehnte sich dann doch nach München zurück. Ihr Lerneifer war ungekünstelt und half ihr die Melancholie überwinden. Ihre Briefe gewannen Ruhe und Reife, die reichen Erfahrungen mit Menschen, die sie, nicht mehr abgeschirmt durch die Familie, bestehen mußte, aber auch die sie bewegenden politischen Ereignisse gaben ihr Abstand von sich selber. Sie begriff die Kluft zwischen Phantasie und Wirklichkeit, die schwierige Übereinstimmung von Sein und Tun.

Als es zwischen Clemens und Auguste auch in Landshut wieder zu unerträglichen Auseinandersetzungen gekommen und er nach München geflüchtet war, brachte das Bettine eine sehr schmerzliche, ja widerwärtige Aufgabe ein. Augustes Entschluß, Clemens nachzureisen und sich in seiner Anwesenheit zu vergiften oder ihn doch durch eine vorgetäuschte Vergiftung zur Rückkehr zu bewegen, wurde ihm drei oder vier Tage nach seinem Aufbruch durch den jungen Arzt Löw überbracht (der wenige Monate später als Lazarettarzt dem Typhus erliegen sollte). Er war über Nacht von Landshut nach München geritten, um Clemens Savignys Rat zu überbringen, er solle nach Salzburg ausweichen. Die Beschaffung des Passes war jedoch so schnell nicht möglich. Clemens informierte Bettine, daß er nach Landshut zurückkehren werde, während Auguste auf München zureiste, bat sie aber, der Frau zu sagen, er wäre nach Frankfurt abgereist. Bettine erlebte nun eine Szene, die an einen Boulevardroman erinnert: sie fand die Schwägerin im Gasthaus im Begriff, sich Malaga und ein Gebräu aus einer Korbflasche einzuflößen. Es kam zur handgreiflichen Auseinandersetzung, in deren Verlauf Auguste Vergiftungserscheinungen simulierte. Auf Graf Stadions Rat hin erreichte Bettine wenigstens die Untersuchung des Giftes, das als ungefährlich befunden wurde. Doch hatte Auguste unterdessen nach dem Pfarrer verlangt und sich in häßlichsten Verleumdungen gefallen, die Pfarrer und Arzt rührten. In Bettines Bericht schwingt noch die Wut über diese Szene nach, die mit einer gut durchschlafenen Nacht Augustes geendet hatte, doch ist auch ihre Umsicht spürbar. Die endgültige Trennung von Clemens und ›seiner Dame‹ war nun nicht mehr hinauszuschieben, wenn auch die gerichtliche

Scheidung erst 1812 vollzogen wurde. (Auguste vermählte sich 1817 wieder, ertränkte sich jedoch 1832 im Main; eine intelligente, aber in sich selbst verkrampfte Frau, deren liebevollstes Porträt Clemens in dem Gedicht ›Die Einsiedlerin‹ gelungen ist, das er in Arnims Einsiedlerzeitung hatte erscheinen lassen.)

Ganz selbstverständlich hatte Bettine zu Clemens gehalten; ganz selbstverständlich vertrat sie auch Savignys Schuldforderungen an Tieck; ganz selbstverständlich erboste sie der Bericht, den der Arzt Sömmering über die Affäre der Auguste Bußmann nach Frankfurt zu den Brentanos geschickt hatte; ganz selbstverständlich sah sie sich, so angefeindet, als eine Brentano an. Erst als die lange erwartete Nachricht von Arnim eintraf, brach diese kühle Selbstverständlichkeit im Ausruf »Gott sei gelobt und gebenedeit, der Mensch lebt noch und ist ganz frisch und gesund« auf. Schwesterliche Kameradie schwingt darin mit – sie weiß ja, wie angesehen Arnim in ihrer Familie ist –, und dennoch ist ein neuer Ton in ihrem Verhältnis zu ihm, frei von der Unsicherheit, die sie nach der Maske des Kindes oder des extravaganten Mädchens hatte greifen lassen.

Ludwig Grimm hat die Behaglichkeit der Winterabende beschrieben, wenn er Bettine im Pilgramhaus in der Rosengasse Schokolade kochend oder mit einem Kätzchen spielend zeichnete oder auch zuhörte und amüsiert zusah, wie sie zu Kapellmeister Winters Begleitung sang und mit einer Notenrolle neckend auf Winters buschigen weißen Haarschopf den Takt schlug. Diese Idyllen wurden von den Ereignissen des Frühlings beiseitegedrängt. Am 9. April erklärte Österreich an Frankreich den Krieg. Die österreichische Hauptmacht unter Erzherzog Karl drang in Bayern ein und wurde zwischen dem 20. und 22. April bei Abensberg, Landshut und Eggmühl geschlagen. Am 13. Mai zog Napoleon wieder in Wien ein, wurde in einem zweiten Treffen mit Erzherzog Karl bei Aspern am 21. und 22. Mai geschlagen, siegte jedoch bei Wagram am 5. und 6. Juli entscheidend. Die österreichische Hoffnung auf Unterstützung im Befreiungskrieg durch Rußland oder Preußen hatte sich nicht erfüllt. Nur die Freikorpszüge des ›Schwarzen Herzogs von

Braunschweig‹, Schills und Dörnbergs hatten die österreichische Erhebung unterstützt, und der Aufstand der Tiroler unter Andreas Hofer blieb siegreich und führte zur Unabhängigkeit Tirols, die erst nach dem Frieden von Schönbrunn zusammenbrach.

Im April während der Kämpfe um Landshut hielt die Sorge um Savignys Bettine in Atem. Von österreichischen und hernach von französischen und Rheinbundtruppen besetzt, waren die Vorstädte im Kampfbereich gewesen, die Isarbrücke war zerstört und wiedererrichtet worden. Die Toten lagen vor der Stadt. Gunda hatte durch die Aufregung eine Fehlgeburt gehabt; Bettine, die wegen der durchziehenden Truppen nicht nach Landshut kommen konnte, tröstete: »... die Seele des Menschen muß sich für Schmerz und Leiden ausweiten gewaltsam wie für den Genuß der Freuden«, und sie riet Savigny, der Gunda nach Frankfurt bringen wollte, davon ab. Noch wußte niemand, ob der Krieg um sich greifen würde. Landshut war voller Lazarette. Clemens hatte, mitgerissen von einer ihm fremden Emotion, auf dem Schlachtfeld Briefe gefallener Soldaten gesammelt, deren Herausgabe jedoch nie zustande kam. Erst zu Pfingsten konnte Bettine nach Landshut kommen. Sie tauschte die Meinung mit den Verwandten, aber auch die Chiffren, die sie in den späteren Briefen zwischen München und Landshut benutzte. Wie immer in Krisenzeiten wurde ja die Post zensiert. (Ob Bettine damals schon von Salomon Bartholdi gehört hat, auf dessen Beschreibung des Tiroler Krieges sie Philipp Nathusius 30 Jahre später irrtümlich als auf eine Schrift von ihrer Hand hingewiesen hat, ist zweifelhaft. Sie hat später Bartholdis Aufzeichnungen für ihre Darstellung des Tiroler Krieges in der Bearbeitung des Goethe-Briefwechsels verwendet. Doch weder galt Plagiieren damals schon als strafbar, noch hätte Bettine eine Textübernahme zugegeben. Clemens hatte den Berliner während der österreichischen Besetzung Landshuts getroffen und Arnim mitgeteilt, daß er »Schelmuffski Bartholdi Salomonski« als österreichischem Offizier begegnet war.)

Bettine schrieb in dieser Zeit begeistert über die Tiroler an Goethe: »Ich habe meinen Blick nie mehr zwingen können, sich dahin zu wenden, wo der Teufel ein Lamm würgt, wo die einzige Freiheit eines selbständigen Volkes sich selber entzündet, und in sich verlodert.« Doch Goethe hatte sich in Weimar in die Arbeit an den ›Wahlverwandtschaften‹ vergraben und ging nicht auf ihre Begeisterung ein. Wenn Bettine im ›Briefwechsel mit einem Kinde‹ seine Antwort auch verzerrt, so trifft doch seine Flucht aus der Zeit zu. Sachsen-Weimar gehörte zum Rheinbund, der Sechzigjährige wollte sich von der nervösen Spannung dieser Jahre nicht mehr mitreißen lassen. Anders mochte Arnim Bettines Leidenschaft für den Tiroler Freiheitskampf teilen. Die Entfernung und die Erlebnisse hatten sie zueinandergerückt. Bettine hatte die Kopie seines Bildes auf dem Tisch, sie ließ ihm eine Miniatur anfertigen. »Was Arnim macht, möchte ich wissen, ich gäbe unendlich viel darum, bei ihm zu sein. Täglich, stündlich fallen mir alle Gefahren, mit denen das menschliche Leben in genauer Verbindung steht, aufs Herz. Es könnte ja auch werden, daß ich ihn nicht mehr sähe; ja, dieser Gedanke verfolgt mich seit einiger Zeit zu sehr, als daß es nicht Krankheit in mir, oder sonst etwas in der Luft sein sollte«, schrieb sie, als Clemens im Aufbruch nach Berlin begriffen war. Sie fühlte sich recht fremd in München, seitdem sie den Jubel des Volkes beim Einzug des siegreichen Königs von Bayern miterlebt hatte, während sich die Tiroler noch immer gegen Bayern und Franzosen behaupteten. Doch war es ihr immer wieder gegeben, Menschen für sich zu entdecken. Erst jetzt lernte sie Franz Baader verehren, der »Demut und Bescheidenheit genug hat und zugleich Stolz genug, um in seiner Gegenwart keinen Hochmut zu dulden«. So wählerisch war sie in diesem Münchener Jahr geworden, so anspruchsvoll und selbstlos dabei, so sehr auch Frau, daß sie kurz vor der endgültigen Übersiedlung nach Landshut im Herbst an Savigny bekannte:

»... er (Arnim) ist auch niedergebeugt in seinem gebeugten

Vaterland ... Arnim ist doch der Mensch, der alles Recht auf mich hat, und wenn ich auch nicht mit ihm geheuratet bin, so gehören wir nicht minder zusammen wie Ihr beide ...«

Arnim in Berlin

Arnim hatte seit dem Herbst 1808 auf die große Ausein-andersetzung mit Napoleon gehofft und erwartet, in Berlin Verwendung zu finden. Überzeugt von der Notwendigkeit der geistigen und moralischen Erneuerung der Deutschen, reflek-tierte er sein Bemühen um die Wiedererweckung mittelalter-licher Volksdichtung auf dieses Ziel hin. »Ja, es ist der Reiz dieser sich fügenden Ausbildungen von Jahrhunderten, der so in einem Einzelnen ein Merkzeichen für Jahrhunderte auf-stellt.« Und er verteidigte sich gegen Tiecks Zweifel an seinem Dichtertum, den ihm Bettine entrüstet übermittelt hatte: »Ich fühle, daß ich einiges derart (was Goethe und Tieck und andern gelungen) in meiner Seele getragen, aber mannigfaltiges Un-glück, Zerstreuung, Leichtsinn haben mich vielleicht entheiligt, vielleicht wird es hin und wieder durchscheinen, es wird nicht untergehen im ewig liebevollen Herzen, das durch alle Welt schlägt ...« Die Antwort umreißt seine Lebensspannung: Die Noblesse, die ihn immer auch den anderen achten und seine Geschäfte sorgfältig erledigen läßt, etwa wenn er nach seiner Abreise aus Heidelberg an den Verleger Zimmer geschrieben hatte, daß er die Außenstände beglichen und nur eine Schuld an Zimmer selbst offen war, die er ihn zu bereinigen ersuchte; oder wenn er später seine Güter führte und unter der Doppel-last von Geschäften und literarischer Arbeit müde wurde. Sie zeigt aber auch die Bettine so ähnliche Nachlässigkeit gegenüber Äußerlichkeiten wie Kleidung und Würden, die Wilhelm von Humboldt bestimmt hat, ihn nicht für die Nachfolge in Rom zu empfehlen, nachdem er selbst den Posten des preußischen

Gesandten mit dem Ministerstuhl vertauscht hatte. »... Auch an Achim von Arnim, den Wunderhornmann, der wirklich in Dienste gehen will, habe ich gedacht; allein er hat grobe Streitigkeiten mit Voß und Jacobi, und geht in solcher Pelzmütze und mit solchem Backenbart herum, und ist so verrufen, daß nicht daran zu denken ist.«

Als Arnim im Spätherbst 1808 bei den Brüdern Grimm in Kassel auf Heilung wartete – kurz hinter Gießen waren ihm die Pferde durchgegangen und er hatte sich beim Absprung das Knie verletzt, ehe er sie wieder zum Stehen hatte bringen können –, wußte er kaum schon, wie viele Enttäuschungen Preußen für ihn bereit hatte. Sie begeisterten sich an den Märchen, die die Grimms zusammengetragen hatten, sie unterhielten sich über Reichardt, der in Kassel als Musikdirektor König Jérome seiner Unverträglichkeit wegen gescheitert und nach Wien gegangen war. Die Grimms hatten Nachricht von ihrem Bruder Ludwig, der aus München begeistert über Bettine geschrieben hatte. Vielleicht sprach auch Arnim von ihren Briefen, oder von Goethe, den er in Weimar besuchen wollte; die Zuneigung zwischen Arnim und den Brüdern Grimm festigte sich und wurde niemals gestört. (Schließlich besiegelte sie die Ehe der Kinder beider Familien, Herman und Gisela.) Es blieb ihnen die Heiterkeit der Sympathie, die Arnim auch in Weimar vorfand, wo er von Goethe herzlich empfangen und fünf vorweihnachtliche Tage im Haus am Frauenplan verbrachte. Er mußte von der Sammelarbeit erzählen, Goethe versprach sich die lebhaftesten Anregungen aus den alten Texten, Christiane gab einen Tee, bei dem Frau von Stein zum erstenmal ihr Gast war, Arnim zeigte den Damen und Herren die Kupferstiche, die er mitgebracht hatte, las auf Goethes Geheiß eine Erzählung und freute sich an dem Beifall. Er traf mit Zacharias Werner zusammen, Theaterpläne tauchten auf. Bettine erfuhr aus Berlin die Einzelheiten der Reise, ihr beschrieb er auch den großen Brand unweit des Hauses seiner Großmutter am Viereck (dem späteren Pariser Platz) und wie er löschen geholfen hatte. Der Genuß der eigenen Kraft, die Erregung, die vom Feuer ausgeht, sind spürbar. Arnim schilderte aber auch die Ballsaison, an der er teilnahm, notierte eine Lockerung der Sitten, etwa das Schlittern übers Parkett, das Schnalzen und das oft unzureichende Können der Tänzer, und bedauerte dabei den Luxus in einer Hauptstadt ohne König. Später verfolgte er leidenschaftlich beteiligt den Zug Schills, der nach der Nachricht von der österreichischen Niederlage bei Landshut mit seinen Husaren und Jägern vom Exerzierfeld weg aufgebrochen war und bald einen Heerhaufen von 12 000 Mann hinter sich hatte, mit denen er bei Todtendorf ein westfälisches Regiment besiegte und die Holländer von der Elbinselfestung Dömitz vertrieb, bis er schließlich in Stralsund, das er erobert hatte, beim Angriff der Dänen und Westfalen fiel, noch von der Legende begleitet, die seinen Tod nicht wahrhaben wollte.

Arnim verkehrte im Kreise um die Gräfin Voß, wo die Tagespolitik Hauptgesprächsstoff war, sein Novellenband ›Der Wintergarten‹ erschien, »der Ungenannten« zugeeignet. Bettine war ihm gegenwärtig, auch wenn er ihr die Verbindung mit dem bayrischen Kronprinzen übelnahm, von dem es in Preußen hieß, daß ihn Napoleon auf dem Schlachtfeld umarmt hätte. Er nahm sie noch immer nicht ganz ernst, mußte sich dann aber ihre noble Verteidigung des Kronprinzen Ludwig gefallen lassen. Sie war nicht bereit, sich ihre Meinung diktieren zu lassen, »eines der wunderbarsten Frauenzimmer«, wie Humboldt auf einer Gesellschaft zu Arnim sagte. Die Schärfe Arnims erklärt sich aus der abwartenden Haltung des ausgepoverten Preußen während des österreichisch-französischen Krieges. Er wußte von der völlig zerrütteten Landwirtschaft, von den kaum zu erfüllenden Auflagen, die das vornehmlich noch agrarische Preußen ruinieren mußten. Er verurteilte zynisch französische Einflüsse auf die Gesellschaft, aber er war dann auch wieder jung genug, bei Liebhaberaufführungen mitzuspielen, Dichter und Adliger, dem die Mädchenherzen zuflogen; »ach im Arm ihn, Achim Arnim!« ging das Ballgeflüster. Er gestand Bettine seine Verliebtheit in eine italienische Kammerzofe. Er überließ sich aber auch dem Übermut des Volkes beim Stra-

lauer Fischzug, wo sich 40 000 Berliner in Gondeln und Ruder-
booten auf dem Rummelsburger See und in den Wirtshäusern
und Zelten im Dörfchen Stralau und seiner Umgebung trafen
und bei Bier und Tanz und Ah's und Oh's zu nächtlich aufstei-
genden Leuchtkugeln die Eröffnung der großen Fischerei feierten (übrigens ein Volksfest, das erst im 18. Jahrhundert aufge-
kommen war).

»Es ist mir zuweilen so, als sollten wir zusammen in alle Welt
gehen. Aber wo liegt alle Welt?« fragte er Bettine aus so zwie-
spältiger Stimmung heraus. Sie berichtete ihm von einem Abend
am Kanal in Nymphenburg, von den gefangenen Türken, die
ihn einst gegraben hatten, aber auch von einem Spätherbstaus-
flug in die Alpen. »Die andern riefen wohl: herrlich! himm-
lisch! usw. Mir wars nicht so. Die Natur wühlt mit leiser Hand
das Herz auf, legt das Samenkorn hinein und scharret wieder
zu; wenn nur der Mensch gleich dem Erdboden bei Kräften ist,
so gärts nach und nach, keimt, blüht und stirbt nimmer. Ich
stand da oben unter einer Tanne, die mir Schatten gab, daß ich
in die Sonne sehen konnte, welche die schwarzblauen Berge
umspielte. Ich sah und sah in die reine fleckenlose Einsamkeit,
und hier glaubte ich mich Gott nahe genug, um von ihm gehört
zu werden; und weil ich Brot hatte und Wein genug, so goß
ich *unserer Liebe* die Neige des Glases auf das besonnte Gestein, und weil ich denn da oben war, fühlte ich mich getrennt
von allem, wie immer, wenn ich in einem großen freien Um-
riß der Natur war.« Aus solcher Hochstimmung heraus verspottete sie auch Arnims Verliebtheit in die Italienerin. Das
Verlangen nach einander begleitete beide in diesem unruhigen,
politisch gewittrigen Sommer.

Als Clemens zusammen mit Wilhelm Grimm im September
zum Besuch bei Arnim eintraf, war die familiäre Verbindung
wiederhergestellt. Die Freunde hatten sich viel zu erzählen. Arnim war ein guter Gastgeber, er führte Wilhelm Grimm nach
Potsdam, zeigte ihm Berlin, erzählte gewiß von der Doppel-
hochzeit der mecklenburgischen Prinzessinnen, der er 1793 als
Edelknabe beigewohnt hatte, beschrieb den Bau des Branden-

burger Tores. Clemens genoß es, in den Büchern des Freundes zu wühlen oder die Bibliothek zu durchstöbern, versuchte aber auch, Arnim zur Übersiedlung nach Landshut zu bewegen. Sie arbeiteten nach Wilhelm Grimms Abreise wieder in zwei Zimmern nebeneinander. Clemens schrieb an den ›Romanzen vom Rosenkranz‹, Arnim an dem Roman ›Armut, Reichtum, Schuld und Buße der Gräfin Dolores‹, in dem er aus der Fülle seiner Begegnungen manches Porträt festhielt wie etwa das des Arztes und Geheimbündlers Koreff, den er in Paris kennengelernt hatte. Er plante auch schon das dramatische Spiel ›Halle und Jerusalem‹ (nach Andreas Gryphius), immer fasziniert vom Ineinanderübergreifen realer und irrealer Vorgänge. Im Laufe des Winters erkrankte Arnims Großmutter Labes, hielt aber, vom Schlagfluß ans Bett gefesselt, noch immer mit der ihr eigenen Strenge an der Verwaltung des Besitzes fest. Arnim, immer korrekt, besuchte sie regelmäßig am Krankenlager. Er wird Bettine erst später von seiner freudlosen Kindheit im Hause der Großmutter berichten, die mit der Energie einer geborenen Daum den Familienbesitz gemehrt hatte. Daß die Gefühlskargheit dieser Frau, von der ein Bild im Reitkleid und Dreispitz und Arnims Bericht, sie ritte wie ein Mann, überliefert sind, den gefühlsstarken und von der väterlichen Familie her musisch veranlagten Arnim die Wärme und Herzlichkeit vermissen ließ, die er im Brentanoschen Hause so ausgeprägt fand, erstaunt kaum. Dennoch hatte sie durch das Zusammenhalten des Besitzes für die beiden Enkel gesorgt und bedeutete ihr Tod im Frühjahr 1810 für Arnim die wirtschaftliche Unabhängigkeit. Das Fest, das er und Clemens wenige Wochen später gaben, hat denn wohl aus diesem Anlaß stattgefunden.

»Bist Du aufmerksam gewesen, so wirst Du eine eigne Unordnung in meinem Briefe bemerkt haben; wirklich gingen mir auch ungezählte Dinge im Kopf herum. Zum Heringssalate Öl, Essig, Heringe, Neunaugen, Äpfel, Sellerie, selbst Kapern; zum Bischof roter Wein, bittere Pomeranzen, Zucker; zum Kardinal weißer Wein, süße Pomeranzen; ferner Wachslichte, Talglichte, Kälberbraten, Schwartenmagen, Puten à Daube, das Kana-

pee frisch bezogen, Kupferstiche ausgesucht, die Lampen, Pfann-
kuchen mit Kirschmus – darüber kann ein Mensch in unsrer
Zeit schon drehend im Kopfe werden; dazwischen die Anfra-
gen, Einladungen. Du mußt nämlich vor allen Dingen wissen,
daß ich gestern einen Schmaus gegeben habe, der mich und Clemens mehrere Tage in die größte Agitation setzte. Mein wüstes
Staatszimmer, in welchem durchaus keine Mobilien als eine
Elektrisiermaschine vorhanden waren, mußte ausstaffiert werden; da wurden Stühle aus dem ganzen Haus zusammenge-
schleppt, Überzüge abgenommen, gewaschen, Gemälde vom
Trödler gekauft, zwei Titane, das Stück zu zehn Groschen, diese
gereinigt, mit Öl eingeschmiert, sie stanken infam, das wurde
aber alles durch Lavendelwasser auf dem Ofen gutgemacht,
meine besten Holzschnitte wurden mit Stecknadeln rings befestigt. Clemens hat sich bei dem allen so angestrengt, daß er
nachts sich übergeben mußte. Ich wanderte indessen in der
Stadt zum Einkauf umher, ein gewesener Bedienter meiner
Großmutter folgte mir in Jägeruniform mit einem Sacke; da
gings aus einem Italienerladen nach dem andern, mit vollem
Sacke kam ich nach Hause. Nun wurde gewirtschaftet, die Pomeranzen abgerieben in den mannigfaltigsten Arten; von dem
Reiben und Kosten bekamen wir beide allmählich ganz rote
Köpfe. Die Zeit nahte, wo alles eintreffen sollte, die ganze gelehrte Menagerie von Berlin; nichts war fertig, wir lachten und
taumelten. Es klopft! Clemens springt beiseite, ich empfange
unsern Musikheiligen Zelter in meinem Kaperrocke. Sehr listig
führe ich ihn gleich in ein dunkles Zimmer, damit er seinen
Rock ablege, und während er sich in dieses Geschäft verwik-
kelt, ziehe ich meinen Kaperrock aus und meinen Staatsrock
an. Nun ging es Tür auf einer nach dem andern, alle Bekannte
Reichhardts, dem zu Ehren alles angestellt war, und wer dieses
öde Chaos vorher gesehen hatte, war erstaunt über die Pracht
der Einrichtung. Als Steuermann des inneren Lebens stand ich
mit gewandter Hand bei den Bischofsnäpfen und versendete
die vollen Gläser.«

Als Bettine diesen launigen Brief in Landshut empfing, rüstete die Familie schon zum Aufbruch. Zwar war Savignys Berufung an die Berliner Universität noch nicht eingetroffen, wenn Bettine Arnim deshalb auch mehrmals gebeten hatte, bei Humboldt nachzufragen, aber sie war sicher, und Savigny hatte in Landshut aufgekündigt. Berlin war ja nach der Rückkehr des königlichen Paares zum Zentrum der preußischen Reorganisation geworden. Die Gründung der Universität (an Stelle der aufgegebenen Hallenser Universität) zog bedeutende Gelehrte in die Stadt und war Ausdruck des preußischen Führungsanspruchs im Widerstand gegen Napoleon.

Die Wintermonate waren für Savigny und seine Studenten eine Reihe von guten Arbeitstagen gewesen. Bettine hatte von der standrechtlichen Erschießung Andreas Hofers leidenschaftlich Notiz genommen, aber mit der ihr eigenen Fähigkeit, sich von Erfahrungen zu lösen, den Winter doch recht heiter durchlebt. »... ich hab die Eigenschaft, meine Langeweile im Winter zu maskieren in Humor ... welche Maske eine Scheidewand zwischen meiner Langeweile und den Menschen ist.« Das Bewußtsein ihrer Ungebundenheit erreichte im Doppelbriefwechsel mit Goethe und Arnim den Höhepunkt. Sie hatte Goethe von der schon erwähnten Gebirgswanderung inniger und doch auch fordernder als an Arnim geschrieben: »... der mein ist, der ist nicht hier. Du bist mein; Du bist aber nicht hier. Aber dennoch: es ist ja Sommer und wir winden Kränze.« Aber der Traum, den sie Arnim einmal mitteilte, wie sie mit ihm zusammen am offenen Fenster saß, den Fuß auf seinem Fuß, und ganz ruhig wurde, gibt den Hintergrund ihres Erlebens preis. In der Zuneigung zu ihm war sie geborgen, während die Leidenschaft für Goethe, die ja in diesen Monaten in eine unbefangene Intimität umschlug, zu einer beinahe spielerischen Steigerung ihres Ich wurde, die sie kaum aus Goethes knappen Antwortbriefen, wohl aber aus der Vertiefung in sein Werk hernehmen konnte. Sie hatte die ›Wahlverwandtschaften‹, die damals viel Unwillen auslösten, persönlich beteiligt gelesen, sie meinte, Goethe hinter den großbürgerlichen Gewohnheiten seines derzeitigen Lebens noch als den zu erkennen, der ihr aus den Briefen über Maxe Laroche vertraut war. Sie gefiel sich aber auch in der Rolle der Mignon, die ihr die Freunde des Savignyschen Hauses zuerkannten. Alois Bihler, Jurist und Musiker aus dem Allgäu, der Bettine in Landshut in Harmonielehre unterrichtete, schrieb erinnernd: »Gewöhnlich saß Bettine während des Musizierens auf dem Schreibtisch und sang von oben herab wie ein Cherub aus den Wolken. Ihre ganze Erscheinung hatte etwas besonderes. Von kleiner, zarter und höchst symmetrischer Gestalt mit blassem klaren Teint, weniger blendend schönen als interessanten Zügen, mit unergründlich dunklen Augen und einem Reichtum schwarzer Locken schien sie wirklich die ins Leben getretene Mignon oder das Original dazu gewesen zu sein. Abgeneigt modischem Wechsel und Flitter, trug sie fast immer ein schwarzseidenes, malerisch in offenen Falten herabfließendes Gewand, wo nichts die Schlankheit ihrer feinen Taille bezeichnete als eine dicke weiße oder schwarze Kordel, deren Ende ähnlich wie an Pilgerkleidern herabhing ... Ihr reicher Geist, ihre sprudelnde Regsamkeit voll poetischer Glut und Phantasie, verbunden mit ungesuchter Anmut und grenzenloser Herzensgüte, machten sie im Umgang unwiderstehlich. Großmut, diese gemeinsame Eigenschaft genialer Naturen, trat auch bei ihr in glänzender Weise hervor ...« Bihler berichtet von ihren Kompositionen und ihrem hinreißenden Gesang: »Ihr Fragment ›O schaudere nicht!‹ (aus Faust) singe ich hundertmal mit vieler Begeisterung.« Bettine erschloß sich ja damals auch komponierend Goethes Dichtung. Und wenn Bihler nicht mit ihr übereinstimmte, in der Faustouvertüre die Trommel führen zu lassen, so erscheint uns Heutigen ihre Unvoreingenommenheit gegenüber der traditionellen Orchesterbesetzung kaum abwegig. Genialisch, wenn ihr auch zur wirklich bedeutenden Komposition die Voraussetzungen fehlten, erprobte Bettine ihre Möglichkeiten mit solcher Hingabe, daß selbst der scharfzüngige Landshuter Philosoph Jacob Salat an Mignon dachte, wenn er von ihr sprach. Was Wunder, daß sie, immer empfindlich für das Echo, das sie hatte, sich mit der lieblich herben Gestalt identifizierte und in dieser Rolle ganz sicher in Gebärde und Bewußtsein, ganz Geschöpf wurde – und sich dennoch des Spiels bewußt blieb. Ihr lebenslanger Briefpartner Johann Nepomuk Ringseis gestand später, daß ihn nie »ein zartes Gefühl« an sie gefesselt habe, »wohl aber beseelte mich bald staunende Bewunderung über ihre sprudelnde unvergleichliche Genialität, ihren tiefsinnigen Witz, für den sicheren Anstand, womit sie die geniale Freiheit ihrer Bewegung zu begleiten wußte ... und warme Freundschaft erregte mir die wohlwollende Güte sowie die Rechtschaffenheit ihres Wesens, welcher die etwas zu kühnen, manchmal etwas zu schalkhaften poetischen Lizenzen und dichterisch ausschmückenden Arabesken und Humoresken in ihren Schriften keinen Abbruch taten«.

Während des halbjährigen Landshuter Aufenthaltes vom September 1809 bis Ende April 1810 muß sich Bettine allen Äußerungen nach auf der Höhe ihrer Jugend gefühlt haben. Arnims regelmäßige Briefberichte gaben ihr das Bewußtsein von Zukunft. Sie brauchte sich nicht mehr zu sorgen, unter den Schwestern allein unverheiratet zu bleiben. Goethes Schweigen irritierte sie nicht. »Gott will es so, daß ihr beide das Maß haltet in meiner Liebe«, das war keine Phrase, sondern erlebte Doppelbindung, wie sie jeder ungewöhnlichen Frau vertraut ist und nur dank der Konvention und traditionellen Moral selten so unbefangen ausgesprochen wird. »Ohne Dich wäre ich vielleicht so traurig geworden wie ein Blindgeborner, der von den Himmelslichtern keinen Begriff hat«, gesteht sie Goethe. »Sie, die nach allen Seiten jauchzet und gleich einer Schallsonne alle Stimmen der Echo in ihr Herz aufnimmt« (wie Clemens sie einmal charakterisiert hatte), verlor auch in der Gelöstheit dieses Winters nicht die Fähigkeit zur gütigen Sorge, empfahl ihren Schützling Ludwig Grimm an Goethe, nahm an der Entwicklung des jungen Komponisten Peter Lindpaitner Anteil. Der Sohn des Tenoristen bei der Kapelle des Kurfürsten von Trier, Clemens Wenzeslaus, »18 Jahre alt, blond, gar nicht schön, aber gutmütig, sitzsam und sehr kindisch«, hatte schon als Junge Lieder und Konzerte komponiert und war als Schüler Peter von Winters mit Bettine freund geworden. »Ich interessiere mich so sehr für ihn, weil er noch so jung ist und so viel von dem hat, was ich mir immer als das seligste Geheimnis der menschlichen Natur wünschte, nämlich Musik.« Auch der junge Janson von der Stockh, »schwarzglühende Augen, verbranntes, von Blattern zerrissenes Gesicht, arm wie Job, fremd mit allen, aber gerade darum in sich fertig und geschlossen«, ein Münchener Arzt, der den Landshutern nahestand, war von Bettine gefesselt und schrieb ihr Leben auf, »welches eine der wunderbarsten Geschichten geben muß, sie geht bis zu dem Geringsten, z. B. zu den Kleidern, die sie getragen; Clemens spricht, daß es etwas Herrliches sei, wie ich wohl glauben kann, denn in diesen Kleinigkeiten ist auch ein großer Reiz«, wie Wilhelm Grimm darüber an Jacob berichtet hatte. Dieses seltsame Von-sich-Abrücken Bettines, das eigene Leben wie einen Roman oder eine Novelle wichtig nehmen, trifft ihre Stimmung in dieser Zeit. Sie hat die Hemmungen und die Unlust an sich selber überwunden. Geschöpf, Geliebte und Liebende, ist sie vorbereitet auf die Teplitzer Begegnung mit Goethe, auf diese in Ungewißheit gehüllte und dennoch als Schlüsselerfahrung zu deutende Stunde ihres Lebens.

Wenn sie später in ›Goethes Briefwechsel mit einem Kinde‹ schreiben wird: » – jetzt trete ich vor Dich, goldbeschuhet, und die silbernen Ärme hängen nachlässig, und warte; da hebst Du das Haupt, Dein Blick ruht auf mir unwillkürlich, ich ziehe mit leisen Schritten magische Kreise, Dein Aug verläßt mich nicht mehr, Du mußt mir nach, wie ich mich wende, und ich fühle einen Triumph des Gelingens; – alles, was Du kaum ahnest, das zeige ich Dir im Tanz, und Du staunst über die Weisheit, die ich Dir vortanze, bald werf ich den luftigen Mantel ab und zeig Dir meine Flügel, und steig auf die Höhen –«, so bezeugt dieser Brief, den Waldemar Oehlke als unecht nachgewiesen hat, denn doch in der Erinnerung Bettines Wunschbild von der Mignon, Fee und Tänzerin, das, hingespiegelt über den Rand der Realität hinaus, ihr nie so nahe gewesen ist wie in diesem Jahr der Erwartung.

Auch ihr Beethoven-Enthusiasmus läßt sich nicht allein durch ihre Musikliebe und -pflege erklären, sondern wird von ihrer Erwartung mitgetragen. »Mein Horizont fängt zu meinen Füßen an, wölbt sich um mich, und ich stehe im Meer des Lichts, das von Dir ausgeht ... Vor Dir kann ich's wohl bekennen, daß ich an einen göttlichen Zauber glaube, der das Element der geistigen Natur ist, diesen Zauber übt Beethoven in seiner Kunst; alles, wessen er Dich darüber belehren kann, ist reine Magie, jede Stellung ist Organisation einer höheren Existenz, und so fühlt Beethoven sich auch als Begründer einer neuen sinnlichen Basis im geistigen Leben.« Bettines Erwartung ist nicht mit gesteigerter, weil unbefriedigter Sexualität abzutun, sondern war in weiterem Sinne bräutlich, war Hoffnung auf Sinn, wie er sich nur einer Frau erschließt, der die Natur ja die Phasen der passiven Identität mit der Schöpfung geschenkt hat. Bettine erwartete das Erlebnis, für das allein die Mystiker Worte gefunden haben. Beethovens Unbeholfenheit und Sprödigkeit im sprachlichen Ausdruck, seine so unverfälschte Dankbarkeit für ihre Begeisterung mögen ihre Auffassung von der Musik als meta-sinnliche Sinnlichkeit bestätigt haben. Ihre Gespräche mit ihm kreisten ja um Goethe, der die Meta-Sinnlichkeit in die Sprache zurückzuholen vermochte. Bettines Erwartung war festlich wie die der Jungfrauen, die ihre Lampen angezündet haben.

Mag auch das Pathos ihrer Äußerungen über die Beethovensche Musik von tausenden von Klavierschülerinnen nachgebetet und so tausendfach verfälscht worden sein, Bettines Verhältnis zu Beethoven trug das Pathos. Seine Briefe, seine Hochzeitsgedichte zeigen seine Anhänglichkeit. Aus dieser Zeit mag auch Bettines Notiz über die Pause in der Musik stammen, die der Henrici-Katalog zitiert: »Die Pause in der Musik, wer kann sie fassen? Heimlicher Kräfte voll harrt sie der Begeisterung, daß sie Othem aus ihr schöpfe!« Bettine hatte ihr Lebensgesetz begriffen, den Rhythmus zwischen Ein- und Ausatmen, den Wechsel zwischen Melancholie und Übermut und die Kraft, die aus solchem Wechsel zuwächst.

Die Reise nach Berlin

Am 2. Mai 1810 waren Savignys und Bettine, begleitet von den Studenten Johann Nepomuk Ringseis, von Schenk, Salvotti, Gumpenberg, Freyberg, Ludwig Grimm, mit Vivat und Wein und nach festlichem Abschiednehmen von Station zu Station aus Landshut aufgebrochen. Salzburg und Wien waren die nächsten Ziele. Dort wollten sie mit Franz und Toni Brentano, die sich im Birkenstockschen Hause niedergelassen hatten, zusammentreffen. Eine gemeinsame Reise nach Bukowan (Bukovany) war geplant. Dort hatten die Brentanoschen Geschwister ein Landgut erworben, das Christian nicht eben mit viel Glück verwaltete. In diesem kleinen nordböhmischen Ort sollten Arnim und Clemens aus Berlin zu ihnen stoßen.

Die Studenten blieben bis Salzburg zur Seite der Reisewagen. Nur Max Prokop von Freyberg begleitete die Reisenden noch eine Poststation weiter. Bettine porträtierte jeden Begleiter, »weil keiner unter ihnen ist, der nicht im großen Leben durch die Reinheit der Wahrheit seiner Natur hervorleuchten würde«. In Wien »wohnten wir im Hause des verstorbenen Birkenstocks, mitten zwischen 20 000 Kupferstichen, 27 000 Handzeichnungen, so viel hundert alten Aschenkrügen und hetrurischen Lampen, marmornen Vasen, antiken Händen und sonstigen Gliedern, vielen Bildern, unter andern ein Raphael ...« Sie schilderte Goethe die Wiener Gesellschaft: »Wiener sind Wiener und sonst gar nichts ... die Jüdinnen setzen sich nach Tisch zusammen, und fasern die alten Goldborten aus, und das geht immer ganz hochdeutsch, hat Krämpfe, die Kinder sind

Maximiliane Brentano, geb. Laroche (1756–1793), die Mutter von Bettine und Clemens Brentano.

Achim von Arnim (1781–1831).

Rechte Seite: Clemens Brentano (1778–1842).

Maximiliane von Arnim, die Tochter von Bettine und Achim von Arnim.

getauft, müssens Kreuz machen, die göttliche Unzelmann deklamiert am Abend, endlich wickeln sie sich in einen 11 000 Gulden Schal und fahren in den Prater.«

Die Kritik an den Juden, die hier das einzige Mal von Bettine zu hören ist, gilt den reichgewordenen, emanzipierten Juden, bleibt feuilletonistisch wie ihre ganze Darstellung der Wiener Gesellschaft, ist aber dennoch anzumerken, weil sie wohl kaum eine Konzession an Goethes Meinung ist – dergleichen hatte Bettine sich nie schuldig gemacht –, sondern ihren Widerwillen vor aller Hohlheit, allem zur Schau gestellten Reichtum bestätigt. (In den ›Gesprächen mit Dämonen‹ wird sie ihre Ablehnung der Christianisierung der Juden noch einmal breiter ausführen.)

Dieser Brief vom 28. Juli aus Bukowan nach Arnims, Clemens' und Savignys Abreise nach Berlin macht Bettines Briefaufbau und die darin erreichte Unmittelbarkeit der Mitteilung besonders deutlich. Nach der breiten und ausschweifenden Schilderung der Reise und der Umwelt sammelt sie sich plötzlich im Bekenntnis zu Goethe, klammert alle Umwelt aus und schafft so die Stille, in die hinein sie einen Namen stellt, den sie so, scheinbar ohne Vorbereitung, ins Zentrum des Briefes rückt: »... und so Beethoven, von dem ich Dir jetzt sprechen will; man sagt er sei häßlich, aber die Liebe, die er zu Dir trägt, hat ihm einen Panzer angelegt, indem er alle äußerlicher Schwachheit gegen mich geborgen ist. (So!) Jetzt geb acht! an diesem geht die ganze Welt auf und nieder ...« Die Verbindung war hergestellt. Goethe, dessen steife Würde sie kannte und Beethoven, dessen Schwerfälligkeit im Umgang sie kannte, waren aufeinander vorbereitet. Diese Fähigkeit, Menschen nicht nur aufzuspüren, sondern auch aus sich selbst herauszulocken, machte es ihr leicht, Sympathie zu gewinnen, aber hieß auch: Verzicht, hieß: in der Rolle verharren, die die Konstellation forderte, oder: in sich selbst zurückkriechen.

In Prag traf sie den Grafen Stadion wieder und fand ihn vom Unglück Österreichs gebeugt, war aber von seiner Demut und Gradheit, mit der er zu seiner Überzeugung stand, tief berührt.

»Ich habe größere Achtung vor ihm in seinem Unglück als ehedem«, schrieb sie an Freyberg, der für ein paar Wochen ihr Vertrauen vor Arnim hatte, so daß dessen Hoffnung, ein Versprechen aus Bukowan mit nach Berlin zu nehmen, sich nicht erfüllt hatte. Es hätte sich vieles verändert, es wären Erfahrungen gemacht, er könne nicht verlangen, was er sich einbilde, von einem Hingehen zu großen Zwecken der Zeit, an Musik, waren ihre Argumente, die Arnim in seiner brieflichen Werbung nach der Rückkehr wieder aufnahm, wohl kaum ahnend, warum sich Bettine noch einmal von ihm zurückzog, da er doch nun Herr über ein bescheidenes Vermögen und Miterbe der Familiengüter geworden war. Hatte sie Angst vor der Bindung, als sie vor dem Abschied von Freyberg einen Seelenbund – so nannten sie's – mit ihm schloß? War ihre auf Goethe und Arnim gerichtete Hochstimmung während der Reisetage und Gesprächsnächte von Fenster zu Fenster jäh in religiöse Inbrunst eingemündet, die sie in Max Prokop von Freyberg »das Kind meines Herzens« oder den »Baum, dem Gott die Ungewitter zum Zeitvertreib schickt« sehen ließ, weil sie die Ernüchterung in einer täglichen Gemeinschaft fürchtete? Darauf läßt sich schwer eine Antwort finden. Sicher hatte die Nähe des schönen, sie hochverehrenden jungen Mannes sie verwirrt und hatte ihre Fähigkeit, auf andere Menschen einzugehen, sie in seine Gedankenwelt hineingezogen. Die Berührung mit Freybergs religiös mystischer Ausdrucksweise, der sich wie auch Gumpenberg zu den Erweckten zählte, hat auf ihre Sprache bis in die späten politischen Schriften hinein gewirkt und den Impuls der Fritzlarer Erfahrungen in ihr wachgehalten. Wenn sie nach dem Geständnis, daß Arnim »mir der Edelste, der Herrlichste« war – »und nun kommst Du in Deinem Stahlgerüst und vor Dir muß alles weichen. (Ich beschwöre Dich, ehre mein Geständnis, werde groß daran!) Er aber soll nicht weichen, und zwar will ich ihn selber schützen. Die Tage, wo ich ihn den Liebsten nannte, sollen nicht vergangen sein. Das wäre nicht meinem Herzen nach«, – fast wegwerfend schreibt: »Gebt dem Kaiser, was des Kaisers ist« und Arnim meint, so ist sie doch längst schon entschlossen, Arnims Werbung nachzugeben. Aber »was weiß ich selber von mir und der Liebe?«

Ein seltsam verschrobener Zug an ihr ist dieses Sich-in-Rollen-Hineinsteigern und das Spiel doch so ernst zu betreiben, daß sie zwei Jahre später mit Freyberg bricht, als er an eine eheliche Bindung denkt, auch das An-sich-raffen-Wollen von Zuneigung über menschliches Vermögen hinaus.

Und noch einmal ein Ausweichen in die Rolle, noch einmal Mignon, Geschöpf, Geliebte, »ein Vogel ... immer entweder gekauert, oder in den Lüften« oder, wie Rahel später einen Ausspruch Schleiermachers festhält: Bettine »sei lauter Sinnlichkeit, die sich aber niemals konzentriere«.

Am 13. August 1810 schrieb Goethe an Christiane aus Teplitz nach Weimar: »Bettine ist gestern fort. Sie war wirklich hübscher und liebenswürdiger wie sonst. Aber gegen andre Menschen sehr unartig. Mit Arnim ists wohl gewiß.« Die Begegnung mit Goethe fand auf der Reise von Bukowan nach Berlin statt, wohin Savigny nun seine Familie und Bettine holte, während die Wohnung am Monbijouplatz 1 noch eingerichtet wurde und Arnim schon ungeduldig wartete, daß die Reisenden auch pünktlich zur Aufführung seiner Kantate auf den Tod der Königin Luise einträfen. Denn Bettine hatte ja (noch in der Sprache Freybergs befangen) geschrieben: »Warum soll ich nicht Dein sein? Warum, wenn Du an mich verlangst, soll ich Dir nicht geben? Wir stehen in des Höchsten Hand, sein Wille geschehe!«

Bettines Darstellung von ihrer dritten Begegnung mit Goethe hat sich in mehreren Fassungen erhalten. Der Briefentwurf an einen unbekannten Adressaten muß zwischen 1833 und 1840, also wohl vornehmlich in den Jahren, in denen Bettine ihr Goetheerlebnis sammelnd und schreibend noch einmal vollzog, entstanden sein. Schon Malla Montgomery-Silfverstolpe hatte ein Jahrzehnt vorher Bettines ›Liebesbegegnisse‹ mit Goethe und ihren Ausspruch notiert: »Es ist gefährlich, diese Ausrufe der Liebe zu hören, sie bleiben zu tief im Herzen haften, man glaubt an sie.« Werner Vordtriede hat die wahrscheinlich erste

Fassung des Briefentwurfs 1964 im Jahrbuch des Freien Deutschen Hochstifts veröffentlicht und als Begegnung mit einem, mit ihrem Gott gedeutet, als die sie ja von Bettine stilisiert worden ist. »Er sah mich lange an und waren beide still. – Er fragt: ›Hat dir noch nie jemand den Busen berührt?‹ – ›Nein‹, sagt ich, ›mir selbst ist es so fremd, daß du mich anrührst.‹ – Da drückte er viele viele und heftige Küsse mir auf den Hals; mir war bang, er solle mich loslassen, und er war doch so gewaltig schön, ich mußte lächeln in der Angst und war doch ganz freudig, daß mirs galt, diese zuckenden Lippen und dies heimliche Atemsuchen ... ›Du bist wie ein Gewitter, deine Haare regnen, deine Lippen wetterleuchten und deine Augen donnern.‹ Da fand ich auch meine Stimme: ›Und du bist wie Zeus, du winkest mit den Brauen und der Olympus erzittert.‹« Der Brief, den Bettine zwei Monate nach der Begegnung aus Berlin an Goethe gerichtet hat, macht die Szene glaubwürdig:

»... seitdem wir in Töplitz zusammen gesessen haben, kann ich keine Komplimente mehr mit Dir machen, buchstabier Dich durch, wie damals durch mein Geschwätz ... Die da von Dresden kamen, erzählten mir viel von Deinen Wegen und Stegen, grad als wollten sie sagen: Dein Hausgott war auf anderer Leute Herd zu Gast ...«

Kann ich keine Komplimente mehr machen. Das heißt, die Wand, die die Höflichkeit errichtet hat, ist nicht mehr da. Mit der Vokabel ›Hausgott‹ wird nun eine neue Distanz gesucht, um die sexuelle Aufregung zu bagatellisieren. Aber die intime Erfahrung bleibt: Buchstabier Dich durch!

Und war das Erlebnis nicht vorbereitet? War Bettine nicht längst schon übererregt? »Aber was weiß ich von mir und von der Liebe?« hatte sie eben noch Arnim gefragt und Max Prokop von Freyberg gestanden: »Du bist ... herrlicher als alles, was mein Gedanke erreichen kann. Gott hat Dich angehaucht und Du stehst in der Unschuld Würde.« Goethes sexuelle Berührung, sein »›Weib! Weib! wenn du wüßtest, wie süß du bist‹ ... Wie hat der Eindruck dieser Stunde mich durchs Leben begleitet, daß ich allem abgewendet auf nichts mehr lauschte als auf den inneren Widerhall dieser Worte« –, ihrer beider Scherzen mit dem Gedanken, er wäre ein Gott und sie seine Geliebte – »ich war voller heiliger Scheu, es kam mir vor, wie wenn diese Scherzreden alle aus göttlichem Leben zwischen uns beiden wie Funken auffliegen und so in eine höhere Region tanzen« –, und die scheue Zurücknahme in dem Brief vom Oktober 1810 – »... kann ich keine Komplimente mehr mit Dir machen, buchstabier Dich durch« – verraten die Erschütterung. Bettine hatte die Rolle der Mignon, die Rolle des Geschöpfs mit der Haut, mit den Sinnen erlebt. Damit war das Spiel für sie zu Ende, mußte ins Schweigen zurückgenommen werden. Und sie fand sich nun auch in der Realität zurecht. Sie überlieferte Goethe in den folgenden Monaten die Erinnerungen der Frau Rat, um die er sie für die Arbeit an seinen Lebenserinnerungen gebeten hatte. Sie nahm ihn noch einmal als das Kind, als den Knaben wahr. Die Mutter in ihr hatte die Geliebte überwunden. Wissend begriff sie den Verzicht nicht als Opfer sondern als kostbares Geheimnis.

Entscheidung für Arnim

Die Abende mit Arnim, der den Weg von der Mauerstraße zum Monbijouplatz bei keinem Wetter scheute, der Umgang mit seinen Freunden und Bekannten, den Pistors, den Stägemanns und den Albertis und mit Zelter, das Wohlbehagen am Alltäglichen rückten Arnim und Bettine nun eng aneinander. »Am vierten Dezember war kalt und schauerlich Wetter, es wechselte ab im Schneien, Regnen und Eisen, da hielt ich Verlobung mit Arnim um ½ neun abends in einem Hof, wo hohe Bäume stunden, von denen der Wind den Regen auf uns herabschüttelte, es kam von ungefähr«, schreibt sie im Weihnachtsbrief an Goethe, empfiehlt ihm die warme Weste, die sie gemacht hat, schreibt Nachrichten aus Berlin und endet: »Du Einziger, der mir den Tod bitter macht! ... Adieu einzig Erbteil meiner Mutter.« Aber Arnim hat ihr Versprechen zum Pfand: »Sei von mir geliebt, sei mein, sei getrost. Bettine.«

Sie bereiteten übermütig eine heimliche Hochzeit vor, nachdem sie am Weihnachtsabend bei Savignys und in Zelters Anwesenheit die Ringe getauscht hatten. »Komm alle Abende so gern zu mir wie diese Winterabende.« Bettine wurde in der katholischen Hedwigskirche, Arnim in der alten Waisenhauskirche aufgeboten. Die Hochzeit am 11. März 1811 (Bettine hatte am Zahlenspiel Freude) in der Wohnung des alten Pfarrers, der Arnim noch als Knaben gekannt hat, mit seiner Frau als einziger Zeugin, die Bettine ihren altmodischen, aus Seide imitierten Myrtenkranz borgte, die grüne alte Seide auf Bettines schwarzem Haar, die heimliche Rückkehr Arnims nach dem abendlichen Abschied von Savignys zu Bettine, die Nacht in ihrem einfachen, blumengeschmückten Zimmer, der Zweifel der Savignys, als sie ein paar Tage später ihre Hochzeit bekanntgeben, die Einrichtung des Gartenhäuschens hinter dem Vossischen Palais am Wilhelmplatz sind oft genug beschrieben worden. Bettine hat auch den Grundriß des Häuschens gezeichnet und auf Arnims Vorschlagsliste für das bescheidene Mobiliar noch den Wunsch nach einem Spiegel und einem Küchenschwamm hinzugefügt. »Ich wohne hier im Paradies. Die Nachtigallen schmettern in den Kastanienbäumen ... Ich weiß nicht warum ich so glücklich bin«, schrieb sie am 11. Mai, zwei Monate nach ihrer Hochzeit, an Goethe und erinnerte an ihre Begegnung wie an einen lange vergangenen, still gewordenen Schmerz. »Von morgens früh an gehe ich der Musik nach und Arnim treibt seine Geschäfte, gegen Abend bearbeiten wir ein kleines Gärtchen hinter unserm Häuslein, das mitten in einem großen Garten steht; und nun! Philemon und Baucis konnten nicht ruhiger leben.«

Ich wohne hier im Paradies. Leicht hingeschrieben, und auch so gemeint: das noch so neue Wundern, in einer täglichen Gemeinschaft zu leben. Nichts von der Schärfe ihres Ausspruchs an Freyberg: »Mit Arnim bringe ich vielleicht die größte Zeit meines Lebens zu, wenn ich muß –«, nichts von der späten, von Varnhagen protokollierten Distanz: »– daß sie ihren Mann nicht eigentlich geliebt, sondern nur aus Ehrfurcht geheiratet habe, und er habe ihr die Ehre angetan, sie zur Mutter seiner Kinder zu machen.«

Beide waren jung, gesund, begabt, übermütig. »Wem ein Hase vors Bette kommt, dem bedeutets Glück, so ist mir heute geschehen und ich sende ihn Dir, meinem Glücke«, steht auf einem Zettelchen von Arnims Hand, vielleicht vom Hochzeitsmorgen, und auf einem anderen von Bettines Hand: »... vielleicht kann ich Dir viel Glück wünschen und wenig geben, aber was ich habe, ist Dein.«

Wochen, Monate, in denen sie in sich selbst ruhte, Briefe an die Familie, Besuche bei Savignys, Musikstudien. Arnim hatte eifrig an Kleists ›Berliner Abendblättern‹ mitgearbeitet, die am 30. März 1811 zum letzten Mal erschienen waren. Beide waren befreundet, beide trafen sie sich zur christlich-deutschen Tischgesellschaft, die Adam Müller und Achim von Arnim gegründet hatten, »eine deutsche Freßgesellschaft mit großen Zwecken«, in der jeder »lederne Philister« wie Frauen, Franzosen und Juden ausgeschlossen sein sollte. Gegner der Hardenbergschen liberalen Politik, gaben sie sich der Idee eines deutschen Nationalstaates hin, der seine Kraft aus der Rückbesinnung auf die hohe Kultur des Mittelalters hernehmen sollte. Clausewitz, Savigny, Stägemann, Zelter, Fichte gehörten zur Runde. Die Reform Preußens, die Sammlung der militärischen Kräfte, um der beweglichen Kampfführung Napoleons überlegen zu werden, die Entfaltung des einzelnen in einer künftig geeinten Nation, die Veränderung der ständischen Rechte nach der Abschaffung der Leibeigenschaft wurden durchgesprochen. Die Pflicht, bei den Sitzungen jeweils ein kriegerisches oder politisches Ereignis in epischer oder balladesker Form vorzustellen und hernach in ironischer oder komischer Brechung wiederzugeben, spricht für das intellektuelle Niveau der Gesellschaft. Dessenungeachtet wurden mit Vorliebe Judenanekdoten getauscht. Görres' Buch ›Über das Historische und Mythische in der christlichen

Religion‹ wurde von Arnim gelobt. Görres vernichte darin die Juden, schrieb er ihm. Die Erstarrung der Heidelberger Romantik im retrospektiven Idealismus zeichnete sich unter dem politischen und wirtschaftlichen Druck in diesen Jahren zwischen Niederlage und Aufbruch ab, der auch die Reformideen prägte. Der Ort der Frau sollte das Haus, die Familie sein. Wie lange würde Bettine diese Rolle der ›frouwe‹ durchhalten? War ihr die männerbündische Tischgesellschaft überhaupt gemäß? Mußte sie ihre Fähigkeit zur Sympathie nicht immer wieder erproben, sich am Gegenüber neu entfalten? Oder war sie nun, wie sie noch aus Anlaß von Melines Heirat gespottet hatte, die Frau eines braven Mannes, die ihre Einsichten und Erfahrungen und auch ihren Charme in den Dienst seiner Ambitionen stellte?

Es fällt schwer, sich Bettine in diesem idyllischen Sommer mit sich selbst zufrieden vorzustellen. Und Arnim schrieb denn auch schon bald: »Es ist nun einmal meine Art, der ich nicht mehr mich entwöhnen kann, mich leichter in traurigen als in fröhlichen Erwartungen zu verlieren.« Hielt Bettine den »lustigen bunten Vorhang« vors Gesicht oder zog er sich »nach und nach vor einem ernsten oft tief betrübten Gesicht in die Höhe« und waren ihre »Augen zuweilen gar nicht anzusehen, viel weniger nachzumalen«, wie Ludwig Grimm einmal gesagt hatte, unzufrieden mit seinen Versuchen, ihr Gesicht zu skizzieren? Wer kannte dieses Gesicht vor dem Spiegel in der kärglich ausgestatteten Wohnung? Kannte sie es selbst?

*Was könnte ich Dir nicht alles sagen, wenn ich nicht
eine Art Scheu hätte, Zärtlichkeiten auf's Papier zu
setzen.*

Mutterschaft, Krieg, Not

Über die Ehe Achim von Arnims und Bettine Brentanos ist
viel Nachrede laut geworden. Die häufigen langen Trennungen
der beiden gaben dem Berliner Gesellschaftsklatsch Nahrung,
und Bettines Lebensweise und ihre politische Haltung in den
Jahren des Alterns hielt diesen Klatsch weit über ihr eigenes
Leben hinaus wach. Erst die Veröffentlichung des Ehebrief-
wechsels durch Werner Vordtriede mit R. A. Schröders subti-
ler Einführung (1961) ermöglicht ein gerechtes Urteil und ent-
larvt den Klatsch als das, was er ist.

Die zwanzig gemeinsamen Jahre, die diesen beiden Hochbegabten geschenkt waren, sind überschattet gewesen von der
Not des Krieges und der Wirtschaftsmisere der zwanziger
Jahre, als England nach der Isolierung durch die Kontinentalsperre den schwerfälligen, dank Zollschranken unbeweglichen
deutschen Markt mit seinen Produkten bedrängte. Arnims
Kräfte verschlissen sich im Kampf um die Rentabilität seiner

Güter. Doch die Abgeschiedenheit des Landlebens war ihm auch Zuflucht, half ihm, gegen die nachlassende schöpferische Intensität seine literarischen Arbeiten weiterzutreiben. Bettine hat das bangend miterlebt und ihre eigenen Erwartungen und Fähigkeiten zurückgestellt, nicht immer klaglos selbstverständlich. Sie war ja durch die Geburten und die nicht abreißenden Haushaltssorgen erschöpft und weit von sich abgekommen und mochte manchmal daran zurückdenken, daß sie als junges Mädchen gehofft hatte »sich vor dem Mottenfraß der Häuslichkeit zu bewahren«, weil man in »einer glücklichen Häuslichkeit Sonntags immer die Dachziegel vom Nachbarn zählt«, und sie so selbstgewiß behauptet hatte: »Ich weiß, was ich bedarf! – Ich bedarf, daß ich meine Freiheit behalte. Zu was? – Dazu, daß ich das ausrichte und vollende, was eine innere Stimme mir aufgibt zu tun.« Und nun glaubte sie sich schon bald »über die Hälfte meines Lebens, und sehe wohl ein, daß ich geboren bin zum Dulden, aber nicht zum eigenen freien Bewegen, so sehr ich mich auch in meinen früheren Jahren danach gesehnt habe«.

Schwangerschaften, Geburten, Kinderkrankheiten, Umzüge, Geldsorgen – keine Mühsal des Frauenlebens blieb ihr erspart. Wenn sie als Alternde an Kertbeny, der sie mit Bitten um Geld über Gebühr beansprucht hatte, schreibt: »Als Arnim um meine Hand anhielt, sagte er mir: ›Ich habe nichts rundes als die Knöpfe an meinem Rock‹ – Dennoch hat er nie von meinem Gelde etwas berührt, aber (als) alle großen Kontributionen von 13 und 14 zu zahlen waren und als Schulden auf den Gütern standen, die 25 Prozent zahlten, da zwang ich den Arnim, daß er sie mit meinem Gelde abzahle« –, oder wenn sie sich erinnert, wie sie Arnim während des Krieges nötigen mußte, die Papiere, die er Freimund zur Taufe überschrieben hatte, einzulösen, um seinen Anteil zur Ausstattung der preußischen Truppen zu leisten, wird die herbe Güte ihres Charakters deutlich, die in der Jugend, solange sie keine Not kannte, kaum so ausgeprägt war, und die ihr die schweren Jahre durchstehen half.

Vorerst aber waren noch Flitterwochen, stimmten die Anzeichen der ersten Schwangerschaft und die Vorbereitungen zur

Reise über Giebichenstein, Weimar nach Frankfurt und an den Rhein die jungen Eheleute freudig, und genossen sie noch einmal die schöne Unabhängigkeit der Jugend. Das Land war ruhig. In Berlin hatte die neue Universität eine anregende Gesellschaft zusammengebracht, zu der sie gehörten, die familiäre Bindung zu Savignys war ungetrübt, bei Pistors gab es Rat in Frauen- und Haushaltsfragen. Gegen Ende August brachen sie zur Reise auf, wurden auf dem Giebichenstein bei Halle von Reichardt herzlich begrüßt, in Weimar hatte ihnen Riemer eine Wohnung am Park neben Goethes Garten besorgt. Sie waren am 28. August mit Hofrat Meyer und seiner Frau die einzigen Geburtstagsgäste bei dem Geheimen Rat, sie wurden bei Hof empfangen und sie amüsierten sich beim Vogelschießen. Arnim schrieb voller junger Vatervorfreude an Savigny, der in diesen Tagen auch wieder Vater geworden war. Bettines Schwangerschaftsbeschwerden nötigten sie, den Aufenthalt in Weimar über die beabsichtigte Frist hin auszudehnen. Bettine war, im Glauben an ein Vorrecht, jeden Tag bei Goethe, der zur Michaelismesse die ersten beiden Bände seiner biographischen Aufzeichnungen veröffentlichen wollte, zu denen sie ja durch ihre Berichte von der Frau Rat beigetragen hatte; sie spürte nicht die Störung, die ihre Besuche im Haus auslösten. Goethe war verbindlich genug, sie darüber zu täuschen. Aber Christiane konnte die Verachtung der so viel Jüngeren nicht verhehlen. Überempfindlich nach all den Sticheleien, mit denen die Weimarer Gesellschaft sie nicht verschont hatte, war sie nicht in der Lage, sich für so lange Zeit zu beherrschen, und griff die durch Geburt und Heirat privilegierte junge Frau, die sich in ihren Augen als Nebenbuhlerin aufdrängte, in einem Augenblick der Verzweiflung an, riß ihr die Brille herunter, schimpfte und verbot ihr das Haus. Ein nichtiger Anlaß – Meinungsverschiedenheiten in einer Kunstausstellung, die Goethes Freund Meyer veranstaltet hatte –, aber vor den Augen der Weimarer Gesellschaft, die natürlich sofort für Bettine Partei nahm. Ein Frauenstreit, der eine Woge von Gehässigkeiten hinter sich herzog. Was war da alles an Nachrede über Goethe und

Christiane zu hören! Die Würde des Dichterfürsten wurde zur Farce, wenn man nur die Weimarer Damen beim Wort nahm. Aber er stellte sich schützend vor Christiane, gab sich bei einer Begegnung bei Hofe Arnim gegenüber so als wäre nichts geschehen, mied aber, ihn zu sprechen. »Bettine mag nicht mehr gern von Goethe hören«, schrieb Arnim. Und doch warb sie in zwei flehentlichen Briefen noch einmal um seine Gunst. »Ach! Ach! laß mich seufzen und weinen in Deine Brust. Leg den Balsam leise auf; o! daß die Schmerzwunde nun endlich zum Wohlleben wird.« Goethe antwortete nicht. Es war etwas zu Ende. Eine Illusion – und doch mehr. Bettine hatte sich vor dem großen Menschen, als den sie den Dichter Goethe erkannte, und dem sie die Züge des Vaters und des Geliebten und des Gottes hinzugefügt hatte, preisgegeben, hatte ihn teilhaben lassen an ihren geheimsten Gedanken, an ihrem leidenschaftlichen Ergreifen der Welt und sah sich nun bloßgestellt, verarmt um das, was sie hatte schenken wollen. Arnim verkleinerte den Schock, wenn er seine Achtung vor dem Schriftsteller Goethe von der privaten Erfahrung trennte. Vielleicht konnte er den Verlust, den Bettine erlitten hatte, als Mann auch nicht begreifen. Ihr zweiter Versuch, auf der Rückreise von Frankfurt im Januar 1812 die Versöhnung zu suchen, ihr Brief an die Schwiegertochter Ottilie von Goethe, in dem sie alle Schuld auf sich nahm, und auch ihre Bitte an Riemer, ihr die Dürerkopie, die sie Goethe noch aus München zum Geschenk gemacht hatte, für einige Zeit zu überlassen, sind in Demut und Stolz so weibliche Reaktionen, daß sie Pücklers späteren Vorwurf ihrer »bloßen Gehirnsinnlichkeit« entkräften. Bettines Leben war um eine Dimension ärmer geworden. Die Pan-Erotik der Mädchen-Frau – »... ich weiß nicht, wieviel sie (die Menschen) vertragen an Liebe, ich kann die meinige nicht einteilen, damit sie genießbar wird, entweder alles oder kein Leben ...« oder: »Mein glühendster Wunsch war immer, den Leib nicht für die eigene Glückseligkeit aufzuopfern, sondern für das Wohl, die Herrlichkeit das Leben abzustreifen« – konzentriert sich nun auf die Ehe und Mutterschaft, wird in die Realität zurückgenommen.

In Frankfurt und in Winkel auf dem Landsitz des Bruders Franz hatten die Arnims die Freundlichkeit des Wohlstandes und die Mitfreude der Familie an ihrer Verbindung genossen. Bettine hatte das Haus am Hirschgraben, das sie zwei Tage vor dem Tod der Rätin Goethe zum letzten Mal betreten hatte, besucht. Auf der Rückreise holten sie den schon im Herbst geplanten Aufenthalt bei den Brüdern Grimm in Kassel nach, die inzwischen an die Herausgabe der Märchen denken konnten, die sie gesammelt hatten. Arnim übernahm es, ihnen in Berlin einen Verleger zu besorgen, und besprach sich mit Wilhelm über die Einführung zu den Märchen. »Die acht Tage, wo der Arnim dagewesen und die Bettina, waren wie ein heller Himmel in den Gedanken. Ich habe beide von ganzem Herzen lieb, wie ich es nicht sagen kann«, notierte Wilhelm nach der Abreise. Weihnachten 1812 konnte Arnim die erste Ausgabe der Grimmschen Märchen mit der Widmung »An die Frau Elisabeth von Arnim für den kleinen Johannes Freimund«, der im Mai geboren war, unter den Christbaum legen. Bettines Dankesbrief ist ein Zeugnis ihrer heiteren Gelöstheit als junge Mutter: »... seit ich so vollkommen zufrieden bin, oder besser: so wohlig, so behaglich, da mag ich keinem mehr was sagen über mich und über alles in der Welt, das mich so wenig mehr angeht ...«, und sie stellt dar, wie sie das Buch am Weihnachtsabend gefunden hatte. »Der Name Freimund zog mir ein heimliches Jauchzen aus der Brust«; sie kann sich nicht genug tun, den blauäugigen Freimund zu beschreiben, seine Fäustchen, sein Kratzen und Packen und daß er nach Fliegen greift und ›Hopa‹ sagen kann. Sie zeichnet auch den Mund des Kleinen für die Grimms auf und lobt seinen Eifer, sich im Stehen füttern zu lassen und zu tanzen, wenn Kaffee gemahlen wird. Sie schreibt dann auch von Savigny, daß er seinen Kindern die Märchen vorlese, und von Clemens, der in Prag die ›Libussa‹ beendet habe.

Atemholen. Die Möglichkeit, das Leben wie alle zu leben, geborgen in der Hoffnung auf Frieden, der nach dem Brand von Moskau und nach dem Zurückfluten der ›grande armée‹

nicht mehr unvorstellbar erschien. General Yorck hatte nach Napoleons Übergang über die Beresina für das preußische Hilfskorps am 30. Dezember den Neutralitätsvertrag von Tauroggen geschlossen. Von Hunger und Kälte geschwächt wichen die zerschlagenen Truppen des Eroberers nach Westen aus. Bettine fühlte jetzt ganz als Preußin. Schon in Teplitz im Sommer 1812 hatte sie mit Arnim über Goethes schmeichelnde Verse an die Franzosenkaiserin Marie Luise gespottet. Die Begegnung Goethes und Beethovens mit dem Hofstaat der Kaiserin ist aus Bettines späterer Darstellung geläufig. Goethe hatte als Höfling reagiert, Beethoven als Bürger, der sich ›kindisch‹ freute, Goethe durch sein trotziges Selbstbewußtsein geneckt zu haben. Goethes Bemerkung zu Christiane, daß er die Arnims, die ›Tollhäusler‹ los wäre, hätte Bettine in diesem für sie so ausgeglichenen Sommer kaum gekränkt, wenn sie sie gekannt hätte.

Die Preußin Bettine. Sie blieb in Berlin, nachdem Preußen und Rußland das Bündnis von Kalisch geschlossen und Friedrich Wilhelm III. den Aufruf ›An mein Volk‹ erlassen hatte. Die Franzosen räumten Berlin, ein preußisch-russisches Heer drang in Sachsen ein, Napoleon sammelte seine Truppen in der Lausitz. Die Bevölkerung Berlins sammelte sich zum Widerstand. Landwehr und Landsturm wurden aufgerufen. Savigny, zum verantwortlichen Ausschuß gehörig, ordnete als Rektor der Universität den Abmarsch der studentischen Jugend an. Er und Arnim traten dem Landsturm bei, Arnim als Hauptmann und Vicechef eines Bataillons, Savigny als Gemeiner. Viele Familien, vor allen Frauen mit Kindern, verließen die Stadt. Auch die ängstliche Gunda Savigny war mit den Kindern auf dem Weg nach Bukowan. Bettine blieb »als einzige Frau von unserer ganzen Bekanntschaft«, um Savigny und Arnim zu versorgen. Die Männer waren überaus angespannt, aber trotz der bedrohlichen Lage gelassen in ihrer eigenen dürftigen Ausrüstung mit Pistolen, Messern und Äxten. Berlin wurde eingeschanzt, Bülow deckte die Stadt mit schwachen Truppen, während General Ney bei Größgörschen und Bautzen die preußisch-russischen Verbände schlug und sie nach Schlesien abdrängte. Der Waffenstillstand hob die unmittelbare Gefahr für Berlin auf. Der Landsturm wurde aufgelöst, eine Maßnahme, die von den Mitgliedern des Gründungsausschusses scharf kritisiert wurde, weil sie die Niedergeschlagenheit nach so vergeblicher Anstrengung förderte. Savigny reiste zu seiner Familie, um sie zurückzuholen, was ihm wegen der wiederauflebenden Kämpfe nach dem Waffenstillstand nicht gelang. Österreich und Schweden hatten sich den Verbündeten angeschlossen. Blücher drängte die Franzosen in der Schlacht an der Katzbach aus Schlesien, Bülow fing die Vorstöße gegen Berlin bei Großbeeren und Dennewitz ab, die französische Hauptmacht wurde nach dem Sieg bei Dresden nahe Kulm und Nollendorf geschlagen. Am 3. Oktober erzwang Blücher den Elbübergang, und nun rückten auch Bernadotte von Norden und Schwarzenberg von Süden her gegen Leipzig vor. Die vereinten Heere errangen in der Völkerschlacht vom 16. bis zum 19. Oktober die Entscheidung. Napoleon entkam nach einem Sieg bei Hanau über den Rhein; die Rheinbundstaaten fielen von ihm ab.

Bettine hatte am 2. Oktober ihren zweiten Sohn Siegmund geboren. Die Namen der Söhne zeugen von ihrer Übereinstimmung mit Arnim: Freimund, Siegmund, Friedmund, Kühnemund – jeder Name verrät das Geburtsjahr, so wie es Arnim erlebte; und sie mit ihm. »Es ist doch das Wohltätigste in einem solchen Zeitmoment, sich ganz für das Notwendigste zu bestimmen und gegen das Schlechte mit Gewalt aufzutreten.« Seit ihrer Begegnung mit Stadion und ihrer Beobachtung des Tiroler Aufstandes Partei, hatte sie in Preußen die Auswirkungen des napoleonischen Großmachtanspruchs kennen und das Nationalbewußtsein, das die Notjahre ausgeprägt hatten, begreifen gelernt.

Als die Arnims im Frühjahr 1814 nach Wiepersdorf im Ländchen Bärwalde übersiedelten, das von der Großmutter Labes als Fideikommiß-Stiftung für die Nachkommen erworben worden war und Arnim nach der Geburt des ersten Sohnes mit

Vorrang in der Erbfolge zu bewirtschaften zustand, war Paris gefallen und Napoleon nach Elba verbannt worden. Ländliche Siegesfeiern mit »Clarinetten, Waldhörnern und Maienbehängen«, musikalischen Banden, Chorschülern, dreimaligem Salve, Tafelei und Tanz gaben den Auftakt zu dem Landleben, zu dem sich Bettine nur schwer hatte entschließen können. Ihrer beider launige Schilderung der Burleske läßt vergessen, wie enttäuscht Arnim war, daß er im Krieg keine Verwendung gefunden hatte. Mit um so größerer Intensität widmete er sich den heruntergewirtschafteten Gütern. Bauen, Pflanzen, Gräben durchstechen, die Wirtschaft planen, Vieh kaufen und verkaufen füllten die kommenden Jahre aus; dazwischen Reisen zu den uckermärkischen Besitzungen, Verhandlungen mit Pächtern und Gläubigern. Arnim schonte sich so wenig wie sich Bettine schonte, die mit Einkochen, Weben, Haushaltführen, Kinder- und Krankenpflege, mit Dienstbotenstreit und Handwerkern im Haus vollauf beschäftigt war. Im Herbst 1814 kam Clemens aus Prag zu ihnen. Arnims Bemerkung über die Pläne des Freundes klang ein wenig bitter: »Er will jetzt fünf Jahre studieren, alles mögliche, um nachher zu allem brauchbar zu sein.« Dennoch genossen sie das Zusammensein. Clemens' Geschichte von der Schachtel mit der Friedenspuppe bewahrt die Wiepersdorfer Atmosphäre jenes Herbstes. Im Dezember siedelten sie wieder nach Berlin über, wichen aber Clemens' Wunsch, bei ihnen zu wohnen, ebenso aus wie die Savignys. Der Familienrhythmus unterschied sich zu sehr von der Freizügigkeit, die Clemens in Anspruch nahm, und seine Schwermut machte ihn zuweilen auch unerträglich. Im Februar 1815 wurde Bettine von ihrem dritten Sohn Friedmund entbunden, eine Zangengeburt, die sie gut überstand. Sie stillte ihre Kinder selber und war stolz darauf, war überhaupt trotz ihrer Zartheit von zäher Gesundheit. Anders Arnim, der im Sommer 1815, als Napoleon noch einmal Europa schreckte und Paris noch einmal erobert werden mußte, heftig erkrankte. Todesahnungen bedrängten ihn. »Wenn ich bei so manchem Krankheitsanfall wenig auf ein längeres Leben rechnen darf, so umzieht mich die Verwicklung meiner Verhältnisse um so grauenvoller.« Die Angst, als Familienvater zu versagen, ohne Laufbahn, ohne durchdringendes Echo auf seine literarischen Arbeiten, sich in der banalen Alltäglichkeit zu verlieren, brach durch. »Ich hab Dir für tausend Liebe ein armes, sorgenvolles Dasein gegeben, und das kränkt und quält mich bitterer als alles andere, was über mich ergehen mag.« Bettine versuchte ihrer und der Kinder Ansprüche auf ein Minimum zu reduzieren, und doch waren Winterschuhe nötig, rußten die Öfen, machten ihr die Krankheiten der Kinder schlaflose Nächte und schmerzte es sie, als Savignys nach Frankfurt reisten, das so unerreichbar für sie geworden war. Was sich in der Welt ereignete, spielte kaum eine Rolle in den Briefen an die Savignys oder an Arnim, wenn er unterwegs war, aber Seife, Lichter, Fußsäcke, Äpfel und »kauf Dir doch um Gotteswillen einen Hosenträger«. Stoff genug gaben die Keifereien der Köchin, der Blutsturz der Annlise. Manchmal klang Trostlosigkeit an, meist zwang sie sich zu humoriger Schilderung. »Denk Dir nur, Savigny, was sich all für Talente in der Einsamkeit entwickeln: ich hab einen Abtrittsdeckel gemacht und bringt der Arnim einen mit aus der Stadt«, oder sie ließ Schwester und Schwager an ihrer Back- und Kochkunst teilnehmen: »... zweitens hab ich mit Arnim zusammen einen Teig gemacht, wo wir nach Gutdünken von allerlei guten Sachen zusammenkneteten: er eine Handvoll Zucker, ich eine Handvoll Mehl, er Schnaps, ich Milch, er Zimmet, ich Butter, er Eingemachtes, ich Eier; und dann haben wir ihn gewelgert und in den Backofen getragen, und hätten wir nicht so oft gekuckt, so wäre er noch besser geworden, aber er ist doch ganz vortrefflich geworden, und nun müssen wir bereuen, daß wir nicht wissen, wie er eigentlich gemacht ist, um Euch das Rezept zu schicken.« Sie halfen sich, so gut sie konnten, sie machten einander oft genug Munterkeit vor; die erotischen Anspielungen in den Briefen beider – »Du lieber, seidener Leib!« schreibt Bettine einmal, und Arnim scherzt übers Unter-die-Bettdecke-schlüpfen, während Bettine wie mit erhobenem Zeigefinger abwehrt, sie stille ja noch – verraten intime Übereinstimmung.

Nachdem sie den Winter 1815 auf 16 in Wiepersdorf geblieben waren, um die Kosten für die Stadtwohnung zu sparen, legte sich Arnim im Frühjahr auf den Tod hin. »Die Krisis der Krankheit war diese Nacht, die für mich fürchterlich war. Ich lag zu Arnims Füßen und hatte in der hülflosen Stille nichts als die grausamsten Fantasien anzuhören ... Ich war gefaßt, das Ärgste ohne Murren zu ertragen; das war nun unmittelbar Gnade von Gott; denn aus mir kam diese Kraft nicht ... Wie seltsam ist der Mensch durch sein Glück mit dem Schmerz verkettet, und wie ist er auch wiederum hierdurch in der ewigen Macht Gottes.« Daß Bettine durch diese Leiderfahrung hindurchging und wie sie es tat, in nichts mehr das mit Gefühlen kokettierende Mädchen, bereit, sich fallen aber nicht zerstören zu lassen, bereit auch, ganz hinter dem anderen zurückzutreten, macht ihre Liebe über allen Zweifel erhaben und erweitert dermaßen ihre Fähigkeit mitzuleiden, daß sie später überempfindlich und selbstlos auf fremdes Leid zu reagieren vermag. »... kein anderer weiß, wie tief herrlich harmonisch sein (Arnims) Inneres gebildet ist ... was andre für unschicklich und schwach in seinen Arbeiten erklärten, hab ich immer für Keime und Wurzeln noch unentwickelter herrlicher Ideengänge erkannt.« Die Befangenheit in Not, die eine Begabung gefährden, ja zerbrechen kann, so nahe mitzuerleben, läßt ihre Jugendhoffnung auf die vollkommene Ausbildung des Ich als lohnendem Lebensziel verblassen. »Ich bedarf, daß ich meine Freiheit behalte!« Wann hat sie das gesagt? gedacht? Sie mochte sich kaum mit einem Lächeln daran erinnern, als sie während der zögernden Genesung Arnims den Schwager Guaita in Frankfurt bat, Arnim einmal einzuladen, und Savigny ans Herz legte, ihn für ein paar Tage in Berlin aufzumuntern, und zugleich auch die Grimms nach Wiepersdorf einlud, um Arnim die Enge seiner Umstände vergessen zu lassen. Jacob erhielt keinen Urlaub, aber Wilhelm kam. Ihm verdanken wir die Schilderung des Wiepersdorfer Hauses, das, fürstlich eingerichtet, sehr heruntergekommen war; er beschrieb voller Liebe die Kinder und ihre Eigenheiten; »... Bettine führt die Haushaltung selbst, sie hat alles Schwere, z. B. gutes Kochen leicht erlernt, hat aber keine Lust an diesem Wesen, daher wird ihr alles sauer und ist doch in Unordnung. Dabei wird sie betrogen und bestohlen von allen Seiten. Beiden wär zu wünschen, daß sie aus dieser Lebensart herauskämen; obgleich Arnim an seinen Pflanzungen im Garten Freude hat, so würde ihm die eigentliche Landwirtschaft doch schwer fallen, wenn er sie übernehmen sollte.« Arnim erholte sich während der Vorsommerwochen und begleitete Wilhelm noch bis Meißen. Im Herbst nahm ihn Savigny mit in den Harz. Der Umgang mit den Freunden und das Unterwegssein hatten ihn gelockert. Er nahm die Arbeit an den ›Kronenwächtern‹, die er abgebrochen hatte, wieder auf.

Im Winter siedelte die Familie nach Berlin über. Bettine hatte den Versuch, das Leben zwischen Stadt und Land aufzuteilen, vorangetrieben in der Hoffnung, Arnim aus der Vereinsamung zu reißen. Die Ausbildung der Kinder, die ja nun bald ins Schulalter traten, gab den Vorwand, dem sich Arnim nicht widersetzen konnte. Zwar handelte Bettine auch aus dem Instinkt zur Selbsterhaltung, sie spürte ja, wie rückläufig ihre geistige Entwicklung und wie weltfremd sie durch den täglichen Kleinkram geworden war, doch blieb ihre Sorge um Arnim und die Kinder bestimmend für sie. In Berlin wurde im März 1817 der vierte Sohn, Kühnemund, geboren, das ›Männeken‹, wie ihn Arnim zärtlich nannte. Bettine blieb auch während des Sommers, als die Wirtschaft Arnim wieder nach Wiepersdorf zog. Seine Briefe bestätigen, daß er gern dort war. Die Ehe pendelte sich nach den ersten hitzigen Jahren ein, die Trennungen wurden nicht mehr so ekstatisch erlitten, die Sehnsucht nacheinander leichtfertiger formuliert, das Erlebnis der körperlichen Vereinigung täuschte sie nicht mehr über ihren unterschiedlichen Lebensanspruch und Charakter hinweg. Bettine drängte Arnim, seiner Gesundheit wegen nach Karlsbad zu reisen, nachdem er den ersten Band der ›Kronenwächter‹ veröffentlicht und auch mit seinen Einrichtungen in Wiepersdorf einiges Glück hatte. Daß sie dennoch die Freizügigkeit, die sie Arnim tolerierte, mit Resignation bezahlte, war bei dem Reichtum ihrer Anlagen natürlich. In diesem Sommer schrieb sie die Zeilen des Verzichts: ».... daß ich geboren bin zum Dulden, aber nicht zum eigenen freien Bewegen...« Ein gewöhnliches Frauenschicksal schien sie zu erwarten.

Doch nein, wie oft schon, wenn sie niedergedrückt war, sammelte sie sich, riß sie sich ruckartig hoch. Der Gedanke, Arnim könnte Goethe in Karlsbad begegnen, machte ihre Erinnerung wieder mächtig. »Nicht geahndet hab ich es, daß ich je wieder so viel Herz fassen würde, an Dich zu schreiben, bist Du es denn?« Sie schrieb Goethe von einem Traum, den ihr die Wünsche gespiegelt hatten, zögerte dann aber, den Brief abzuschicken, als ahnte sie, daß ihr Traum sie getrogen hatte; daß Goethe sie nicht erwartete, wenn er auch nun nach Christianes Tod allein und vielleicht frei war. Erst nachdem Arnim auf der Rückreise aus Dresden über den Park von Schönhof geschrieben hatte, der ihn an die Parkanlagen in den ›Wahlverwandtschaften‹ erinnerte, und über den Roman ausführlich geworden war, fühlte sie sich ermutigt, ihren Brief nach Weimar fortzusetzen. Die Beschreibung vom Brand des Komödienhauses gab den Stoff, und wie eh geschickt, Bilder miteinander zu verbinden, fragte sie: »Willst Du mir nun über all diesen Schutt die Hand wieder reichen, willst Du bis ans End mich warm und liebend wissen, so sag ein Wort, aber bald, denn ich hab Durst«, und sie gestand: »So ist Dein Bett in meinem Herzen bereitet, verschmähe es nicht.«

Berliner Gesellschaft

Goethe hat auch auf diesen Brief nicht geantwortet, und Bettines Betroffenheit darüber ist aus ihren lebendigen Berliner Gesellschaftsberichten nicht abzulesen. Dennoch signalisiert er die Wende ihrer Entwicklung. Arnims Krankheit war die Untiefe gewesen, aus der heraus sie sich beide wieder selbst fin-

den mußten, Arnim im Schreiben und Bettine, die »das Schreiben verlernt« hatte, so daß ihre »Gedanken sich auf ungeebne-
tem Weg« durcharbeiteten, im Bewußtsein, vor einer offenen
Wand zu leben, teilzunehmen und wahrgenommen zu werden.

Sie war lebhaft an Schinkels Plänen zur künstlerischen Ausgestaltung Berlins interessiert; sie begrüßte Niebuhrs Projekt,
junge Maler und Bildhauer durch Aufträge zur Ausgestaltung
öffentlicher Gebäude zu fördern; sie dachte an die Wiederaufnahme ihrer Musikstudien, und sie freute sich über das Echo,
das die ›Kronenwächter‹ fanden, über die sie selbst eine sehr
schöne kritische Beurteilung geschrieben hatte, die zur Grund-
lage von Wilhelm Grimms Besprechung wurde. Sie war begierig zu hören, daß er geachtet wurde, wenn sie auch anders als
er, dessen Zurückhaltung von den Zeitgenossen hervorgehoben
wurde, immer ein wenig zu lebhaft, zu unkonventionell, zu
beteiligt war. »Auch ich, ehe ich Ihre Bekanntschaft zu machen
die Ehre hatte, teilte die Vorurteile, die gegen Sie in der Gesellschaft umhergehen«, schrieb Gneisenau 1820, »Ihr tiefer
philosophischer Blick, Ihr fertiger und leichtfertiger Witz fes-
selten endlich meine Aufmerksamkeit. Die edle Art, wie Sie von
Ihrem Manne mündlich und schriftlich redeten, gewann Ihnen
endlich mein Vertrauen und ich legte jedes Vorurteil gegen Sie
ab und hatte meine Freude an Ihnen, wie ein Vater an seiner
geistreichen Tochter, wenn ich auch nicht immer Ihre Vernach-
lässigung der konventionellen Formen zu verteidigen vermochte . . .«

Bettines spitze Zunge war bekannt, ihre Unfähigkeit, mit
Frauen umzugehen, gab dem Klatsch Nahrung, zumal Arnim immer wieder für lange Monate abwesend war, sogar im Sommer 1818, als sie ihr fünftes Kind erwartete. Die
Nachrichten über die ersten Anzeichen der Schwangerschaft
waren jetzt nicht mehr voller Jubel, sondern sachliche, fast ein
wenig verärgerte Berichte über ein Schicksal, das sie hinnehmen
mußte. Dennoch war sie nach der Geburt Maximilianes wieder
vom Wunder des neuen Geschöpfes hingerissen.

Politik spielte sich noch am Rande ihrer Interessen ab. Wenn

Arnim etwa auf das Treffen Hardenbergs mit Metternich in Karlsbad zu sprechen kam oder abfällige Äußerungen über die Juden machte und sich über das Lustspiel ›Unser Verkehr‹ von Sessa amüsierte, schwieg Bettine, so als wüßte sie, daß dieser Gesprächsbereich in ihrer Ehe ausgespart bleiben müßte. Doch finden sich auch sonst keine Stellungnahmen zur Tagespolitik. Daß die Gesellschaftsschicht, in der sie sich bewegte, sie nicht taub machte für die Versteifung der reaktionären Politik der Metternich-Ära, läßt sich erst nach der Ermordung Kotzebues aus ihren Briefen ablesen. Sie war eindeutig auf Seiten derer, die den Rückfall in den vorrevolutionären Feudalismus verhindern wollten. Schon die Darstellung des Besuches von Riedel, einem Kampfgefährten von Andreas Hofer, im Sommer 1817 zeigte sie inmitten ihrer Kinder in der alten Begeisterung für die Sache der Freiheit.

Die emotionale Reaktion auf die Anspannung in den Freiheitskriegen erlebte Bettine in nächster Nähe. Clemens war seit 1817 wieder zum praktizierenden Katholiken geworden und siedelte im Frühjahr 1819 endgültig von Berlin nach Dülmen in Westfalen über, wo er die Visionen der stigmatisierten Anna Katharina Emmerich aufzeichnen wollte. Bruder Christian hatte ihn auf die Nonne aufmerksam gemacht. Der dachte damals daran, Missionar zu werden, nachdem er nach dem Verkauf von Bukowan keine rechte Bleibe und kein rechtes Lebensziel finden konnte, das seiner genialischen Vielseitigkeit entsprochen hätte. Auch Savignys hatten sich wieder der Kirche zugewandt. »Frühe umhergeworfen, elternlos und unter leeren Menschen lebend, war ich aus der Übung kirchlicher Gemeinschaft gekommen und die Sehnsucht, die davon in mir blieb und die ich selbst nicht zu deuten wußte, konnte durch nichts anderes je ganz ausgefüllt werden«, schrieb Savigny an den Landshuter Freund und Vertrauten Sailer, nachdem er, der reformierten Kirche angehörig, wieder zum Abendmahl gegangen war, denn die Sorge um die Seinen und die Not des Krieges habe ihn das Gebet gelehrt, das ihn ruhig gemacht habe. »In ähnlicher Weise war auch meine Frau von der Gemeinschaft ihrer Kirche eine Zeit hindurch entfernt geblieben und dann wieder dahin zurückgekehrt.«

Bettine sparte nicht mit liebenswürdigem Spott, ohne jedoch ihr Verhältnis zu den Savignys oder zu Clemens als gestört zu empfinden.

Die Verworrenheit der politischen Zielsetzungen in der Metternich-Ära macht Görres' 1818 erschienene ›Adresse der Stadt Koblenz‹ deutlich, die er Hardenberg übergab, und die in ihren restaurativen Forderungen erschreckt. Sie wurde jedoch von Varnhagen, der ein Jahr später nach Sands Attentat seiner liberalen Gesinnung wegen den Posten des Preußischen Geschäftsträgers in Karlsruhe aufgeben mußte, als ›preußischer Tuileriensturm‹ gefeiert und bewundert, während Wilhelm Dorow, der Hardenberg aber auch Arnim nahestand, sie scharf kritisierte. Dorow zitiert Hardenbergs Absage: »Herr Professor, Ihre Forderungen sind nicht zu erfüllen, wir können jetzt dem Adel nicht mehr diese Rechte, die Sie verlangen, einräumen, die Zeiten sind vorbei«, und er fügte hinzu: »Das mußte der uralt geborene Edelmann einem Professor Görres antworten, der in seiner ganzen Erscheinung einem wahren Sansculotten ähnlich sah.« 1819 nötigte Görres sein vielzitiertes Buch ›Teutschland und die Revolution‹ zur Flucht nach Straßburg.

Preußens führende Köpfe hatten seit dem Frieden von Tilsit an Reformen gearbeitet, die durch die Zähigkeit des Freiherrn vom Stein nicht allein auf die ostelbischen Verhältnisse abgestimmt waren. Hardenberg hatte als Kanzler unter dem Druck der französischen Besatzung die Reformideen dem Modell der französischen Republik angenähert und so für Preußen gesetzgeberische Maßnahmen nachgeholt, die in den Rheinbundstaaten schon verwirklicht waren. Der Gebietszuwachs, der Preußen nach dem Wiener Kongreß zum zweitgrößten Staat des alten Reichsgebietes machte, stellte es vor Aufgaben, die seine zentralistisch orientierte Beamtenschaft kaum zu bewältigen fähig war. Die Selbstverwaltung der Städte hatte westlich der Elbe eine Tradition, die sich in krassem Widerspruch zu der innerpolitischen Modernisierung befand, die in Preußen seit Friedrich Wilhelms I. Regierungsantritt stattgefunden hatte: die Industrialisierung Preußens entsprechend den Möglichkeiten des 18. Jahrhunderts. Industrieansiedlung, planmäßige Landerschließung, Subventionierung unterentwickelter Produktionszweige, Einwanderungspolitik nach gesamtwirtschaftlichen Gesichtspunkten hatte es in anderen deutschen Staaten nicht in dem Ausmaß gegeben. Die religiöse Toleranz, die ganz selbstverständlich aus der Entwicklung gefolgt war, hatte ein anderes Verhältnis zum Staat entstehen lassen als in den feudalistisch strukturierten Kleinstaaten und den ständisch strukturierten freien und Reichsstädten. So hatten sich nach 1789 die politischen Vorstellungen recht verwirrt. Entscheidende Reformen wie die Emanzipation der Juden und die Aufhebung der Leibeigenschaft ausgenommen, hatte die Konzeption der Republik sich nicht vom mittelalterlichen Vorbild abzulösen vermocht. Die Heidelberger Romantiker, allen voran ihr politischer Sprecher Görres, traten für diese vornehmlich westelbische Konzeption ein, die sich nicht mit der der preußischen Reformer decken konnte, weil ihre Voraussetzungen sich nicht deckten. Und da seit der Mumifizierung des Heiligen Römischen Reiches Deutscher Nation im Westfälischen Frieden, also fast sechs Generationen vor seiner Tot-Erklärung, in Deutschland nicht mehr über den nationalen Staat nachgedacht worden war, staute sich die Verwirrung, machte sich vorerst in Eruptionen Luft und formte sich in den dreißiger und vierziger Jahren zu revolutionären Bewegungen. Die Niedergeschlagenheit, Vereinzelung und Unentschiedenheit nach dem gemeinsamen Erlebnis der Befreiungskriege wurde durch die Armut in Preußen und die sich mit der Aufhebung der Kontinentalsperren in vielen deutschen Staaten abzeichnende Wirtschaftskrise deutlicher, als es im Weichbild von Berlin zu erkennen war. Mit seinen Palais und Gärten und den königlichen Neubauten erinnerte die Stadt für wenige Jahre noch an die Residenzstadt des 18. Jahrhunderts, ehe die Gasbeleuchtung und das erste Dampfschiff auf der Spree, vor allem aber die Armenviertel vor dem Hamburger und Oranienburger Tor das heraufkommende

Industriezeitalter vorerst im Handwerkerelend ankündigten, während Bodenpreise und Mieten bereits hochschnellten. Die Enttäuschung nach den Karlsbader Beschlüssen betraf noch vornehmlich die aristokratische und nobilierte Gesellschaft der Königsstadt, die führenden Köpfe, die eine Gesellschaftsreform von oben hatten durchführen wollen. Arnims lakonischer Hinweis auf die Totenfeier für Kotzebue, Stägemanns zögerndes: »Das Publikum sagt, die Sache sei vom König ausgegangen«, dann aber die Hausdurchsuchungen bei Schleiermacher und dem Buchhändler Georg Reimer, deren Haltung in den Befreiungskriegen jedermann bekannt war, die Bewachung beider und die jahrelange Bespitzelung der Schleiermacherschen Predigten in der Dreifaltigkeitskirche, die Verhaftung des Turnvaters Jahn und das Verbot des Turnens, die Aufkündigung der Professur des Theologen de Wette, der der Mutter des Attentäters Sand einen Trostbrief geschrieben hatte, die Einsetzung eines außerordentlichen Regierungsbevollmächtigten für die Berliner Universität, zeigten die Kirchhofsstille der kommenden zwanziger Jahre an. Der Brief des Intendanten Brühl, der Fouqué mit einem Prolog für Kotzebues Totenfeier beauftragte, verriet aber auch die Unsicherheit Friedrich Wilhelms III.: »Der König findet es passend, für Kotzebue eine theatralische Totenfeier zu geben. Da es für andere Theaterdichter geschehen, warum sollte es für ihn nicht auch geschehen!«

Zu deutlich ist die Unzufriedenheit aller, die sich für Befreiung und nationalen Aufschwung eingesetzt und die versprochene Verfassung erwartet hatten. Die Verbrennung von Kotzebues ›Geschichte des Deutschen Reiches‹ beim Wartburgfest 1817 war nicht mißzuverstehen gewesen. In Deutschland wuchs eine Generation heran, die sich dagegen auflehnte, nichts als Untertanen zu sein. Friedrich Wilhelm III., der sich nur einmal in Breslau 1813 von Begeisterung hatte hinreißen lassen, war der Überlegenheit Metternichs ängstlich unterlegen. Die Entlassung Wilhelm von Humboldts, Grolmans, Boyens, Beymes, der traurige Ruhm der Hausvogtei und des Köpenicker Schlos-

ses, in denen die liberalen Bürger ihrer Gesinnung wegen einge-
kerkert wurden, überschatteten das dritte Jahrzehnt des Jahrhunderts. Und wie immer, wenn allgemeine Hoffnungen so
getäuscht werden, erstarrte das gesellschaftliche Leben in Konventionen. So kam es, daß Arnim sich immer häufiger nach
Wiepersdorf verkroch, zumal die Separation im Zuge der
Bodenreform sein Besitzrecht gegen den Bruder Karl Otto abge-
grenzt hatte und er verbissen daran arbeitete, die Güter wirtschaftlich zu machen. So spielte Bettine, die trotz der Geburten schlank geblieben war, wieder mutwillig das Kind, das in
der Gesellschaft gegen Konventionen aufbegehrt. »... weil sie
ursprünglich und in einer fast melancholischen Art geistreich
ist, trotz ihres etwas spöttischen koboldartigen Wesens. Im
Grunde ist sie sehr weiblich, aber nicht in ihrer äußeren Erscheinung, was darum die Männer verwirrt«, notierte Amalie
von Helvig, Nichte der Frau von Stein, die von Schiller und
Goethe als Dichterin gefördert worden war und seit 1816 in
Berlin lebte. Mit ihr verband Bettine die einzige Frauenfreundschaft dieser Jahre. Bettine tolerierte – wie ungewöhnlich ist das
bei ihr! – die Eitelkeit der anderen und merkte amüsiert die
Förmlichkeit der sogenannten zwanglosen Tees bei Gneisenau
an, zu denen ihr Amalies Vermittlung Zugang verschafft hatte.
Sie lud die Freundin nach Wiepersdorf ein, nicht ohne das Landleben ironisch zu schildern; sie bündelte aber auch Amalies
Baby aus, als sie es einmal unbewacht und, weil es nicht mehr
trocken war, schreiend fand; sie gingen mit den Kindern spa-
zieren; sie beobachtete aber auch die müde gewordene Ehe
der Helvigs. Vielleicht bewunderte sie den schriftstellerischen
Erfolg Amalies, daß sie so kritiklos blieb. Darüber gibt keine
Zeile Auskunft.

Daneben bleibt Bettine zäh realistisch. Lange beschäftigte sie
der Plan, eine Kuh im Anbau der Wohnung unter den Linden 76
zu halten; sie fragt eifrig nach Küchenresten herum, macht Füt-
terungspläne, denkt an Kleesaat, errechnet die Ersparnisse für
Milch und Sahne in den Jahren der Teuerung – und fügt sich
halb unwillig Arnims bedächtigen Gegenargumenten. Doch im-

mer wieder knüpft sie Verbindungen, sucht Arnims Schauspiele durchzusetzen und pflegt eigene Interessen; sie besucht Schinkel und Rauch im Atelier, begeistert sich für Schinkels malerisches Werk, hat Geschmack und Kultur – ein Frauendasein der besseren Gesellschaft. Für Arnims vitale Freude am ländlichen Dasein ist sie taub, antwortet nicht darauf, wenn er schreibt: »Wenn ich über dem Dampfe der Braupfanne stehe, daß mir in Dunst und Wohlgeruch die ganze Welt wie im Morgennebel steht, und über die bessere Einrichtung der Flüsse nachdenke, welche diese Brauwelt befruchten, es hat etwas von einem Schöpfer.«

Eines Dichters Frau

Sie wollte an den Dichter, nicht an den Landmann glauben und war doch selber immer wieder vor allem Mutter: »Lieber Arnim, wie glücklich werden wir uns nennen dürfen, wenn wir in unserm Alter unsere Kinder gesund und *alle* am Leben und alle gut um uns haben ...« Sie dachte an frische Pflaumen und Eier. Sie litt unter der Armut, die sie sah, und war doch auch ungeduldig mit ihren Dienstboten. Ihr fünftes und sechstes Kind waren die Mädchen Maximiliane und Armgart, die Ältere ein brentanoscher Typ wie Siegmund, dunkel, der Maxe Laroche ähnlich, die jüngere blond und sehr zart und anfällig. Es gab Keuchhusten, Masern, fiebrige Erkältungen, es ging ums Impfen, um Würmer und Wanzenplage, aber auch um Schularbeiten von Frei und Sieg (wie sie gern abkürzte). Der Erstgeborene war ruhig und fleißig, der zweite störrisch und schwer zu erziehen, der Dritte, Friedmund, war sanft und dem Vater äußerlich noch ähnlicher als Freimund, doch wurde er nie ein guter Schüler wie der große Bruder, wenn er auch gerade so gewissenhaft war wie der. Kühnemund war noch unkompliziert, begabt, sehr in sich ausgewogen wie oft die jüngeren Kinder. 1821 meldet Arnim aus Wiepersdorf, daß er die ersten Hosen trägt. Es ging in den Briefen um Stoffkauf auf dem Dahmschen Tuchmarkt, um die Arbeit des Dorfschneiders, der die Söhne einkleidete, um keinerlei Luxus, und doch bei den älteren Jungen natürlich schon um ansprechende Aufmachung in der Schule. Bettine verkaufte die Butter aus Wiepersdorf im Berliner Freundeskreis, legte Fleisch in Essig ein, gab das Wild des Herbstes oft auf Arnims Wunsch an die Freunde, deren Gastfreundschaft sie genossen hatten. Dann wieder mußte die Wohnung gewechselt werden, waren Zimmer zu malen, Öfen zu setzen, Türen zu dichten. Alltag. Zwischendurch Nachrichten über die Gesellschaft, keine Stellungnahme, die Müdigkeit war zu groß. Arnim hätte die Kinder gern auf dem Land aufwachsen lassen, pries immer wieder die gesunde Luft, schilderte Roßmarkt und Hammelbraterei in Lorenzkirchen an der Elbe, Heumahd, Kornernte und Erntedankfest, ländliche Geselligkeit oder die berühmten Dahmschen Märkte, auch Kleinstadtklatsch (dort gab er die Post auf) – Prosastücke von außerordentlicher Vitalität. Bettine drängte ihn zu reisen. Sie sah mit Besorgnis, daß ihn die Erfolge seiner Wirtschaftsführung immer weiter von seiner dichterischen Laufbahn ablenkten, seit seine letzte Veröffentlichung, das Drama ›Die Gleichen‹, an dem er während vier Jahren gearbeitet hatte, zwiespältig aufgenommen worden war. Nur einmal im Briefwechsel gelang es ihr, das Bild vom Landmann und Dichter zusammenzuschmelzen: »... ein blonder Mann mit einzelnen grauen Haaren von hoher Gestalt, mit einer Stirne, der ein grüner Kranz beschieden, mit einem Antlitz, aus dem alle einsamen Stunden, denen er überlassen war, in dichterischer Weisheit wieder hervorleuchten, zu diesem Mann werd ich kommen, der mir über frisch umgepflügten Felder entgegeneilen wird, mit weiten Schritten ...«

Doch im Alltag immer wieder Dienstbotensorgen, Einblicke in soziale Verhältnisse, auch die kommentarlos notiert; bald sehr allein, sehr verbittert, dann wieder voller Leidenschaft für Arnim; manchmal Selbstironie und manchmal der Höhenflug der Gedanken wie in der Mädchenzeit: »Die rechten Dichter sind geistiger Weise, was die Kron- und Erbfürsten irdischerweise sind und repräsentieren, sie sind nämlich als das geboren, was sie in der Welt einst werden sollen, verzweifeln sie aber an ihrer inneren Macht, so legen sie die Krone nieder, noch ehe sie ihnen öffentlich verliehen ist, – ja sie müssen gleich den irdischen ihre Stimme zu erheben wissen, wo man sie nicht hören will; sie müssen züchtigen, wo man sie nicht anerkennen will, und vor allen Dingen müssen sie das Element behaupten, was ihnen Nahrung giebt, nämlich den Beifall und das Bewußtsein in jeder Menschenbrust von seinem Dasein (als) ein Komet unter Sternen. Wenn aber je ein Dichter ein geborener war, so bist Du es, ich will Dir hier keine Worte machen.«

Sie erreichte, daß Arnim reiste. Seine Berichte von unterwegs, die anfangs noch unwillig klangen, bestätigten sie. Er atmete tief ein, gewann wieder Mut, die Arbeit an den ›Kronenwächtern‹ weiterzutreiben. Er sah die Brentanos in Frankfurt, beschrieb neidlos den ihnen beiden so fremden Reichtum der Brüder Franz und Georg und des Schwagers Guaita, beschrieb die Veränderungen in der Stadt nach der Schleifung der Wälle, und er besuchte auch das Haus, in dem Sophie von Laroche in Offenbach gelebt hatte, das jetzt eine Gastwirtschaft war. Bettine nahm freudig Anteil an seiner Reise. ». . . wo man sich am wohlsten befindet, ist man dem Geliebten am liebsten.« Sie ermunterte ihn, die Reiseroute zu verlängern, Arnim dankte mit ausführlichen Berichten von Gärten, Bauten, der Boisseréeschen Sammlung, seinen Besuchen bei Dannecker, Uhland, Justinus Kerner, seinem Wiedersehen mit den Heidelberger Freunden. »Das Heidelberg ist der einzige Ort, wo ich trotz Voß noch immer eine Art Namen bewahre und manche Freunde.« (Voß trieb ja seinen Streit mit den Romantikern nach seinem Ausfall gegen den konvertierten Stolberg noch immer weiter, ein verbiesterter alter Mann, der sich gegen das Vergessenwerden auflehnte.) »Deine ganze Reise hätte mir nicht so erfreulich sein können, wenn ich sie selbst gemacht hätte, als die Nachricht von Dir, daß Du Dich ihrer freust.« Bettines Ausgeglichenheit in diesen Monaten ist nicht allein mit dem Zustand der fortschreitenden Schwangerschaft zu erklären, wenn auch die Briefe natürlich den Rhythmus des weiblichen Körpers widerspiegeln, sie war ja bereit, ihre eigenen Lebenswünsche zurückzustellen, wenn Arnim nur das Opfer annahm. Doch ihre hochgespannte Erwartung schlug mit den Jahren immer häufiger in Gereiztheit um, je mehr sie sich getäuscht sah. Besonders nach den Wochen des Zusammenseins in Berlin oder Wiepersdorf machten beide immer ihrer Verärgerung Luft. »Übrigens schon Dich und Deine Gesundheit, kannst Du nicht mit ruhiger Folge in der Küche ausgeben, so laß Dir ein Stück Butter nicht allzu sehr zu Herzen gehen, das überflüssig ausgegeben wird ... Kränke Dich nicht unnütz, der Zank verdarb uns die letzte gute Stunde.« Sie hatten sich auseinandergelebt, waren beide von den Tagespflichten überfordert. Arnims Widerwillen vor der Stadt, seine Unlust an der Frivolität, die die Konversation würzte, und eine gewisse Pedanterie in häuslichen Obliegenheiten nahmen zu. Natürlich kannte Bettine sich im Tagesklatsch aus; sie wußte von der somnambulen Frau Fischer, die sich in Schleiermachers Familie eingenistet hatte, und von der somnambulen Hähnle, der späteren Gräfin Kimsky, die sich an Hardenberg gehängt hatte, war über die Wunderkuren des Prinzen von Hohenlohe-Waldenburg-Schillingsfürst unterrichtet, aber auch über das Gerede, das über Schinkels Schauspielhausbau auf dem Gendarmenmarkt im Umlauf war; und sie sprach ja gern und viel, während Arnim ganz verlernt hatte, Konversation zu machen. Er verübelte ihr, daß sie seine Briefe der Neugier des Hauspersonals und der Kinder offen aussetzte, und er stimmte mit ihren Erziehungsgrundsätzen nicht überein. Die Kinder »sind wohl und entwöhnen sich von mancher bösen Gewohnheit, die Du ihnen für gut auslegtest«, schrieb er aus Wiepersdorf, als er die Kinder einmal alle dort hatte, »Max besonders ist recht artig geworden, seitdem sie keinen Zucker mehr bekömmt, um aus einer Stube in die andere zu gehen.«

Die Landaufenthalte hatten Arnim in seinem patriarchalischen Auftreten bestärkt und dem immer wieder an seiner Begabung Zweifelnden Rückhalt gegeben. »Ich wiederhole noch einmal, was ich Dir neulich schrieb, daß ich lieber die Einsamkeit hier ertragen will als Dich oder die Kinder in ihrer Existenz stören. Ich fühle in Berlin physisch und geistig meinen Untergang, ich bedarf körperlicher Tätigkeit, um mich auch geistig zu erhalten ... Wie aber auch jeder Mensch nicht bloß innerlich etwas erstrebt, sondern auch äußerlich eine Bestätigung seines Daseins sucht, so fühle ich mein Wirken, wenn ich hier selbst wirtschafte, würdig, einflußreich und belohnend; es verknüpft sich mit der Welt meiner Gedanken, während ich mich in Berlin jeden Augenblick als überflüssig finde und fast als unbefreundet.« Bettines Dilettieren in der Musik und den bildenden Künsten nahm er nicht ernst, erkannte nicht, daß sie um Ausdruck rang, daß ihre Unruhe auf mehr als geistige Gelangweiltheit hinwies. Doch als sie einen Herbst später als er die Möglichkeit hatte, mit Gunda nach Frankfurt zu reisen, redete er ihr zu, obgleich er in Wiepersdorf in der Erwartung ihres Besuches gelebt hatte und die Kinder schon zu den Ferien eingetroffen waren. Bettines zögerndes Aussprechen ihres Wunsches und seine Zurücknahme am Ende des Briefes, Arnims Ausweichen und schließlich die Billigung ihres Wunsches zeigen allen Unstimmigkeiten zum Trotz das Gefühl der Zusammengehörigkeit, der Bereitschaft, für den anderen etwas zu opfern, Sorge auf sich zu nehmen (Bettine wollte mit der zarten Armgart reisen, die kaum ein halbes Jahr alt und längst noch nicht abgestillt war). Ehe. Sie nahmen sie beide – anders als es damals bis in die bürgerliche Gesellschaft hinein üblich war – ernst. Sie respektierten einander, auch wenn sie sich in vieler Hinsicht nicht verstanden.

Wie anders Bettine das Reisen erlebte, wie anders sie sah, wie sie etwa parteinehmend den Studentenaufruhr in Leipzig beschrieb, »ein rechtes Gegenstück zu Berlin«, oder auch über die Familie in Frankfurt reflektierte, die sie mit größerer Vertrautheit aber auch kritischer als Arnim porträtieren konnte, ist anzumerken. Gunda wurde ihr durch die gemeinsame Reise entfremdet. »Die Arnim hat für mich etwas durchaus Störendes und mir kann sehr selten wohl werden in ihrer Nähe«, schrieb Gunda nach der Rückkehr an die Grimms in Kassel, wo ihr eigenes, steifes Verhalten offenbar zu Unstimmigkeiten geführt hatte. Gunda war von Maxes Kindern immer schon die Gehemmteste gewesen. Die Ehe mit dem erfolgreichen, sehr ernsten Savigny hatte sie vollends in die Rolle der Dame und Hausfrau gedrängt, ihr gesellschaftlicher Ehrgeiz wuchs sich mit den Jahren zur Prüderie aus. So mußte die Reise zu Spannungen führen. Der Besuch der Schwestern bei Goethe mißriet. Mag sein, daß Bettine durch die eher förmliche Gunda gehemmt war. Sicher aber war Bettines Verhalten krampfhaft gewesen, wie immer, wenn sie Ablehnung spürte.

Daß sie mit diesem ersten Besuch nach zehn Jahren die Versöhnung erreichen wollte, mag als äußerer Anlaß hingehen, wenn Arnim sie auch auf die Reserviertheit Goethes hingewiesen hatte. Daß sie nach der herzlichen Aufnahme in Frankfurt und dem Ansehen, das ihre Familie dort genoß, Vertrautheit aus Ebenbürtigkeit wieder voraussetzte, ist zu vermuten. Daß sie der älteren schulmeisterlichen Schwester ihren Vorrang irgend darstellen wollte, an den zu glauben ihr in ihrer Unsicherheit so nötig war, ist kaum anzuzweifeln. Und doch wollte sie mehr, wollte sie offenbar Verlorenes für sich retten: »Was soll ich denn sehen Schöneres, als ich sehe? – Die Seligkeit, gesehen zu sein und Dich zu sehen, – ... – Glaub an mich! – Glaub an nie Geahndetes, glaub an einen heißen Trieb – Lebenstrieb will ich ihn nennen ... Zehn Jahre der Einsamkeit haben sich über meinem Herzen aufgebaut, haben mich getrennt vom Quell, aus dem ich Leben schöpfte; Worte haben mir seit damals nicht mehr gedient, da war wieder ins Chaos versunken, was ich je gefühlt und geahnt hatte.« Sie suchte die schöpferische Kraft wieder zu finden, die ihr abhanden gekommen war. Im Glauben, von Goethe anerkannt, oder doch wenigstens beachtet zu werden, war sie damals auf der Höhe ihrer Sprachkraft gewesen; berauscht. Sie wußte, daß ihr das verloren war, aber sie wollte sich darein nicht schicken. Sie wollte das Bild, das sie sich einmal von Goethe gemacht und das ihre schöpferische Fähigkeit herausgefordert hatte, nicht aufgeben wie irgendeine Illusion. Trotz der Intimität ihrer Ansprache war ihre Goetheverehrung kultisch. Arnim war ihr für solche Verehrung zu nahe, sooft sie auch in den Zeiten der Trennung sein Bild zu stilisieren unternahm. Sie wehrte sich – »Lebenstrieb will ich es nennen« – gegen die Banalisierung, der sie sich täglich ausgesetzt wußte. Ein mißratener Besuch.

Und welche Erfahrungen brachte sie aus Frankfurt mit? In den großbürgerlichen Stadthäusern der Geschwister oder auf Georges gepflegtem Besitz in Rödelheim zwischen Bildersammlungen und immer noch freundlichen Familienfesten mit Musik und Spiel, Theater, Feuerwerk und Wasserkünsten war Bettines ›Lebenstrieb‹ ungestillt geblieben. Dort war Kunst, war Sprache kein Sich-wegreißen vorm Chaos. Sicher, Bettine mochte den großbürgerlichen Ästhetizismus der Brentanos, aber sie fürchtete ihn auch, weil er beruhigte, weil er Lebensstil statt Lebensnotwendigkeit war.

Sie fühlte sich nach der Reise doppelt allein. »Savignys sehen alle Abend Leute mit Grafen vermischt«, spottete sie, spottete aber auch über den Ehrgeiz ihres Schwagers Pitt, der auf den Intendantenposten reflektierte und ordenssüchtig war, ein Schwätzer in ihren Augen, der nichts mit Ernst betrieb und immer auch bei seinen Besuchen in Wiepersdorf den großen Herrn spielte, der er nicht war; sie mißbilligte die Erscheinungen der Reaktionszeit. »Schleiermacher soll öffentlich beobachtet und heimlich beschlichen werden.« Damals erregte der Agendestreit um die zwangsweise Wiedereinführung der lutherischen Liturgie, die 1733 abgeschafft worden war, die Öffentlichkeit, wurde von den einen als Annäherung an die katholische Liturgie und Rückkehr in eine intellektuell nicht mehr faßbare Form der Religionsausübung gedeutet, von den anderen als politische Maßnahme begrüßt. Sie berichtete Arnim auch über Theater und Oper; selten genug gönnte sie sich selbst einen Besuch, gab dann aber der Oper aus ihrer alten Liebe zur Musik den Vorrang. Immer wieder flocht sie Nachfragen der Freunde nach Arnim in die Briefe ein, um ihn zu ermuntern, ihn am Leben der Stadt teilhaben zu lassen. Das Interesse der

Brüder Humboldt, Gneisenaus und Schleiermachers war ehrlich, Arnim war in der Berliner Gesellschaft gern gesehen.

Eines bleibt verwunderlich, seine Freude an elementaren Erfahrungen fand bei Bettine niemals Echo. Wenn er schrieb: »... meine Seligkeit ist, die weiche Schnauze meines kleinen falben Füllens zu küssen und mit der bunten Schar Kälber unter viel hundertjährigen Eichen des Walles zu jagen«, oder wenn er ihr die Jagdfreuden schilderte oder den Erntetanz oder die winterlichen Feste in Dahme, so sah sie ihn nur auf der Flucht vor sich selbst, verstand sie nicht, daß er die Kritik an seiner Zeit, die er in die ›Kronenwächter‹ hineinlegte, nur leisten konnte, wenn er Zuschauer blieb oder eben Erfahrungen suchte, die ihn nicht erregten. Er war keine Kämpfernatur, er schirmte sich gegen ihre Nervosität ab, die Zeiten des Zusammenlebens verkürzten sich, wurden nur noch in der Erwartung als beglückend erlebt, das schriftlich geführte Ehegespräch wurde immer schroffer. »Du achtest die Essenszeiten nicht«, tadelte Arnim (sie hatte sich, während sie stillte, abgewöhnt, mit dem Hofmeister und den größeren Kindern zusammen zu essen). Er fand aber dann auch an der gemeinsamen Tischzeit, die sie ihm herausfordernd beschrieb, zu nörgeln, fand sich im Widerspruch zu ihren Erziehungsplänen, wollte am Privatunterricht durch einen Haushofmeister festhalten, während sie der Schule den Vorrang gegeben hätte, tadelte die Schwächen der Kinder hart, während sie recht klare Vorstellungen von der verschiedenen Begabung der Kinder hatte, auch wenn sie manchmal ihren Unarten hilflos ausgesetzt war. So bleibt der Selbstvorwurf in Erinnerung, als sie Siegmund einmal so heftig geschlagen hatte, daß er Nasenbluten bekam, und ihre fast demütige Weichheit, mit der sie ihn zu besänftigen, sein Vertrauen zurückzugewinnen suchte.

Sie hatte begonnen, in Öl zu malen, Gunda hatte ihr das Malzeug geschenkt, weil Bettines Zeichnungen viel Anerkennung fanden. Arnim sah diese Förderung von Bettines seiner Ansicht nach dilettantischer Kunstübung ungern, beklagte sich, daß sie sogar während der kurzen Tage seiner Anwesenheit in

Berlin nicht davon abließ. Die Ehekrise von vor fünf Jahren wiederholte sich heftiger und dabei kleinlicher. Arnim erwähnte nur flüchtig die Erzählung ›Raphael und seine Nachbarinnen‹, über die er im Brief an die Grimms viel ausführlicher war, als lohnte das Gespräch mit Bettine nicht. Auch über seine Beschwerden unterrichtete er sie nur knapp. Bettine vertraute sich verzweifelt Savigny an: »Ich habe die 12 Jahre meines Ehestandes leiblich und geistigerweise auf der Marterbank zugebracht und meine Ansprüche auf Rücksicht werden nicht befriedigt ... *Mein Perspektiv ist das End aller Dinge.*« Und doch riß sie sich wieder zusammen, beschäftigte sie sich mit dem Entwurf für ein Goethedenkmal, suchte sie nach neuem Ausdruck ihrer kultischen Verehrung.

Sulpice Boisserée hatte schon zu Goethes 70. Geburtstag zu einer Sammlung für ein Goethedenkmal aufgerufen, Rauch hatte Entwürfe gemacht. 1821 mußte der Aufruf wegen zu spärlich eingegangener Spenden wiederholt werden; das Sujet hatte bereits viel Spott und Mißfallen geerntet. Heine und Börne hatten dagegen geschrieben; ein Frankfurter Bankier, um eine Spende angesprochen, fand, der Goethe hätte ein Buch geschrieben, das nicht einmal ein Hauptbuch wäre, ein anderer meinte: Sei Faust, von dem mer so viel Wesens macht, is dummes Zeug, das ka Mensch versteht, un gut for ä Poppspiel. Das Sujet wurde ein paar Jahre später aufgegeben, von dem gesammelten Geld wurde Wein für Goethe gekauft. Damals jedoch dachte noch niemand an den maliziösen Ausgang der Unternehmung. Rauch hatte einen zweiten Entwurf gemacht, der dem Frankfurter Bankier und Freund der Familie Brentano Moritz Bethmann als einem der Hauptspender mißfiel, während ihm Bettines Entwurf so zusagte, daß er ihn vom Bildhauer Wach als Modell ausführen ließ, das in Frankfurt im Städelschen Kunstinstitut ausgestellt wurde und viel Anerkennung fand. Ob Bettine ahnte, daß der Denkmalsentwurf sie bis zur letzten Stunde ihres Lebens beschäftigen würde? daß sie ihren Briefwechsel mit Goethe ins Englische übersetzen würde, um die Realisierung des Denkmals zu ermöglichen? daß sie in noch späteren Jahren bei einer Ausstellung des Modells in Berlin um den Auftrag des preußischen Königs bangen würde? daß sie noch immer am Gipsmodell formte, als Steinhäuser längst im Auftrage des Herzogs von Weimar den reduzierten Entwurf in Marmor ausgeführt hatte? und daß sie unter dem Modell in ihrer letzten Wohnung ›In den Zelten‹ aufgebahrt werden würde wie vor einem Altar oder geweihten Raum? Darüber gibt es keine Nachricht. Nur ein paar Bemerkungen, etwa über Schinkels Anerkennung ihrer Arbeit, verraten die naive Freude am Gelingen, die ihr denn auch half, die Melancholie wieder zu überwinden.

Sie gewann das Zutrauen des jungen Schweizers Philipp Hößli, der bei Savigny studierte und ihre Goethebegeisterung teilte. Der sich nach seiner Abreise entspinnende Briefwechsel (der sich in der Varnhagen-Sammlung befand, die seit dem Zweiten Weltkrieg abhanden gekommen ist) soll in Ton und Wortwahl dem Briefwechsel mit Goethe ähnlich gewesen sein. Das scheint naheliegend, da Bettines geistige Entwicklung in den Ehejahren stagnierte, sie sich jedoch der einmal erreichten Ausdrucksmöglichkeit bewußt geblieben war. Gunda, die den Briefwechsel mit Hößli kannte, schrieb damals: »Behalte diesen Ton bei und werde wieder stark und gesund; dann wollen wir den Schatz, den Du Dir in der Einsamkeit sammelst, recht genießen ...« Sie anerkannte, anders als Bettine oft glaubte, die geistige Überlegenheit der jüngeren Schwester. Vielleicht stammt auch die undatierte Notiz über Jean Paul, die der Henrici-Katalog zitiert, schon aus dieser Zeit und nicht erst vom Dezember 1825, als sein Tod viel üble Nachrede hochspülte, der sie, wo auch immer, zu widersprechen liebte. Bettine verkehrte damals häufig im Haus von Meusebach, der als Präsident des Rheinischen Kassationsgerichtshofes in Berlin lebte und ein besonderer Liebhaber Jean Pauls war, noch als ihn der literarische Klatsch schon abgeurteilt hatte. »O was hab ich Dir zu danken, Jean Paul«, heißt es in der Notiz, »wie hast Du die Kerkerwände des Lebens durch Deinen Zauberspiegel mit Paradieses Perspektiven erweitert, wie erregst und erweiterst Du die Brust durch Schmerzen, wie geheiligt, wie erneuert wird er durch Deine Berührung; wie ziehst Du ihm das alte Sündenkleid ab und leitest ihn wieder zum Strande, daß er die Wellen erprobe und sich kühner ihren Fluten vertraue ... Laß Deine Hand küssen und eine Weile den Sturm aller Sehnsucht an Deiner Brust beschwichtigen. So umfassen Dich meine Arme, so leg ich den Kopf an Deine Brust und schließe die Augen vor der ganzen Welt, und bin mit Dir, und bin in Dir.« Das Verlangen nach Hingabe, nach Echo, das Bettine von Arnim unterschied und ihr in der Gesellschaft den etwas abfällig gemeinten Beinamen ›Kobold‹ einbrachte, half ihr immer wieder leben.

Es gab Sommerwochen in Wiepersdorf zusammen mit Savignys und Hößli; es gab auch Familienabende bei Schwager und Schwester, Bettine ließ sich nie von Vorbehalten leiten, sondern konnte sich bei aller Fähigkeit zur Kritik dem Augenblick, der Laune hingeben. Moritz Bethmann bot ihr während eines längeren Berlinaufenthaltes seine Theaterloge an. Sie besuchte das Humboldtsche ›Feenschloß‹ in Tegel. Noch verkehrte sie nicht im Salon Rahels und Varnhagens, deren Goethekult ihr mißfiel, wenn auch Rahels Sympathie sich schon auf sie gerichtet hatte. Sie war weniger zurückhaltend bei der Erwähnung ihrer häufigen Husten- und Magenkrämpfe als Arnim, der über seine Beschwerden ebenso hinwegging wie über seine Sorgen um Getreidepreise, Wollpreise oder die Folgen von Dürre und Unwetter. Doch wenn sie ihre Wirtschaftsführung darstellte und die Last der häufigen Umzüge beschrieb, die sie durchführen mußte, um bei dem Wechsel zwischen Stadt- und Landaufenthalten möglichst die Miete für ein paar Sommerwochen zu sparen, so tat sie das, um sich zu verteidigen. Im Innersten wußte sie, daß sie vor Arnim versagte, daß er eine stille sorgende Frau gebraucht hätte, die ihm in der Wirtschaft zur Seite stand. Und sie wußte auch, daß er sich abmühen und absorgen mußte, um die Existenz der Familie zu sichern, und seines Bruders Pitt Angaben über den möglichen Ertrag aus dem Besitz nur durch Arnims Arbeitsleistung erreicht werden konnten. Darum unterstützte sie ihn

so gut sie es vermochte, half Butter, Geflügel und Fleisch verkaufen, strich an und setzte Türen ein. »Lauter glückliche
Ereignisse habe ich Dir zu melden ... ich habe mich so eingerichtet, daß ich das Logis von 2 Zimmern für 50 Tlr. entbehren
kann ... einen eisernen Ofen gekauft für 4 Tlr. ... Torf habe
ich gekauft 3 Haufen, mit Auf- und Abladen macht es 36 Tlr.,
Holz einen halben Haufen Birken, einen halben Kien, macht
28 Tlr. ... 3 Bettstellen fürs Gesind, eine für den Hofmeister
sind nötig, es sind jetzt so ungemein viele Auktionen, daß ich
zum wenigsten ein paar recht wohlfeil zu kaufen gedenke ...«
Sie hatte Augenblicke voller Übermut, wenn ihr etwas zum
Nutzen der Wirtschaft gelungen war, sie lobte die Hausange-
stellten genauso spontan wie sie sie tadelte, und sie war keineswegs prüde, wenn sie etwa den Diener August, der eines der
Wiepersdorfer Mädchen geschwängert hatte, zur Rede stellte:
»Wie, Du wirst doch nicht den Skandal so weit getrieben haben, daß Du es nicht wissen kannst, er antwortete: Ach, was
man mit sie hat zu tun gehat, das war alle Wenigkeit, gnädige
Frau.« ›Gehat‹ ist eine im Preußischen Sachsen um Dahme typische Dialektfärbung, die sie abgelauscht hatte, wie auch ein
andermal den Ausdruck ›Knullen‹ für Kartoffeln, oder ›sehre‹
für sehr. Sie konnte mit jedermann umgehen, sie hatte Interesse und Humor genug für eine Gutsfrau, aber sie fand keinen
Frieden dabei. »Suche Dich mit Deinen Launen und Aufwal-
lungen möglichst abzufinden ... denke recht oft an die eigene
menschliche Existenz des Gesindes und daß sie durchaus nicht
wie Maschinen zu dressieren sind«, mahnte Arnim, immer in
Sorge, daß sie in der Berliner Gesellschaft oberflächlich werden
und ihrer Lust am Aufschneiden und respektlosem Geschichten-
spinnen zu sehr nachgeben könnte. »Du übst Dein altes Kunst-
stück, mich in allem, was ich tue, auf irgendeine frappante Art
zu stören, daß ich wochenlang nach Luft schnappen muß«,
wehrte er ihre Bitte ab (wie oft hat sie ihn gebeten!), wieder
einmal nach Berlin zu kommen, weil sie den Schul- und Erzie-
hungssorgen, die die sechs Kinder bereiteten, nicht mehr gewachsen war. Und wieder nahm sie ihren Wunsch zurück,

erinnerte ihn durch die Episode, die Großmutter Labes überliefert hatte, an seinen Dichterberuf. Danach hatte Arnims Mutter am Tage vor seiner Geburt und ihrem Tod einen Seestern in der Auster gefunden, ein winziges Zeichen, wie sie ja noch immer als magische Hinweise gedeutet werden. Sie beschwor aber auch wieder Arnims frühere Erfolge herauf, zitierte Savignys und Ritters Urteile über ihn. »Wenn Goethe das edle Maß hat, so hast Du die überwindende, überraschende Fülle ...«

Besorgnis, Sorgen füreinander, aber immer auch die alten Interessen: Bücherbestellungen, die Arnim den Hofmeister auszuführen bat, eine Anfrage nach dem jungen Chemiker Unverdorben, einem gebürtigen Dahmer, der später das Anilin erfunden hat; »nach einer chemischen Abhandlung, die ich von ihm gesehen, scheint es ein junger Mann, der viel versteht«. Zwischendurch leise Andeutungen des Unwohlseins, die Bettine überhörte, überhören wollte, um ihre Erwartung in ihn nicht zu mindern. Sie selber kränkelte seit Armgards Geburt. Im Sommer 1824 unternahm sie ganz ohne Kinder, die in Wiepersdorf geblieben waren, die Reise zu ihrer Familie und nach Schlangenbad. In Weimar sah sie sich freundlicher empfangen als vor drei Jahren. Sie hatte eine Skizze ihres nun schon so viel gerühmten Denkmalsentwurfes mitgebracht. »Goethe war wunderbar in seiner Erscheinung und im Betragen, mit großer, erhabner Feierlichkeit entließ er mich, er legte mir beide Hände auf den Kopf und segnete mich mit folgenden Worten, indem er die ausgepackte Skizze betrachtete, an der die Leier und Psyche zerbrochen war: ›Dies Werk hast Du nur aus Liebe zu mir vollbringen können, und dies verdient wieder Liebe, und darum sei gesegnet, und wenn mir's Gott vergönnt, so sei alles Gute, was ich besitze, auf Dich und Deine Nachkommen vererbt‹ – er grüßt, er rief mir noch auf der Treppe nach, ›grüß mir den Arnim recht ordentlich‹.« Wieder ließ sie auch Ermutigung für Arnim in den Briefen einfließen und endete: »Er wollte viel von unsern Kindern wissen und fragte sehr, wie Du Dich mit ihnen beschäftigst.« Nun, ein wenig formell war der

Besuch schon, ein wenig gestellt wirkt auch Bettines Bericht darüber, und doch hatte sie erreicht, daß Goethe sie wieder beachtet hatte, wenigstens das. In Kassel war sie dann allerdings so elend, daß sie nur kurz notierte: »Grimms waren sehr glücklich und disponiert zu Scherzen, allein ich konnte nicht viel mitlachen vor Wehtum.« Wilhelm Grimm schrieb jedoch über diese Tage die bekannten schönen Zeilen an Suabedissen: »Wie hätte ich gewünscht, daß Sie diese wunderbare Natur gesehen und näher kennen gelernt hätten. Sie gehört zu den Geistreichsten, die mir mein Lebtag begegnet sind, und wer sie frei und unbefangen beurteilen kann, muß eine große Freude empfinden, wenn er sie reden hört, es sei nun, daß sie erzählt oder daß sie ihre Gedanken äußert über das, was ein menschliches Herz bewegen kann und wovon das höchste ihr nicht fremd geblieben ist. Noch hat ihr Geist nichts von seiner Lebhaftigkeit verloren und selbst kränklich – was sie vorher nie war – ist er noch so tätig wie vor siebzehn Jahren, wo ich sie zuerst kennenlernte –« Anders, sehr viel abstoßender erschien sie einem Besucher bei den Grimms, Ernst von Malsburg, der Bettine zum erstenmal sah. Immer wirkte sie so zwiespältig, immer gab es Ärger über die Ungezügeltheit ihres Verhaltens und Bewunderung ihres reichen Geistes.

»Ich war sehr traurig in der Nähe dieses großartigsten, reichbegabtesten, einfachsten, krausesten Geschöpfes«, das war Clemens' Eindruck, der sie nach dem Tode der Nonne in Dülmen zum erstenmal wiedersah. »In stetem Reden, Singen, Urteilen, Scherzen, Fühlen, Helfen, Bilden, Zeichnen, Modellieren, Alles in Beschlag nehmen und mit Taschenspielerfertigkeit sich alle und jede platte Umgebung zurecht gewalttätigen, um das Gemeine als Modell zum Höheren in irgendeinem Akt zu stellen und das Ungemeine sich gesellig bequem zu setzen, in diesem ohne Ruhe und doch mit geheimem, nur befreundetem Aug zu entdeckenden Hintergrund des Nichtgenügenden in Allem, aber zu hochgestellt und zu allgegenwärtig im menschlichen Kreis, um diese eingemauerte bessere Sehnsucht (das arme Kindchen im Augapfel) zu befreien und vor Gott unter Tränen darzustellen, auf daß es eine gerettete Seele werde. Ach es ist dies ein ganz vernichtendes Gefühl. Sie tut mir unaussprechlich leid.« Kein Urteil, weder von Freunden noch Verwandten, kam Bettines tiefem Ungenügen an sich selbst jemals so nahe wie das des zwillingsgleich begabten Bruders, keiner aber stieß sie auch so hochmütig fromm zurück. Clemens' mystisch-erotische Bindung an die Stigmatisierte Anna Katharina Emmerich hatte ihn in seinem Einzelgängertum bestärkt und er mochte spüren, wie durchschaubar das für Bettine war; ihr vitaler Realismus verwirrte ihn. »Er hat eine gesunde Natur, daß ihm aller Unsinn, den er in sich aufgespeichert, nichts schadet, und daß er ebenso heiter, so brummig, so gerührt, so eitel wie sonst ist, daß er alle möglichen Versuche macht, auf anderer Leute Unkosten zu leben wie sonst ... Er hat einen ganzen Koffer voll blutiger Tücher und Binden von der Nonne, die will er jedermann zum Anrühren geben, und wer sich davor ekelt, der kriegt eine tüchtige Salve ... Kein Mensch mag ihn leiden in der Familie, weil er einen immer ausfragt, um es dem andern zu erzählen ... Kein Mensch glaubt ihm ein Wort, obschon er immer seine Seligkeit zum Pfande setzt ... er fühlt es, daß ich mich zurückziehe und ist ganz böse, aber er hat mir schon gar viel Skandal gemacht, so daß ich mich vor ihm hüte und dann ist mir auch die Sache zu heilig, als daß ich ihm meinen Unglauben verbergen möchte, und die Wahrheit würde er doch nimmermehr vertragen ...« Immer wieder kam Bettine in ihren Briefen nach Wiepersdorf auf den Bruder zurück, die wohl erschütterndste Erfahrung dieser Reise, die sie Arnim sehr nahe brachte. Sein völliger Mangel an Künstler-Eitelkeit, aber auch seine väterliche Freude an den Kindern wurden ihr aus dem Abstand der Reisewochen wieder als Qualitäten bewußt. Die immer noch ungebrochene Zuneigung der Geschwister und Schwäger für Arnim, der auch in den wohlgestellten Frankfurter Familien mit Sorgen belastete Alltag unterstützten sie in dem Entschluß, das Leben als die Frau des Dichters und Gutsherrn Achim von Arnim nach bestem Vermögen zu leisten. Zwar hatte jede längere Trennung die Ehe wieder gefestigt; doch nunmehr war sie auch bereit, die wirtschaftlichen Schwierigkeiten Arnims zu respektieren und unternahm es, kaum zurückgekehrt, wegen der Wiepersdorfer Getreideernte zu verhandeln. Zugleich aber versuchte sie, unterstützt von Savigny, ein Lustspiel Arnims am Königstädtischen Theater unterzubringen. Ihre durch die Bäder und das Trinken von Emser Wasser wiederhergestellte Gesundheit half ihr im nächsten Jahr, die schweren Infektionskrankheiten der Kinder durchzustehen, ohne den Mut zu verlieren.

Unterstützt durch ihren Hausarzt Dr. Wolfart, der dem Mesmerschen Magnetismus zugetan war, hatte sie sich mit Magnetisieren befaßt und gab der Naturheilkunde, die von der medizinischen Fakultät schon damals sehr angefochten wurde, den Vorrang. Die Nachtwachen bei den fiebernden Kindern, die Angst um jedes von ihnen, die Pflege, die sie allein leistete, das Kompressenauflegen, das Klistieren und Nachtgeschirre leeren, das Einflößen von Speisen, das zaghafte Aufatmen bei leichter Besserung zeigen Bettine, wie sie sich kaum je im allgemeinen Bewußtsein darstellt. Auch ihr Urteil über die Fähigkeiten und Eigenschaften der Kinder, ihre Verteidigung und Förderung eines jeden, ihre Geduld mit dem Unvermögen, die häufige Beschäftigung mit Ausbildungsfragen und die instinktive Sicherheit in der Beurteilung der Hauslehrer bestätigen ihre Fraulichkeit und Mütterlichkeit. Anders als ihre Freundin Amalie von Helvig war sie vom Ehrgeiz frei. Sie sorgte, daß die Kinder in der Spree schwimmen lernten, sie achtete auf die Stunden des Spielens im Freien im Universitätsgarten dicht bei der Wohnung in der Dorotheenstraße oder auch im Tiergarten, sie hielt wie Arnim auf einfache Kleidung. Sie verglich die Schulerfahrungen der befreundeten Familien, um für die eigenen Söhne die richtige Wahl zu treffen. Seit 1820 gab es ja das von Beuth gegründete Gewerbeinstitut und seit 1824 die Klödensche Gewerbeschule, Ausbildungsstätten, die etwa mit den späteren Realgymnasien zu vergleichen sind, in denen durch Verzicht auf die alten Sprachen ein wesentlicher Beitrag zur Modernisierung der Bildung geleistet worden ist.

Bettine gab diesen Schulen anders als Arnim den Vorrang vor dem humanistischen Bildungsgang, zu oft sah sie ja ihre Jungen sich mit dem Auswendiglernen alter Texte abquälen. Sie ließ die Kinder aber auch Zeichenunterricht nehmen und nötigte sie, Briefe an den Vater zu schreiben, die anders als ihre eigenen frühen Briefe steif und brav gerieten. Die Phantasiebegabung fand sich offenbar nur bei Kühnemund, der in diesen zwanziger Jahren noch zu jung war, um im Briefwechsel mit Arnim schon deutlich zu werden, es sei denn in Bettines Nachricht über seine allsonntägliche Einladung zu dem kleinen Prinzen von Hannover oder in der Schilderung seiner Blumenpflanzung im Zimmer oder in der Erwähnung seines Übereifers beim Schwimmen, für das er anders als die großen Brüder gar keinen Unterricht gebraucht hatte.

Bettines Bekanntenkreis

Bettines Bekanntenkreis in Berlin hatte sich ganz natürlich erweitert. Wenn auch die Stadt Ende der zwanziger Jahre eine Großstadt von etwas über 200 000 Einwohnern war, spielte sich das gesellschaftliche Leben noch vornehmlich im Bereich von Königsstadt, Friedrichstadt, Dorotheenstadt und der eben sich ausweitenden Luisenstadt ab und nahm Bettine derzeit kaum schon Notiz von der Armut in den Vorstädten. Bei Henriette von Bardeleben gelang endlich die Annäherung an Rahel, die schon anderthalb Jahrzehnte früher die Ebenbürtigkeit Bettines erspürt hatte. Die Freundschaft der beiden Frauen wurde nie enthusiastisch, jedoch durch Bettines hingebende Pflege während Rahels Todeskrankheit gekrönt. Bettine lernte Steffens und Hegel kennen, ohne diesen sonderlich zu schätzen. »Wenn seine Philosophie so gut wäre wie unser Bier hier geworden, so könnte er sich gratulieren.« Sie hatte Verbindung zu dem Hofprediger Strauß und freundete sich näher mit

Schleiermacher an, sie spöttelte über Gneisenaus Trockenheit und hielt auch gern einmal einen Schwatz mit Varnhagen. Jedoch anders als Rahel setzte sie sich nicht mit den Schriften und Gedanken der Freunde auseinander, konnte es bei ihrer Überforderung auch kaum, blieb Dame der Gesellschaft, und war es ihren großen Anlagen nach gar nicht. Das ließ sie dann immer wieder im übermütigen Selbstgenuß ihre Eigenart übertreiben und die spitzen Zungen nicht ruhen. Damals im Herbst und Winter des Jahres 25 auf 26 machte ihre Leidenschaft für den Major im preußischen Generalstab Wildermeth von sich reden. Er entstammte einer soldatischen Schweizer Patrizierfamilie und galt als »sehr angenehmer junger Mann«. Wildermeth hatte nach der Teilnahme an den napoleonischen Kriegen Italien bereist, er hatte Reisen nach Rußland und England vor, ein Weltmann, den Künsten aufgeschlossen, die Bettine ja noch immer mit Eifer und Konzentration pflegte. Ob Bettine von dem um ein Jahr älteren Offizier, dem sie fast täglich begegnete, weil er im Haus der Savignys wohnte und den Garten mitbenutzte, wirklich ›in Atem‹ gehalten wurde und mit ihm Briefe wechselte, die sie Goethe zur Einsicht überschickt und von ihm mit einer pathetischen Antwort bedacht zurückerhalten haben soll, ist bisher nicht nachweisbar, wenn sich auch in Varnhagens Nachlaß eine Notiz über den Briefwechsel und ein Billet fanden, dessen Text allerdings eher auf Distanz schließen läßt und die Mutmaßungen der Silfverstolpe und die Erinnerungen der Hedwig von Olfers widerlegt. Sicher genoß die vierzigjährige Bettine ihre Wirkung, ließ auch gern ihre beiden hübschen und so sehr verschiedenen Töchter mitspielen, eine faszinierende Dreiheit, trat überhaupt gern im Kreis ihrer Kinder auf, war jedoch, wenn auch selber zierlich und mädchenhaft in der Erscheinung, durchaus nicht mehr das Kind, auch wenn sie sich manchmal noch gern so gab.

Der nur wenig älteren, damals dreiundvierzigjährigen Schwedin Malla Montgomery Silfverstolpe, die nach einer Reise durch Deutschland den Winter 1825/26 in Berlin verbrachte, verdanken wir einige Porträts aus der Berliner Gesellschaft. Selber kinderlos und einsam, hatte sich ihre Sensibilität für die menschlichen Feinheiten und Schwächen entwickelt und war sie gebildet genug, um mitreden zu können, aber nicht gebildet oder fähig genug zur schöpferischen Leistung oder schöpferischen Partnerschaft. Hundert Jahre später wäre sie eine hervorragende Journalistin geworden. Ihr Beitrag zur Kenntnis der zwanziger Jahre in Berlin hat die Frische behalten, die Vergangenes allein gegenwärtig macht. Die Silfverstolpe war zusammen mit dem Philosophen Geijer und dem jungen Musiker Adolf Lindblad gereist, mit dem sie in Berlin auch zusammen in einer Wohnung Friedrich-/Ecke Rosmarinstraße wohnte, ohne sich über das Gerede der Leute zu kränken, ja, vielleicht hatte sie sogar Gefallen daran, wenn auch ihr Verhältnis zu dem recht unbeholfenen weltfremden Lindblad eher mütterlich war. Bettine lernte sie bei Amalie von Helvig kennen, die damals gerade an der Übersetzung von Tegnèr's ›Fritjof‹ arbeitete. Man kann sich die etwas beklemmende Stimmung im Hause Helvig vorstellen: die ehrgeizige Frau und der General außer Diensten, der sich die Zeit mit naturwissenschaftlichen Experimenten vertrieb und die Gäste so gern für die Muster, die Sand auf einer Glasplatte bildete, wenn er mit dem Geigenbogen über die Schnittfläche strich, oder auch für seine Explosionsversuche begeistert hätte. Der Dilettantismus, mit dem er seine Experimente betrieb, war gar nicht so ungewöhnlich, auch Pistor hatte sich mit den Jahren immer mehr in seine Versuche verbissen und war der Familie entglitten.

Doch während in der Mauerstraße 34 die resolute Frau Pistor das Familienleben in die Hand nahm, blieb Helvig neben der gewandten Amalie geduldet, und sicher hat solche Demonstration einer unglücklichen Ehe die Silfverstolpe veranlaßt, sich über die vielen unglücklichen Ehen in der Berliner Gesellschaft zu wundern, die ihr in Schweden nur in den höchsten Kreisen geläufig waren. Dadurch war ihre Aufmerksamkeit besonders auf die Frauen gelenkt, die ihr hier in Berlin emanzipierter, selbständiger schienen als anderswo.

Bettine, die ›kleine Zauberin‹, schmeichelte der Silfverstolpe,

lobte ihre schönen Augen, drängte ihre Anhänglichkeit auf.
»Sie sieht wunderlich aus! Kohlschwarzes Haar in großen hän-
genden Locken um das kleine, magere, bleiche Antlitz, braune,
scharfe Augen, dazu eine kleine, feine, fast zierliche Gestalt,
kleine Hände und Füße.« Die Silfverstolpe schätzte Bettine
jünger ein als sie war. »Geschmeidig wie eine Katze spazierte
(sie) auf dem Rande der Sofakissen herum und setzte sich auf
den Kolonnen-Kachelofen in der Ecke, ›um die Gesellschaft zu
überblicken‹, wie sie sagte.« Sie beschrieb auch das Goethe-
Monument Bettines, das bei den Savignys aufgestellt war, »es
soll wirklich das beste sein!«, äußerte sich aber abfällig über
Bettines »exaltierte Freundschaft« mit Schinkel und schwankte
immer zwischen Bewunderung und Reserviertheit. Sie besuchten zusammen den Botanischen Garten vorm Potsdamer Tor,
wo als Sehenswürdigkeit Dahlien und Georginen blühten, die
Alexander von Humboldt aus Südamerika eingeführt hatte.
Bettine erzählte ihr einige Goethe-Erlebnisse, deutete die Teplitzer Begegnung an, berichtete von dem Besuch Goethes bei
ihrer Mutter kurz nach ihrer Geburt und manche Frankfurter
Szene, empfahl der Silfverstolpe aber auch, Arnims ›Kronenwächter‹ zu lesen. Sie schrieb damals den Prolog zu einer Pri-
vataufführung von Arnims ›Niemand und Jemand‹, die im
Januar bei den Savignys stattfand und spielte auch selber mit.
Sie unterhielten sich anläßlich der Briefe der Madame de Sé-
vigné über die Veröffentlichung von Briefwechseln, die so vieles preisgäben, was die Literatur verschwiege. Die Schwedin
hatte Angst vor der Mittelmäßigkeit der meisten Briefwechsel,
die so die Öffentlichkeit beschäftigen könnten, Angst vor der
Banalität, die ihr ja selber nicht fremd war. Kleine Unstimmigkeiten zwischen den Frauen wiederholten sich. »Diese schönen
Kinder zu besitzen, ist ein Glück, das zu genießen sie (Bettine)
nicht viel Zeit zu haben scheint«, notierte die Kinderlose,
»mir kommt es wunderlich vor, daß die Gattin eines so ausge-
zeichneten Mannes wie Arnim, Mutter von sechs Kindern, in
ihrem Herzen überdies noch Raum für eine so exaltierte
Freundschaft hat. (Gemeint ist Schinkel.) Absonderlich! – Aber

ich fange an, mich an das Wunderliche zu gewöhnen und mich hineinzufinden.« Trotz solcher jüngferlichen Vorhaltungen erkennt sie aber: »Sie (Bettine) ist so unsicher. Aber sie fesselt mich.« Und: »Gern würde ich sie einmal mit jemand sprechen hören, der sie so recht verstünde und ihr zu antworten wüßte ...« Die Not aller ungewöhnlich begabten Frauen erschloß sich der anderen Frau. »Bettine sprach davon, daß sie von ihrer ersten Jugend, ja von ihrer Kindheit an das Bedürfnis gehabt habe, mit Leidenschaft geliebt zu werden und daß ihre Kinder und die Obsorgen für sie ihr jetzt wie die Korybanten vorkämen, die den neugeborenen Jupiter umringten, auf daß seine Schreie nicht vom Vater Saturn gehört würden, der ihn sonst verschlungen hätte. In gleicher Weise betäuben jetzt die täglichen Sorgen die Schreie der Seele, die gebieterisch Seligkeit begehrt. Die Seelen mancher Menschen schreien nicht so heftig, daß sie selbst ihre Rufe vernehmen. Liebe sei das einzige auf der Welt, was man Seligkeit nennen könne, und dennoch habe man nicht Genie genug, diese Seligkeit im Augenblick zu erfassen, denn es sei Genie nötig, um Abandon genug zu haben, glücklich zu sein, und dabei Besonnenheit genug, um sein Glück zu fühlen und zu genießen und den Gegenstand seiner Liebe glücklich zu machen ... Zwei Liebende lieben selten im selben Augenblick gleich, und wenn man selbst am meisten liebt, wird man nie am meisten geliebt.« Die Schwedin rief denn auch immer wieder aus: »Arme Bettina!« und tadelte Arnim: »Warum werden doch alle Ehemänner so gegen ihre Frauen! Sie führen sich dadurch in Versuchung, bei andern zu finden, woran sie sie doch selbst gewöhnt haben: Liebe und Teilnahme«, und konnte doch Bettine nur nachsagen, daß sie Arnim »Gerechtigkeit widerfahren« ließe. Sie begriff die andere nicht, aber sie war immerhin genau genug, dieses Nichtbegreifen auszusprechen, und sie hatte so viel Humor, Bettines Verhältnis zu Wildermeth durch einen anonymen Geburtstagsglückwunsch spielerisch auf die Probe zu stellen. Als sie auf dem Schiff, das sie nach Schweden und Wildermeth zur Krönung des Zaren Nikolaus I. nach Rußland bringen sollte, ihm gegenüber, immer noch in ihrem Urteil unsicher, Bettines reiche Anlagen lobte, wehrte er ab: »Mais c'est cette richesse qui la ruine.«

Wer war sie nur? Was steckte in ihr, die wir mit ihren kleinen Töchtern im Tiergarten haben Ball spielen sehen und die wir über die Lächerlichkeit der Trauerkleidung haben spotten hören, die ihre Schwester Gunda und ihre Nichte Bettine nach der Nachricht vom Tode des ›Bruder Doktor‹ angelegt hatten, obgleich der Tod Dominikus', des viel verlästerten Trinkers, Erlösung nach langem Siechtum gewesen war? Ihrem Bericht über die Griechenbegeisterung in Berlin nach dem Fall von Missolunghi am 22. April 1826 war die Skepsis anzumerken; zu deutlich spürte sie hinter dem öffentlichen Mitleid die allzu vertrauten Spielregeln gesellschaftlicher Ambition. Dennoch gelang ihr solche Souveränität in den wöchentlichen Briefen an Arnim nicht. Die Schärfe in Personal-, Wirtschafts- und Erziehungsfragen war die irgendeiner kleinen Hausfrau. Und was ging in ihr vor, als sie im Spätsommer wieder in Weimar bei Goethe aus und ein ging und ihn, der der berühmten Sängerin Henriette Sontag nach ihrem Auftreten in Weimar ein Fest hatte geben wollen, verärgerte, weil sie den Besuch der Sontag durch irgendeine falsche Nachricht bis nach ein Uhr nachts hinauszögerte? (Noch im hohen Alter wird sie Varnhagen lachend gestehen, daß sie den Scherz nicht bereue.) Was ließ sie selbst Eckermann schöntun und dabei doch auch dem Großherzog die Cour machen? War sie »die leidige Bremse, (die) mir als Erbstück von meiner guten Mutter schon viele Jahre sehr unbequem (ist)«, wie Goethe den Herzog wissen ließ? »Sie wiederholte dasselbe Spiel, das ihr in der Jugend allenfalls kleidete, wieder, spricht von Nachtigallen und zwitschert wie ein Zeisig. Befehlen Ew. Hoheit, so verbiet ich ihr in allem Ernst onkelhaft jede weitere Behelligung.« War sie hysterisch oder albern geworden, wie etwa ihre Mitbringsel für Arnim aus Weimar vermuten lassen? »Myrthenzweig und Rosenknospen von der Gräfin Egloffstein, einen Lorbeerzweig von Goethe und einen Eichenzweig vom Herzog; ich denke mir aber, daß sie es heimlich irgendwo abgeschnitten hat und diese Gaben den Leuten aufbürdet ...« schrieb Arnim mißgelaunt an Savigny. Packte Bettine der Schauder vor dem Alter? Hatte sie denn nicht längst verzichtet, ihr Leben selber zu gestalten? Warum gab sie während der Wirtschaftskrise der zwanziger Jahre, als Woll- und Getreidepreise sanken und sie von Monat zu Monat um Löhne und Miete bangen mußte, das teure Wohnen in Berlin nicht auf? Sicher, sie wollte den Söhnen die Schulen der Stadt nicht vorenthalten. Aber war es das, was sie an Berlin band? War nicht ihr Verlangen nach Menschen, nach Gesprächen ausschlaggebend? »Gern würde ich sie einmal mit jemand sprechen hören, der sie so recht verstünde und ihr zu antworten wüßte ...« – hatte die Silfverstolpe recht? Gab es denn den Partner? War Bettines Inschrift auf dem Denkmals-entwurf für Goethe: »Dieses Fleisch ist Geist geworden«, diese Antithese zum Faust-Prolog nicht die Perversion des Menschen-Möglichen und Ursache all ihrer getäuschten Illusionen, ihrer immerwährenden Überforderung des Partners? Oder vollzog sie mit diesem Willensakt die Vorwegnahme der Erfahrung von der existenziellen Einsamkeit des Ich, das sich allein außer sich selbst noch zu verwirklichen, noch abzugrenzen vermag – Schöpfer, nicht mehr Geschöpf? Fühlte sie, genialisch krisen-empfindlich oder einfach nur überwach für die Strömungen unter der Zeit, die Auseinandersetzung zwischen der Philoso-phie der 30er und 40er Jahre mit der christlichen Tradition voraus, diese Umstülpung des Denkens, die die Forderung nach dem Primat des Menschen hinterließ und die revolutionären Bewegungen des 19. Jahrhunderts legitimierte?

Sie ging damals häufiger als früher bei Schleiermacher aus und ein, von dem sie nicht wußte, ob er der größte Mann seiner Zeit wäre, »aber der größte Mensch ist er gewiß«. Sie emp-fand geistigen Genuß an seinen Predigten und war wie alle Gebildeten Berlins von der Art, wie er den Konfirmations-unterricht hielt, angetan. Selbstverständlich schickte sie ihre Söhne zu ihm in den Unterricht. Die Denkanstöße, die Schleier-macher weitergab, erregten ihre Intelligenz. »Das Christen-tum verstand sie gar nicht«, heißt es in den Erinnerungen von

Schleiermachers Stiefsohn Ehrenfried von Willich. Ihrer Ansicht nach mußte alles Gute unsterblich sein.

Und wieder sehen wir Bettine zu Weihnachten 1826 am Bett des scharlachkranken Kühnemund, dem sie ein Bäumchen mit Lichtern ins Zimmer gestellt hat und dem sie seine gedunsenen, fiebrig zuckenden Finger besänftigt, während Maxe und Armgard getrennt von ihnen feiern müssen und die großen Brüder nach Wiepersdorf geschickt worden sind, um möglichst die Ansteckung zu verhindern. »Du kannst Dir wohl denken, daß Weihnachten nicht sehr brillant bei mir ausfiel.« Wochen der Isolierung, in denen sie mit Schrecken eine neue Schwangerschaft feststellen muß. Wir sehen sie später im Frühjahr in den drei Monaten des Wohlbefindens energisch die Schulnöte der Jungen anpacken. Wir hören sie aber auch an den Abenden, an denen der junge Professor Leopold Ranke bei ihr ist, reden, begeistert, reden zu dürfen. »Diese Frau hat den Instinkt einer Pythia; eine so strömende Beredsamkeit in bewegten oder geistigen Augenblicken ist mir noch nicht vorgekommen; wer wollte ihr aber alles glauben? Sie hat Anmut und Eigensinn, Liebenswürdigkeit und nicht.«

Je mehr Bettine auf den Alltag angewiesen war, desto offener wurden die Grenzen ihres Bewußtseins; Träumen, Phantasieren, Urteilen gingen ineinander über; ihre Intelligenz war ohne festen Gegenstand immer dem Chaos nahe. Darum auch ihr Bedürfnis nach Menschen; der banale Alltag beschäftigte, verschliß sie, aber forderte sie nicht heraus. Doch wenn sie einen Gedanken verfolgte, einen Menschen oder eine Situation darstellte, hatte sie noch immer die zugreifende Sprache ihrer Jugend, die in den sich hinschleppenden Phasen der Erschöpfung kaum mehr zu ahnen war. »Was bei Deinen Werken den Leuten ein Anstoß ist, das empfinde ich auch«, schrieb sie Arnim über seine Novellen ›Landhausleben‹, »aber ich entwickle es aus einer andern Ansicht, wobei Du nicht zu kurz kommst; es deucht mir, ich habe ein Sieb in Händen, wo ich mit leisem Rütteln die Goldkörner von der Sprei reinige, während andere einen Genuß an der eigenen Weisheit haben, und je vorzüglicher und bedeutender ihnen etwas scheint, je wichtiger ist es ihnen, sich darüber zu erheben und zu beweisen, daß sie es besser verstehen.« Ein andermal schilderte sie wieder ironisch, ohne Hohn, August Wilhelm Schlegels Gebahren und Aufmachung, die für einen deutschen Gelehrten recht ungewöhnliche prahlerische Eleganz seines Auftretens, seine Selbstsicherheit. Schlegel hielt im Mai und Juni 1827 Vorlesungen über die ›Theorie und Geschichte der bildenden Künste‹, ein gesellschaftliches Ereignis wie im Spätherbst darauf Alexander von Humboldts Vorlesungen über Natur und Philosophie, in denen er die Grundzüge des ›Kosmos‹ entwickelte, und laut Nachricht von Wilhelm von Humboldt zwischen 1300 und 1400 Zuhörer hatte (während Varnhagen nur 400, Bettine 800 angibt). Für sie fanden diese epochemachenden Ereignisse am Rande ihres Lebens statt. Sie hatte kein Geld, sich für die Vorlesungen einzuschreiben, hörte nur davon und darüber sprechen und begegnete den Berühmtheiten in der Gesellschaft. Durch Varnhagen, dem sie nach seiner wohlwollenden Besprechung von Arnims ›Landhausleben‹ nähertrat, eröffnete sich ihr ein neuer Erfahrungsbereich. Der nimmermüde Kritiker der Verhältnisse erschloß ihr politische Zusammenhänge, lehrte sie Mißstände sehen, die sie bis dahin kaum beachtet hatte. Seine Beflissenheit und Gefälligkeit unterschied ihn von ihren Bewunderern, eine seltsam zögernd begonnene Bekanntschaft, die niemals erotisch wurde, eher Kameradie, wie sie gemeinsame, auf Umstände außerhalb des Intimbereichs gerichtete Interessen entwickeln, und für Bettines spätere Jahre entscheidend. Von den hämischen Bemerkungen, mit denen Varnhagen in seinen Aufzeichnungen nicht sparte, hat Bettine entweder nichts geahnt oder sie waren ihr nicht wichtig genug. Ein Paar, das niemals ein Paar wurde, demonstrierten Bettine und Varnhagen eine sehr moderne, erst mit der Emanzipation der Frau selbstverständlich werdende Gemeinsamkeit zwischen den Geschlechtern.

Damals, als Bettine die Varnhagens zu besuchen sich trotz der Vorbehalte der Familie nicht scheute, war sie noch vornehmlich von Rahel angezogen, deren schlemihlhafte Melancholie ihrer eigenen Außenseiterstimmung so nahe war. Trotz Austausch von Erziehungsfragen – Rahel nahm ja im Alter gern die Kinder ihrer Verwandten für einige Wochen ins Haus, denn sie litt erst da unter ihrer Kinderlosigkeit – war die Begegnung der Frauen keine eigentliche Frauenfreundschaft wie die Freundschaft zur Helvig, sondern entstand und erhielt sich aus gegenseitiger Bewunderung, auch als Rahel eifersüchtig auf Leopold Rankes Zuneigung für Bettine wurde. »Sie ist klüger als er«, schrieb Rahel, nachdem Arnim ihr wohl auf Bettines dringenden Wunsch die Geburt des siebenten Kindes, der Tochter Gisela angezeigt hatte, und teilte weiter mit, daß Bettine viel Milch hätte, um auch dieses Kind zu stillen, und darauf stolz wäre – undeutlicher Neid auf das erfüllte Leben der anderen. Denn noch war die Eifersucht auf Ranke nicht abgeklungen, obwohl er sich schon auf dem Wege nach Wien befand, und Bettine ihn noch vom Wochenbett aus der Familie in Frankfurt anempfohlen hatte: »Er ist vom ersten Rang wissenschaftlicher Bedeutung, und im Umgang ist er der heiterste, harmloseste Geselle, Savignys Lieblingsunterhaltung.« Rahels Schärfe war nicht berechtigt, Bettine hatte nie einen Hehl aus der sehr jungenhaften Zuneigung Rankes gemacht und ihn halb amüsiert als »Hänsper« und »Haushammel« und »Schillerjaner« charakterisiert. Sie verstand Rahels Einsamkeit, sie begriff, daß die so geistreiche, ihr so ebenbürtige Frau unter dem unausrottbaren Vorurteil gegen die emanzipierte Jüdin litt. Wie sie Veilchen in Frankfurt und Ephraim in Marburg bewundert hatte, bewunderte sie Rahel, die den Umständen zum Trotz und wenn auch vom Alter hexenhaft gekrümmt die Frau war, die die berühmten Reisenden und die jungen Dichter in Berlin aufsuchten. Sie bewunderte in der anderen die ihr so verwandte Begeisterungsfähigkeit, die Aufgeschlossenheit und Unvoreingenommenheit, den Gegenentwurf von sich selbst. Rankes Charakteristik Bettines entspricht seiner Charakteristik Rahels, nur daß die jüngere Bettine dem jungen Mann näher war. »Dies verwunderungswürdigste Geschöpf ist sozusagen in eine Mitleidenschaft der Natur gezogen, obwohl sie eigentlich einsam lebt. Sie tappt mit der Wünschelrute, mit ihren Gedanken, oft lange hin und her, bis sie einschlägt. Dann ist ihr Predigen ein Weissagen und die Fülle des Lebens gebiert sich in ihr wieder. Dabei ist sie ein prächtiges Kind, ein Spielhänschen ohnegleichen: unartig, daß es eine Lust ist, gutgesinnt; in aller ihrer Misère unerschrocken. Schade ist es, daß ich...« Wie erschrocken, zu viel preisgegeben zu haben, unterbrach Ranke die Darstellung.

Entfremdung und liebende Sorge

»Arme Bettine«? Nein. In ihrer unsäglichen Geduld mit Arnim, der ihr den Umgang vorschreiben wollte, ihr Freundinnen wünschte, antwortete sie ihm: »Wenn ich nur einmal Dein Gewissen erwecken könnte und Dir fühlbar machen, was Du Dir schuldig bist, was Du an Dir selbst versäumst, bloß weil Du ängstlich bist und nicht andern Geschäfte überläßt, an denen doch *Deine* Zeit Verschwendung ist. Du willst sparsam sein und verschwendest dabei Dein Bestes. So oft bete ich im geheimen Nachdenken über Dich, daß doch Gott die Freiheit der Jugend Dir wieder gestatten möge...« Sie wehrte sein immerwährendes Rechnen und seine Ermahnungen zur Strenge mit den Kindern ab: »Du spürst Sorge, weil Du sie im Charakter hast« und zählte dann auf, was alles sie ganz selbstverständlich entbehrte: »Ich trage nur Schwarz, auch keine Mütze, um die Wäsche nicht zu vermehren, trage jetzt einen 6 Jahre alten Winterhut; ich habe keinen warmen Mantel und lasse mir auch keinen machen, gehe nicht ins Konzert und Oper, obschon Musik mein einziger Lebensgenuß ist, kurz ich weiß keinen Artikel, der mich anklagte; aber Hemden muß ich für die Kinder kaufen. Gott hat mir das Glück geschenkt, daß ich mir mit dem Stift, mit dem ich schreibe, am Zeichenbrett manchmal die Grillen vertreibe; sonst lebe ich wie in der Bastille, nur mit mehr Sorgen und Unbequemlichkeiten wie die Gefangenen.« Fast verzweifelt über Arnims Lebensängstlichkeit, fand sie doch immer wieder die Kraft, sich zu freuen. »Heute ist der fünfte Sonntag seit meines Kindes Geburt, Arm und Bein müde, die Augen voll Schlaf, die Kehle voll Wiegenlieder, werde ich selbst zum Kinde, das sich wundert, in dieser geheimnisvollen Welt zu sein, statt sich zu beklagen.« Sie genoß ›Heiderlizchens‹ erstes Jahr, als wäre Gisela das Wunschkind, mit dem sie Arnim noch einmal an sich binden konnte.

Ihrer Energie war es zu danken, daß Arnim im Sommer 1828 eine Kur in Aachen machte, um seine rheumatischen Beschwerden zu lindern. »Deine Briefe von Halle und Kassel bewiesen mir schon, wie sehr Deine Seele nach reinem Genuß lechzte, und wie wohltätig diese Ausflucht auf sie wirkt.« Um ihn ja nicht auf den Gedanken kommen zu lassen, daß seine Reise sie traurig stimmte, erzählte sie ihm vom fehlgeschlagenen Aufstieg des Luftschiffers Jan Robertson, von ihres Hauswirts, Gerickes, Bauten auf dem Kreuzberg, wo er einen Jardin Tivoli einzurichten begonnen hatte. Sie fand wieder im Zeichnen Ruhe und freute sich an Schinkels Anerkennung. Sie arbeitete an dem Entwurf zum Fries ›Das Oktoberfest des Königs von Bayern‹ (das Fest war zum Andenken an die Vermählung Ludwigs I. gestiftet worden und mit Tierhatz und Rennen und Schaubudenseligkeit als Verbindung volkstümlicher Unterhaltung mit den Vergnügungen des Adels geplant). Sie hatte aber auch wieder den Arzt Necher, Leibarzt des Herzogs von Lucca, der in Berlin durch gute Heilerfolge von sich reden gemacht hatte, mit einem Empfehlungsbrief zu Goethe nach Weimar geschickt. Sie suchte noch immer »die Liebe der Unschuld und Schönheit«, den Bezirk der Unantastbarkeit, wenn auch nicht mehr mit der verzehrenden Sehnsucht vergangener Jahre.

Arnims Reiselaune verflog sehr rasch. Hatte er aus Aachen noch übermütig geschrieben: »Es gibt Tage, von denen man wohl sagen kann, daß sie gut sind« und in Frankfurt die Familie, besonders Clemens, dem er kurz begegnet war, mit der Wahrnehmungsfähigkeit wie eh charakterisiert, so klangen die Briefe aus Wiepersdorf wieder lustlos, streng, wie von Unruhe gezeichnet. Er litt wahrscheinlich mehr als er zugab, war immer überfordert und darum auch in Gesellschaft so zurückhaltend. »Beide (Arnims) gingen freundlich nebeneinander her. Beide waren viel in Gesellschaft, wenn sie aber zufällig zusammentrafen, so ging er fort, denn für ihn war es unbequem, wenn seine Frau, wie stets der Fall war, in seiner Gegenwart der Mittelpunkt eines huldigenden Kreises war, in dem sie stets fast ausschließlich das Wort führte.« Wenn sich die Ehe auch äußerlich so darstellte, wie sie Willich beschrieben hat, war doch gerade in den letzten Jahren Bettines liebende Sorge um Arnim unüberhörbar. »Mach, daß Du bald einmal zu Hause bist«, »Komme so bald wie möglich«, »Ich möchte Dir ein Himmelbett einrichten«, »Im Glauben an Deine Gesundheit fühle ich mich erleichtert«, »In der Hoffnung, daß ich Dich bald nahe haben werde« lauten Bettines Briefschlüsse, während Arnim fast immer und beinahe karg schloß: »Ich küsse Dich und die Kinder.«

Dennoch ließ er in diesen seinen letzten Jahren Bettine häufiger gewähren, kümmerte sich weniger um die Erziehung der Kinder, besuchte sogar mit seiner Frau zusammen eine Gesellschaft bei Varnhagens, bei der Bettine vielleicht nicht ohne Nebengedanken gebeten hatte, ihm Frau Cotta zur Tischdame zu geben. »Achim viel mit Cotta und Ludwig (Robert) und Heine«, notierte Rahel nachher. Arnim mochte die Wertschätzung des jungen Heine gespürt haben; er war ja, wenn er sich auch immer wieder in die Einsamkeit vergrub, durchaus gesellig, ein Freund des Übermuts, ein Feind aller ›Philisterei‹. Seine Freude an den ländlichen Festen war nicht aufgesetzt, er tanzte gern, er hatte Spaß an grotesken und makabren Episoden aus der ländlichen Umwelt und er hatte immer ein sicheres Qualitätsgefühl, das ihn sofort mit Heine verband. Die Unstimmigkeit zwischen Rahel und Bettine war vergessen, Rahel hingerissen: »So müssen Menschen sein: so ist Freundschaft; Menschenliebe; Einsicht; geöffneter Sinn.« Sie war entzückt von Bettines Meinung über die »Leute, die das Leibgericht essen« – so schlemihlhaft scheu und der Ablehnung der emanzipierten Juden durch die Gesellschaft durchaus bewußt, schrieb Rahel davon in ihrem Bericht an Varnhagen. Der hatte noch Zweifel an der Glaubwürdigkeit von Bettines Äußerung, sah sie immer noch zu sehr als die Frau von Arnim; »mich freut Gutes, das sich in ihr zeigt, zunächst für sie selbst, denn ich möchte ja lebensgern durchaus gut von ihr denken...« Sicher, es war schwer, Bettine hinter ihrem exzentrischen und dann wieder ganz realistischen Verhalten zu erkennen, sie kannte sich ja selbst kaum. »... Nur Menschen schadeten ihr; ... sie warteten dann schon, sie sollte etwas sagen; und dann täte sie's auch. Und das wäre immer schlecht.« Sicher sollten wir Rahel nicht beim Wort nehmen, aber es gelang ihr, in Bettine das Bewußtsein von Partnerschaft zu wecken, das Bettine so notwendig war. Immer erschien sie einsam, mitten im Wirbel einer Ballgesellschaft beobachtend, unbeteiligt; oder gab sich beschäftigt, um nicht zuzugeben, daß sie auf Nachricht, auf einen Geburtstagsgruß, auf irgendeine kleine Herzlichkeit von Arnim wartete, die ihm nur während seiner letzten größeren Reise über Nürnberg, München, Salzburg nach Wien noch gelang; oder gab sich sachlich, wenn sie ihre Erschütterung über Paganinis Konzert in Berlin knapp, fast zurückhaltend mitteilte oder über Platen ausführlich wurde, dessen Formalismus sie ablehnte – »Anapästen sind wahrscheinlich extra gute Windmühlen, bei denen es einerlei ist, ob sie edlen Weizen oder Unrat mahlen, wenn sie nur im Takte klappern ...« – oder auch Arnims Aufsatz ›Hamlet und Jacob‹ in Fouqués ›Berlinischen Blättern für deutsche Frauen‹ gegen die anderen Beiträge herausstellte. Immer wieder kam sie auf Schinkel und Schleiermacher zu sprechen, für die Arnim hohe Achtung hatte. Arnims Mißerfolg und Ungeschick, sich als Dichter darzustellen (heute würde man sagen: sich gut zu verkaufen), kränkte sie. »Du bist ein Dichter, und wenn Du mein Mann nicht wärest, wie sehr würde ich mich sehnen, eine Liebschaft mit Dir anzufangen, ja wie würde mich jedes kleine Gedicht, jede neue Erzählung aufs Neue zu Dir hinziehen, und so wahr ich leb', ich würde Deine alte Huzel von Hausfrau nicht schonen, die nichts mehr sich von Dir angedeihen ließ als das tägliche Brot, und das tägliche Sprechen, Schreiben, eheliche Küssen; ich müßte heimlich den Mann zum Küssen bringen, der eine Amra in Gedanken so zärtlich küßt. Weißt Du was schade ist, daß ich, die einzige, die Deine herrliche, weltgenießende *Seele* energisch ohne Furcht vor dem alten Ehemann umarmen könnte, gerade immer abwesend sein muß ...«

Aber Arnim verstand nicht, wollte oder konnte sie nicht verstehen, schwieg über seine literarischen Arbeiten, verbarg die Hefte vor ihr während ihrer kurzen Wiepersdorfer Aufenthalte, ging auf ihr Urteil über Platen nicht ein, ließ sie schreibend wie gegen eine Wand reden. Bettine gab nicht auf, ließ ihn teilnehmen an Ausstellungen, an Hochzeitsvorbereitungen in der königlichen Familie, an ihrer Lektüre, zeigte sich politisch informiert (Preußen vermittelte damals im russisch-türkischen Krieg), kritisierte die muffige Hofgesellschaft, ging auch auf Arnims Beschreibung des Lichtenburger Zuchthauses ein, die sie an Goethe weitergeben wollte. Der Meinungsaustausch darüber zeigte beide Arnims in einer dringlichen sozialpädagogischen Frage einig. Die Forderung nach der Reform des Gefängniswesens, die der Hamburger Arzt Dr. Julius, nach seiner Tätigkeit im Hamburger Armenanstaltsviertel und Studien des Gefängniswesens in England, 1827 in Berlin in seinen Vorlesungen über Gefängniskunde ausgesprochen hatte, hat Bettine im ›Königsbuch‹ wieder aufgenommen. Sie blieb mit Dr. Julius in Verbindung, der denn auch 1834 die bedeutende Übersetzerin deutscher Literatur ins Englische, Mrs. Sarah Austin, auf sie aufmerksam machte. Solche Übereinstimmung mit Arnim in Fragen der Öffentlichkeit rückt manche kritische Bemerkung Bettines über Eitelkeit, Larmoyanz und Frömmlertum der Leute aus dem Bekanntenkreis in ein anderes Licht. Beiden Arnims waren Falschheit, Pathos und Liebedienerei zuwider, beide waren hart mit sich selber und darum unkonventionell, beide kannten auch einer den anderen sehr genau.

Wie immer war Arnim auf Reisen überströmend und von einer jungenhaften Neugier für alle Umstände, die sich ihm darboten, war es die Bauweise der Salzburger Häuser, die österreichische Kreisverfassung, der Salzabbau oder die Donauschifffahrt. Und wie immer war er nach der Rückkehr sehr rasch wieder mürrisch. Bettine hatte seine Abwesenheit genutzt, um ihre Töchter Maxe und Armgard nach Frankfurt zu bringen, wo George und Sophie Brentano ihre Erziehung übernehmen wollten. Die Geschwister hatten wohl längst mit Sorge Bettines Überlastung mitangesehen und ihr Angebot war herzlich. Maxes Erinnerungen verklären denn auch die Rödelheimer Zeit. Auf der Hinreise hatte Bettine in Weimar Station gemacht, aber Goethe nicht sprechen können, der feste Besuchszeiten hielt. Sie war in Augusts Zimmer geraten, den sie betrunken fand. »Alles war gestaltet wie im Winter in einer Bärenhöhle, der Alte im Winterschlaf an der eigenen Tatze saugend und die Jungen eben im Begriff dazu.« Wieder in Berlin, traf der Tod von Schleiermachers jüngstem Sohn Nathanael an Scharlach die ganze Familie, besonders Bettines ältere Söhne, die Schleiermacher durch den Konfirmandenunterricht kannten. Siegmund schrieb Schleiermachers Grabrede ab, die damals in der Stadt Bewunderung erregte, Bettine hob den Text für Arnim auf. Der kam wegen des scharfen Frostes und einiger Termine erst im Neuen Jahr. Wieder ein Weihnachtsfest, das die Familie nicht gemeinsam verbrachte. »Es tut mir leid, daß Du nicht kömmst, doch kann ich Dir's nicht übelnehmen ...« Sentimental war Bettine nicht, eher herb geworden.

Und wieder Alltag, Streitigkeiten mit Dienstboten, Krankheiten; immer aber auch Anerkennung für Bettines Zeichnungen. Der Plan, ein Haus zu kaufen wegen Mietteuerungen und Hauswirtswillkür, ein Plan, der nicht ausgeführt wurde; Angst vor einer neuen Schwangerschaft; Bettines Wunsch, eine Badekur zu machen. Und dann kam die Julirevolution in Paris. Arnim erwartete von Bettine Nachrichten aus Frankfurt, wo

sie Station machen sollte. »Fast bist Du zu beneiden, daß Du ...
alle Ereignisse in Frankreich so viel früher, vielleicht sogar von
Augenzeugen erfährst. Vielleicht wird Dir diese Annehmlich-
keit durch das verhaßte Parteinehmen wieder gestört, wo jeder
leere Schwätzer statt die Ereignisse mit Verstand aufzunehmen, seine paar Ansichten hineinzutragen sich bestrebt.«

Aber Bettine kam in Frankfurt an, als ihres Bruders Georges ältester Sohn eben gestorben war und ihre Tochter Maxe
schwerkrank an Typhus darniederlag. Statt der Badekur folg-
ten lange Wochen der Pflege, Wochen der Trauer auch, in denen Bettines Tatkraft gefordert wurde, weil die Familie kopf-
los vor Entsetzen war.

Die Schneiderrevolution in Berlin

Ein Regensommer, ein Regenherbst. Die Revolution sprang
nach Belgien über, Unruhen in Dresden, Leipzig, Braunschweig,
Darmstadt und in Berlin. Der Herzog von Braunschweig wurde
vertrieben, in Sachsen, Kurhessen und Hannover wurden Ver-
fassungen erzwungen, in Berlin ließ die sogenannte Schneiderrevolution den Magistrat scharf eingreifen; die Folge waren
Übergriffe von Polizisten und Gendarmen, für die niemand verantwortlich sein wollte. Erst das Militär erstickte die Unruhen.
Das Unbehagen der Bürger steigerte sich, die mit ansehen
mußten, wie das Recht ihrer gewählten Stadtverordneten ge-
schmälert wurde. Aber noch schien die Stadt wieder zur Ruhe
zu kommen.

Bettine lebte während der Wochen in Rödelheim mit ihrem
schwerkranken Kind ganz isoliert. Noch auf der Hinfahrt nach
Frankfurt dachte sie über ihre Begegnung mit Ludwig I. von
Bayern in Brückenau nach, schilderte die Szene trotz ihrer Anspannung genau, so wie sie auch die Verzweiflung der Brentanos genau schilderte. Hier zeigte sich wieder ihre eigentümliche
Fähigkeit, fühlen und sehen, handeln und reflektieren vonein-

ander zu trennen, »kalt und feurig« zugleich zu sein, die ihre
Elastizität im Hinnehmen von Schicksal ausmachte. »Maxe, die
im Gesicht so verzerrt war, daß ich sie nicht mehr erkannte«,
erholte sich langsam. »Von Frankreich das Neueste: Die Fonds
sind sehr gefallen.« Und dann wenig später die bissige Kritik:
»In unserer Familie ist ein unseliger Stiefel (denn Geist ist es
nicht) von Nichtigkeit eingerissen, keiner denkt, keiner weiß,
keiner hat ein Bedürfnis zu wissen, was in der Welt vorgeht;
sie halten die Freie Reichsstadt für den Mittelpunkt, ja für die
Weltkugel selbst, und alles übrige für Staub und Dunst.« Bettine
war trotz der Isolierung Partei, wenn auch kaum so entschieden wie Arnim, der sich, anders als sie es getan hätte, scharf
gegen die Revolution aussprach: »Wäre der Magistrat (von
Brüssel) gescheit gewesen, er hätte die ganze Masse öffentlicher
Mädchen, von denen die Stadt wimmelt, statt der Bürgergarde
gegen den tobenden Pöbel anrücken lassen.« Oder: in Berlin
geht die »ganze Anregung von einigen Flaschen Branntwein
aus«, »im Voigtlande, Du weißt, da wohnt das ärmste Fabri-
kantenvolk, war auch Unruhe, ihre Freiheitslieder waren: Wenn
ener wees, wie enem is, wenn ener enen nimmt! Einer schrie
immer wie besessen: Es lebe Freiheit und Gleichgültigkeit! ...
Sie fragten einander: Gehst Du heut Abend zur Revolution?«
Trotz seiner entschiedenen Ablehnung des Aufruhrs waren Arnim politische Zusammenhänge geläufig, nannte er die Hoffart
des Braunschweiger Herzogs, die vormundschaftliche Gewalt
der Magistrate in Sachsen und die Begünstigung der Katholiken
durch den Dresdener Hof, die Spannung zwischen den Nieder-
ländern und Belgiern als Ursachen des Aufbegehrens, erkannte
»manche Wünsche« auch in Preußen unerfüllt. Das neue Zeitalter, das jetzt heraufkam, konnte er nicht erkennen, wie damals kaum jemand. Und er war anders als Varnhagen zu kon-
servativ, zu sehr auch eingebunden in die feudale ländliche Gesellschaftsordnung, um darüber hinaus Interessengruppen, politische Parteiungen, wie sie sich in den westeuropäischen
Industriegebieten schon formierten, wahrzunehmen. Er bedauerte zwar, durch die Sorge um Maxe und verzögerte Post auf

den Kongreß der Naturforscher in Hamburg und auf die Fahrt mit dem Dampfschiff nach Helgoland verzichtet zu haben, »welches mir unendlich viel Spaß gemacht hätte«. Der neugierige Junge in ihm, der Physiker und Bastler waren von der technischen Entwicklung begeistert, er hatte ja auch schon von Aachen aus die Englertsche Maschinenfabrik in Eschweiler besichtigt – aber was da heraufkam, war im vorwiegend agrarischen Preußen doch noch zu fremd.

So war denn nur wieder Arnims Lebensangst spürbar. Nur einmal begeisterte er sich noch an Schinkels Werderscher Kirche. Und Bettines erste Begegnung mit Görres freute ihn. »... sage ihm, daß ich seine politischen Schriften in diesen Tagen wiedergelesen, er würde sich wundern, wie seltsam anders so vieles gekommen, obgleich überall die richtige Ahnung großer Umwälzungen durchblickt.« Das ist noch einmal ganz der Arnim, der anders als die Freunde der Heidelberger Zeit sein Zukunftsbild nicht aus der Rückorientierung gewinnen wollte, der seit seinem Königsberger Aufenthalt nicht mehr an die Wiederherstellung mittelalterlicher Ordnungen geglaubt, sondern sich hinter die um 1810 so fortschrittlichen preußischen Reformpläne gestellt hatte.

Bettine verbrachte mit den Töchtern noch einige Oktobertage auf dem Gut der Firnhabers bei Georges Schwiegersohn und Tochter Clödchen und kehrte Anfang November mit Gisela nach Berlin zurück. Ende des Monats kam Arnim für drei Wochen in die Stadt.

Der Abschied von Arnim

Am 15. Dezember meldete er seine Rückkehr nach Wiepersdorf. Sie waren offenbar im Streit auseinandergegangen. Arnim sei von ihr gegangen, ohne sich noch einmal umzusehen, schrieb Bettine wenige Wochen später in dem erschütternden Brief an

Schleiermacher, in dem sie ihm Arnims Tod mitteilte. Streit um Kleinigkeiten, wie er in den Briefen oft aufgeflackert war. Noch immer gab es ja Auseinandersetzungen mit dem Hauswirt, der sie ausklagen wollte, und immer hatte Bettine Schwierigkeiten mit den Dienstboten, und immer warf ihr Arnim Verschwendung vor. Alltäglicher Streit. Beide waren nach dem Jahr der schlechten Ernte, der Krankheiten, der politischen Unruhe, der Enttäuschungen in ihren eigenen Angelegenheiten überreizt.

Arnim schrieb aus Wiepersdorf bemüht ruhig: »Der Himmel helfe weiter. Das gefährliche Jahr neigt sich zu seinem Ende, die goldne Zeit soll nun kommen.« Auf den Weihnachtsbesuch mußte er des Getreideverkaufs wegen verzichten. Um auch noch einen Termin mit dem Stadtrichter wahrzunehmen, verschob er die Abreise auf den 7. Januar. Da hinderten ihn dann Schmerzen in Knie und Fuß am Reisen. Er nahm noch die Nachricht von Niebuhrs Tod auf, ermunterte Bettine zum Ölmalen, schrieb an Savigny wegen der Schulden, die Bettine wegen seines längeren Ausbleibens hatte machen müssen. Und doch erscheint er in diesen Mitteilungen weit entrückt, müde wie nie zuvor.

»Mir ist Dein Bleistiftschreiben kein beruhigendes Zeichen und obschon ich in vollem Eifer in der Malerei bin, die mir so ganz über Erwarten gelingt, so hab ich doch vorderhand alle Lust verloren und mein Bild beiseite gestellt, bis ich weiß, ob Dir's wieder besser geht, denn aus Deinem Brief kann ich mich nicht vernehmen, ob Du wirklich die Wahrheit sagst.« Bettine kündigte ihren Besuch an, wenn sie bis Sonnabend keine bessere Nachricht hätte. »Die Kinder grüßen und ich küsse Dich von Herzen und mit der Sehnsucht, bei Dir zu sein«, schloß sie, nachdem sie noch mitgeteilt hatte, daß Savigny Justizminister werden sollte und daß Frau Niebuhr ihrem Mann nachgestorben war.

Drei Tage später, am 21. Januar 1831, starb Arnim. Am 26. Januar wäre er fünfzig Jahre alt geworden.

Er hatte eine Jagdgesellschaft im Hause, sich aber zurückgezogen und während des abendlichen Tees nach ›Franz Sternbalds Wanderungen‹ von Tieck gegriffen. Als der Diener das Geschirr abtragen wollte, fand er Arnim auf dem Boden liegend. »Unser Arnim ist nicht mehr. Wir erhielten gestern Vormittag einen Boten mit der Nachricht, daß er am Abend des 21ten an einem Nervenschlag plötzlich und schmerzlos gestorben sei... Niemand von den Seinigen war bei ihm auf dem Gute. Den Jammer der armen Frau und der verwaisten Kinder können Sie sich denken. Gestern im heftigsten Ausbruch des Schmerzes sprach sie mehrmals von Ihnen beiden: Bei Ihnen möchte sie sein. Sie hätten ihn recht gekannt und geliebt...« Am 25. schon antwortete Jacob Grimm auf diese Nachricht Savignys, denn Wilhelm, der auch auf den Tod lag, mußte die Nachricht noch verheimlicht bleiben. Er hatte die Krise überwunden, als Bettines großartig gefaßter Brief vom 1. Februar eintraf. »Dem Wilhelm ist zugedacht, daß er seinen Nachlaß ordne, er soll sich darauf freuen, denn es wird für ihn gewiß der reichhaltigste Lohn daraus erwachsen, ich sage Euch, tausendfältiges Neue und was Ihr nicht in ihm geahndet, das werdet Ihr entdecken, Arnim war so bescheiden, ja so keusch mit seinen Poesien, daß es Pflicht ist, diese Bücher, die er so sehr gehütet, daß er selbst nicht litt, wenn man sie von außen berühren wollte, nur mit dem reichsten kindlichsten Herzen anzuvertrauen, und dazu seid Ihr mir ausersehen und vorab der Wilhelm, der schon einmal der Bote Eurer unverbrüchlichen Treue war und dem er so manches hingab, was er andern verweigerte...« Zehn Tage nach dem wilden Schmerz, von dem auch Varnhagen, den sie wegen des Nachrufes hatte zu sich kommen lassen, berichtet, hatte Bettines eigentümliche Fähigkeit, inmitten der Realität den Abstand zur Realität zu finden, ihr schon die Kraft gegeben, Arnims Tod zu verklären. »Daß Gott Wohlgefallen an ihm habe, gilt mir sein Tod. Der göttliche Meister hat ein Kunstwerk aus seinem Lebenslauf gebildet, und sein schöner Geist reifte ihm ungestört entgegen, und es erwuchsen ihm Flügel infolge seiner Reife und so ist er seinem Schöpfer entgegengeflogen, ohne Schmerz, ohne Abschiedswehmut, leicht wie ein Kind, das der Vater von der Erde aufnimmt, um es zu küssen. Bedauert mich nicht, Ihr lieben Brüder, ich bin sein Weib und habe seine Kinder unter dem Herzen getragen, es ist sehr viel Schönes in diesen Kindern, ich soll noch eine Weile mit diesen Kindern sein, und diese Prüfung meiner Liebe soll mich ihm neu vermählen. Der Ring, den er zwanzig Jahre als Zeuge unbefleckter Treue am Finger getragen, steckt jetzt wieder als Verlobungsring für die Ewigkeit an meinem Finger.« Und sie bekannte, daß sie sich wie eine Braut fühlte, deren Bräutigam noch durch die Welt zöge.

Der hohe Schwung dieses Briefes, die strömende Sprache mag den erschrecken, der Bettines Beredsamkeit nicht immer schon als die ihr eigentümliche schöpferische Kraft begriffen hat, die, oft genug verstummt, sich dennoch nie hatte bändigen lassen. Der Tod hatte für sie nichts Endgültiges. Die Sprache, die Verfügbarkeit der übernommenen und durch ihre außergewöhnliche Affinität, ihre genialische Aufnahmefähigkeit angereicherten Bilderfülle trug sie über die Verzweiflung hinweg.

Über ihre Verklärung Arnims ist viel geschrieben worden, und sie hat selber dazu beigetragen. »Wenn mir die Stimme im Herzen zuruft: siehe, da geht er hin, so sehe ich eben am Himmel sein paradiesisch Gewand mit den letzten Strahlen der Sonne dahingleiten und ich glaube, daß sein Fuß die duftenden Wiesen betritt ... An Goethe habe ich so viel gedacht«, schrieb sie an die Weimarer Freundin Caroline von Egloffstein; und Ranke, der im Frühjahr 1831 wieder nach Berlin kommt und eine Wohnung über ihrer Wohnung bezieht, erzählte sie von den Träumen ihrer Kinder, in denen ihnen der Vater begegnet war, und behauptete, Arnim nicht verloren zu haben; da die Menschen mit einander auch in der Liebe oft nur in einem Scheingespräch seien, von dem ihr wahres Dasein nichts wisse ... so trete man durch den Tod mit jemand in eine wahrere, tiefere Gemeinschaft, als die das Leben erlaube. Die Alltagsnot war verblaßt, die Schroffheiten und Launen, die beiden so viel zu schaffen gemacht hatten, waren wie Schlacken liegengeblieben. Den Ablösungsprozeß der Trauer vollzog Bettine verbal, so wie sie als Mädchen schon jeden Abschied verbal überwunden hatte. Sie leistete die Tansfiguration des Schmerzes. Sie negierte es, Geschöpf zu sein, also zu erleiden. Sie nahm auf sich, was ihr zugestoßen war. Einsam. Streng. Es gibt kein Zeugnis kleinlichen Zauderns aus diesem Jahr zwischen Arnims und Goethes Tod.

Neue Aufgaben

Gewohnt, allein zu leben, brauchte Bettine ihren täglichen Rhythmus nicht zu ändern. Savigny hatte neben der Vormundschaft für Niebuhrs Kinder auch die Vormundschaft für Arnims Kinder übernommen. Wiepersdorf wurde verwaltet, bis Freimund das Labessche Erbe antreten konnte. Wilhelm Grimm kam in diesem Sommer noch nicht nach Wiepersdorf, da er Jacob im Göttinger Lesesaal vertreten mußte, der nach Abschluß des dritten Bandes der Grammatik zu Studien in anderen Bibliotheken genötigt war. Im Sommer brach die Cholera in Berlin aus, die bis zum Winter 1426 Menschenleben forderte. Die neue Seuche, die schon während des russisch-türkischen Krieges aufgetreten war, breitete sich nach Westen aus. Dienstbotengerüchte sprachen von Brunnenvergiftung durch die Juden. Die Ärzte waren wegen der noch mittelalterlichen Hygienevorrichtungen in der Stadt und den menschenunwürdigen Wohnverhältnissen im Vogtland in den Mietskasernen des Herrn von Wülknitz hilflos gegen die Seuche, denn Absperrungsmaßnahmen waren kaum durchführbar und hätten Handel und Verkehr, ohne den eine Großstadt nicht existieren konnte, zum Erliegen gebracht. Die seit 1819 bestehende Armendirektion, für die in den Stadtbezirken Armenkommissionen tätig waren, wurde durch die Seuche überfordert. Der Versuch, der Verelendung durch Verwaltungsmaßnahmen Herr zu werden, der 1826 mit der Armenordnung und Abschaffung der Bettelvögte gemacht worden war, schloß menschliche Unzulänglichkeiten

nicht aus. (Der Etat für die Armenverwaltung stand an zweiter
Stelle im Berliner Haushalt.) 1847 während ihres Magistrats-
prozesses schrieb Bettine Notizen für die Presse nieder, in denen sie auf solche Unzulänglichkeiten während der Cholera-
epidemie von 1831 hinwies, um darzustellen, wie sie in dem
für sie so einschneidenden Jahr ganz neue Erfahrungen mit
der Realität hatte machen müssen.

Sie hatte zusammen mit anderen Frauen Geldsammlungen für
den Einkauf von Bekleidung und Nahrungsmitteln organisiert;
Schleiermacher übergab ihr regelmäßig die um Hilfe flehenden
Briefe der Armen, nannte ihr auch den Stadtrat Pr. in der Fr.
Straße, der als Berater der Armen bekannt wäre und eine Niederlage in Wolle hätte. Der Stadtrat bedauerte, wegen der Cholera keine Decken am Lager zu haben, und schlug Bettine vor,
neue, sehr teure zu beschaffen. »Sie trappelte mit den Füßen
und sagte: sie schüttle denStaub von ihren Schuhen, denn sie sei
nicht in das Haus eines rechtlichen Mannes, sondern in eine
Mördergrube gefallen, eines Wucherers, der sich an den Wohl-
taten der Armen bereichern wolle!« und sie stellte dar, wie sie
den Stadtrat Pr. des Wuchers überführt hatte. Sie schilderte
auch, wie sie den Markt von Schuhen leerkaufte, die die Knaben
dann an einer langen Stange vor ihr hertrugen, und wie sie Le-
der aufkaufte und Schuhe nähen ließ, wie ihre Wohnung sich in
Werkstatt und Lager verwandelte und sie täglich homöopathische Mittel verteilte, mit denen sie bei der Behandlung der
Krankheiten ihrer Kinder die besten Erfahrungen gemacht
hatte. (Die damals noch so verbreitete Praxis des Aderlassens
und Schröpfens versagte ja gerade bei den Infektionskrankheiten.) »Es war im Jahr der Cholera, wo sie zum erstenmal und
zwar ohne Vorbedacht mit den verschiedenen Gilden hiesiger
Stadt in Berührung kam; dies geschah auf so natürlichem Weg,
daß sie gar nicht den bisher so beschränkten Kreis, worin sie
sich bis dahin bewegt hatte, verlassen zu haben meinte, als die
Proletarier der ganzen Stadt von dem verehrlichen Müller-
gewerk an durch alle Farben hindurch bis zu dem der Schorn-
steinfeger morgens vor Sonnenaufgang schon ihre Türe bela-

gerten, um die wohltätigen Mittel der Homöopathie, Bella Donna als Präservativ gegen die Cholera, sich zu holen ...« Sie erwähnte auch die Danksagungen der Gilden nach dem Abklingen der Seuche.

Sie hatte eine neue Lebensaufgabe entdeckt, die sie damals kaum schon dafür ansah. Aber sie war bereit gewesen zu helfen, wo Hilfe not war. Sie hatte gesehen, was sie nicht mehr vergessen konnte, auch wenn sie sich hernach wieder in sich selbst zurückzog, um einzulösen, was sie von sich erwartete. Denn noch hatte sie das eigene Ich, an dessen Unsterblichkeit sie wie an die eines jeden Ich glaubte, nicht eingegrenzt. Sie blieb ja nicht nur ihrer familiären, sondern auch ihrer geistigen Herkunft nach zwischen dem humanistisch-idealistischen und dem sozialistisch-materialistischen Persönlichkeitsbegriff unentschieden, ohne die Tragik dieses Konflikts, die erst den Europäern des 20. Jahrhunderts vorbehalten war, schon zu spüren. Es gelang ihr schließlich – und die noch vorindustrielle Gesellschaft widerlegte sie nicht –, beide Möglichkeiten der Selbstverwirklichung nebeneinander zu leisten.

Noch war sie fast täglich bei Schleiermacher, und immer brachte sie die Unterhaltung auf einen Gegenstand, der sie gerade beschäftigte, sie war »wie ein großer Virtuose, sie präludierte und fuhr dann fort, ein wahres Feuerwerk, ein Zaubersprühen von geistreichen Bemerkungen in die Luft steigen zu lassen«. Sie saß auch immer auf dem Boden oder einem Schemel, und sie duzte Schleiermacher, dem das zusagte, weil er auch gern das Du gebrauchte. Es gab kleine Verstimmungen vornehmlich über den Einfluß, den die somnambule Frau Fischer auf Schleiermachers Frau Henriette nahm; Schleiermacher klagte, daß er in dem immer gastfreien Haus keinen ruhigen Platz zum Arbeiten fände, aber er war so gesellig, daß er auch in dem Sommerhäuschen am Schafgraben immer Gäste hatte. Ein wenig verwunderte ihn das Ansehen, das er nach den Jahren der Verfolgung nach dem Juliaufstand 1830 jäh bei Hofe genoß. Der ›Messager des Chambres‹ hatte ihn während des Aufstandes als Koryphäe der Liberalen in Preußen gefeiert und seinen

Gegenartikel nicht gebracht, den er daraufhin in der konservativen ›Staatszeitung‹ veröffentlicht hatte. Wie so oft die Anreger
der Opposition war Schleiermacher vor der Gewalt zurückgeschreckt. Doch weder darüber noch über Gutzkows Kritik dieses Entschlusses wurde zwischen Schleiermacher und Bettine gesprochen. »MeinVerhältnis zu ihm war so: in seiner Nähe fühlte
ich meinen Geist aufgeregt zur genialsten Erkenntnis, und das
war mir die höchste Lust, und das danke ich ihm, daß ich einen
Fortschritt gemacht habe in der Bekanntschaft mit mir selbst.«
Er »war zu gut gegen mich, mein ganzes irdisches Schicksal,
alle Not des täglichen Lebens und noch obendrein die Kümmer-
nisse, die meine gereizte Empfindung und mein bedürftiges
Herz mir erregten, durfte ich ihm mitteilen ... ich war drauf
angewiesen und hatte außer ihm keinen Halt und weiß auch,
daß ich hinfort keinen mehr finden werde.« Bettine fand bei
Schleiermacher das Zuhausesein, die Geborgenheit, die ihr die
Ehe lange nicht mehr gewährt hatte. Eindeutiger als zwanzig
Jahre vorher Goethe hatte sie Schleiermacher die Vaterrolle
zugedacht. Die frivole, von der Hysterie der Wechseljahre sicher provozierte Bemerkung, Schleiermacher hätte die Milch
ihrer Brüste trinken müssen, »dann hätte sich Deine Weisheit
vollkommen und ohne Anstoß entwickelt«, widerlegt das nicht.
Die verbale erotische Unbefangenheit, die Schleiermacher selbst
immer ausgezeichnet hatte, bedeutet für Bettine wieder wie
in der Mädchenzeit die Freiheit der Rollenwahl: Mädchen, Frau
oder Kind, ihre Kraft drängte nach der Erfüllung aller Rollen.

Ihre erste soziale Aktivität während der Cholerazeit ist von
der Bindung an Schleiermacher geprägt. Sie war kein politischer Kopf par excellence, sie wurde von Gefühl und Mitgefühl und der Begabung zum praktischen Handeln mit der
Realität konfrontiert und hat dann erst mit Leidenschaft und
einem nicht angeborenen Sachverstand die grundlegenden
Kenntnisse für sich erarbeitet, ohne die ihr späteres Wirken
nicht zu denken ist. Noch verwirrte ihr »das ununterbrochene
Well auf Welle Hinwallen des Lebensstromes die Sinne«, wie
sie Goethe in dem kleinen Brief vom 8. März 1832 gestand,

den sie Siegmund mitgab, um ihn in Weimar zu empfehlen, bevor er seine Bildungsreise nach Frankreich antrat. Noch war sie nicht frei von der Schwere, Geschöpf zu sein.

Siegmund wurde vom 10. bis 15. März als Gast in Goethes Haus aufgenommen. Die Stammbuchverse, nach Eckermann Goethes letzte Niederschrift, die er dem Sohn Arnims und Bettines ins Stammbuch schrieb, sind in ihrer Doppeldeutigkeit eine unüberhörbare Zurückweisung Bettines: »Ein jeder kehre vor seiner Tür. / Und rein ist jedes Stadtquartier: / Ein jeder übe seine Lektion, / So wird es gut im Rate stohn.«

Wir wissen nicht, wann und ob Bettine diese Eintragung gelesen hat. Sie erbat schon Anfang April von dem so gutmütigen und ihr wohlgesinnten Kanzler von Müller ihre Briefe an Goethe zurück. Wieder kamen ihr die Worte des Abschieds leicht über die Lippen: »Auferstanden von den Toten, aufgefahren in den Himmel, allwo er wiedererkennen wird die Freunde, deren Seelenspeise er bleiben wird bis zu ihrem Übergang. Nun, lieber Freund, ich gehöre zu diesen, die nur in ihm Leben haben...«

Tod, Abschied, Trennung – die erste Hälfte der dreißiger Jahre sind voller Erschütterungen für sie. Arnim stirbt 1831, Goethe 1832, Rahel 1833, Schleiermacher 1834, ihr jüngster Sohn Kühnemund verunglückt 1835 – Erfahrungen, die jede andere Endvierzigerin zerstört hätten. Bettine aber bereitet sich in diesen Jahren auf die dritte Lebensphase der Frau vor, die nur wenigen so zu leisten vergönnt ist; hysterisch, aber auch gleichgültig, übermütig, aber auch tief melancholisch läßt sie die Schwere des Geschöpf-Seins zurück.

Die häufige Trennung von Arnim, ihre Unfähigkeit, die Trauer anders als verbal darzustellen, ihr Umgang mit Männern, die in der Gesellschaft etwas galten oder begabt und jung waren, ihr Verhältnis zum Fürsten Pückler, das uns noch beschäftigen wird, und die Unkenntnis der Ehebriefe haben das Bettine-Bild bestimmt und die von ihr bis fast zum Ende des eigenen Lebens durchgeführte Herausgabe der Schriften Arnims als bloße Pflichterfüllung unterbewertet. Die Ehebriefe enthüllen jedoch bei aller Gegensätzlichkeit der Äußerungen, wie stark die Bindung beider in ihrem zwanzigjährigen Bemühen umeinander gewesen ist. Beide errichteten sich jeder eine außerreale Gegenwelt: Arnim in der stillen, dabei oft hastigen Arbeit an seinen Dichtungen, die in ihrer Phantastik und psychologischen Abgründigkeit die Übersensibilität bestätigen, die ihn zu Strenge und Pedanterie nötigte, um den Aufgaben als Gutsherr und Vater gewachsen zu sein, während Bettine die Menschen, die sie achtete, illusionär überhöhte, um ungestörter verehren zu können. Sie war in ihrer Vielbegabtheit inmitten der Unruhe des Familienlebens hilfloser als Arnim, der seine Dichterlaufbahn schon erprobt hatte, als er sich zur Ehe entschloß. Seine Not ist das Nachlassen der schöpferischen Kraft, Bettines Not das Andrängen noch ungeformten Erlebens. Die langfristigen Trennungen, oft beklagt, haben ihnen beiden die Freiheit gegeben, sich nicht gegenseitig zu zerstören. Arnim, der ekstatische, rhythmusgetriebene, fast atemlose Dichter, brauchte die Zurückgezogenheit; Bettine, nicht eigentlich erfinderisch, sondern eine sehr weibliche, im Aufnehmen schöpferische Begabung, brauchte Begegnungen, Menschen, Gespräche das Dabei-Sein, um sich zu entdecken. Daß beide, ganz und gar keine Bohèmiens trotz gewisser Nachlässigkeiten, die Arnim an Bettine tadelte (das Umherliegenlassen der Briefe, die Unaufmerksamkeit für die Haushaltsvorräte), und die Bettine an Arnim verspottete (seine Nachlässigkeit in der Kleidung, seine Vergeßlichkeit), ihrer Alltagswirklichkeit nicht unterlegen sind, bestätigt ihre Ehe inniger als Bettines in der Abwehr des Schmerzes allzu rasche Transfiguration ihrer Liebe zu Arnim.

»Liebe Frau! Es ist mein erster Brief, worin ich Dich Frau nenne, Du glaubst nicht, wie mich das geschrieben überrascht und erfreut, gleich Deinem Briefe, wo Du Dich mein Weib unterzeichnet hast...« Wie lange war das her, als Bettine am 18. Januar 1831 schrieb: »Ich wollte doch nur, daß Du erst hier wärst, so wollte ich Dich gewiß nicht so bald fortlassen...«?

Wenig später stand sie erschüttert vor der Fülle von Arnims Nachlaß in seinem Zimmer in Wiepersdorf vor »diese(n) Bü-

cher(n), die er so sehr gehütet, daß er selbst nicht litt, wenn
man sie von außen berühren wollte«, und nahm dann auch die
versiegelten Packen der Briefwechsel ihrer Jugend in die Hand.
Sie begriff, daß nichts vorbei war, soviel auch geendet hatte.

»Sie ist zu einer unmittelbaren Anschauung der Verhältnisse
zwischen Gott und Menschen geläutert«, notierte Ranke.

Sie war unzerstörbar.

III   Das Ich Bettine

. . . ich fühlte eine Bewegung zum Handeln . . .

›Goethes Briefwechsel mit einem Kinde‹ — das erste Buch

›Goethes Briefwechsel mit einem Kinde‹ erschien 1835, der erste der vier Briefwechsel, die Bettine veröffentlichte. Ihre Laufbahn als Schriftstellerin begann. Sie benutzte den originalen Briefwechsel, stellte die Reihenfolge um, interpolierte und veränderte nicht nur die eigenen, sondern auch Goethes Briefe, und schrieb neue Briefe hinzu, wo die Komposition es gebot. Das war nichts Ungewöhnliches. Die philologische Akribie, die den originalen Brief als Dokument der Persönlichkeit unangetastet läßt, war ihrer Zeit noch fremd, das Bewußtsein von der Persönlichkeit noch so ungebrochen, daß es ohne Empfindlichkeit fremdem Eingriff ausgesetzt werden durfte. Nachdem im 18. Jahrhundert der Briefroman wieder literaturfähig geworden, war der Brief als Kunstform legitimiert. Friedrich Schlegel etwa hatte seiner Schwägerin Caroline geraten: »Sollten Sie jemals einen Roman schreiben, so müßte vielleicht ein anderer den Plan machen, und wenn nicht das ganze aus Briefen bestehen sollte, auch alles darin schreiben, was nicht aus Briefen bestehen sollte.« Die Grenzen der literarischen Gattungen vornehmlich zwischen Roman und Briefwechsel waren also unscharf. Die Briefform galt als literarische Domäne der Frau. So wurde ›Goethes Briefwechsel mit einem Kinde‹ bis zu Waldemar Oehlkes Textvergleich mit den originalen Briefen, die 1922 zum ersten Mal von Reinhold Steig veröffentlicht wurden, als Briefroman angesehen. So verbrannten die Ursulinen das Manuskript zur Buchausgabe, das ihnen Bettine in dankbarer Erinnerung an die Jahre in Fritzlar geschenkt hatte, als gottloses Machwerk.

Schon in der Gesprächsrunde bei den Helvigs während des Berliner Winters der Malla Montgomery-Silfverstolpe 1825/26 mochte Bettine an die Veröffentlichung ihres Briefwechsels mit Goethe gedacht haben. Anders hätte sie der Schwedin nicht beinahe zu viel von ihren Begegnungen mit Goethe erzählt. Ohne Scheu von intimen Erfahrungen zu sprechen war allerdings seit den Veröffentlichungen der Jenenser Romantiker Ausweis moderner Lebenshaltung, die Angst vor der Prüderie lockerte die Konversation zur Konfession auf. Es besteht kaum Zweifel, daß Bettine an Goethe sub specie aeternitatis geschrieben hatte. Die Familie hatte ihre Briefe ja schon immer als Literatur begriffen. Vor allem Savignys Anerkennung hatte Bettine bestärkt. Dennoch kam die Ermutigung von unerwarteter Seite.

Bettine hatte sich in einen Briefwechsel mit dem Fürsten Hermann von Pückler-Muskau eingesponnen, den sie nach dem großen Erfolg seiner ›Briefe eines Verstorbenen‹, die 1830 erschienen waren, bei Varnhagen kennengelernt hatte. Der Henrici-Katalog nennt 65 eigene Briefe und Briefentwürfe Bettines und 24 Briefe Hermann von Pückler-Muskaus. Die Zeitspanne des dort angebotenen Briefwechsels umfaßt die Jahre 1832–34. Leider sind uns nur wenige Stücke zugänglich geblieben. Die aber fügen dem Bild der hysterischen Endvierzigerin, das Pücklers Vorwurf von ihrer ›bloßen Gehirnsinnlichkeit‹ pointiert hat, das einer Frau hinzu, die sich zu ihrer eigenen Arbeit als Schriftstellerin vortastet und das Milieu, in dem sie lebt, auf irgend eine Weise aufsprengen möchte. Pücklers Beispiel ermutigte sie. Der Erfolg seiner Briefe, seine gesellschaftliche Unbefangenheit, sein eher modischer als tiefgründiger Liberalismus prädestinierten ihn zum Vertrauten ihrer literarischen Gehversuche. Daß Bettine unsicher war, zeigt der Brief vom März 1832, noch vor Goethes Tod, in dem sie ihre Begegnungen mit Beethoven beschreibt und schließt: »Ist die Geschichte Dir so recht? – Kannst Du sie brauchen? Soll ich Dir morgen noch eine schreiben? – Die vom Bär, vom Frankfurter Patrizier und dem Nachtwächter, alle drei noch am Leben.« Sie mußte sich ja erst wieder im Beschreiben einüben, und es war für sie nicht abwegig, daß sich daraus ein Briefverhältnis zu Pückler entwickelte, in dem sich wiederholte, was immer ihr mit Menschen zustieß: Sie verabsolutierte den Partner, um sich in die Rolle als Liebende zu steigern, die ihr die Zunge löste.

Die Familie sah die Beziehung nicht gern. Aber mit Schleiermacher konnte sie darüber sprechen, nannte ihre Liebe zu Pückler die Liebe zu einem Sünder, der ihrer und Schleiermachers Geduld bedürfte. Ein eigentümliches Dreiecksverhältnis entspann sich, in dem sie zugleich die Tochter- und Mutterrolle übernahm. Das Vertrauen zu Schleiermacher half ihr, die scharfe Abweisung durch den Fürsten im Spätsommer 1833 zu sublimieren. Wenn sie auch wenig später spottete: »Wer sich nicht ohne Staatskleid sehen läßt, / Wer sich nicht ohne Titel nennen läßt, / Der weiß nicht, was er ist«, so war sie doch damals im Park von Muskau so verloren wie nie vorher in ihrem Leben. Sie mußte begreifen, daß ihre Jugend vorbei war. Sie hatte den Park kennenlernen wollen, von dem sie so viel gehört hatte. Nach ihrer Aussage war der Fürst wider ihr Erwarten anwesend, und sie nahm auf seinen dringenden Wunsch teil am gesellschaftlichen Leben im Schloß. Nach seiner Aussage hatte sie es darauf angelegt, dazu aufgefordert zu werden, um sich vor der von Pückler geschiedenen Fürstin als Geliebte aufzuspielen. Sie beobachtete Pückler. Sie spürte, daß sie das Sohn-Mutter-Abhängigkeitsverhältnis zwischen den geschiedenen Eheleuten störte, die trotz der Verschuldung zur Schau gestellten fürstlichen Allüren kränkten sie, und sie reagierte, ungeschickt wie immer in solcher Lage, mit Aufdringlichkeit, so daß Pückler sie zur Abreise nötigte. Der Brief, den sie nach dem Abschied schrieb, war noch einmal von sexueller Erregung durchbebt. Seine schöpferische Leidenschaft, die Landschaft umzuformen, war ihr nahe. Sie war auch hellsichtig genug, hinter seiner vollendet fürstlichen Attitude das Unbehagen zu erkennen, die Unrast, die ihn ein Jahr später die große Reise über Frankreich nach Nordafrika, Griechenland, Ägypten und dem vorderen Orient unternehmen ließ. Wie sie da auf die Stunde zur förmlichen Verabschiedung von der Fürstin wartend zwischen den Baumgruppen, den künstlichen Hügeln und Seen umherging, mögen ihr die Abende bei den Varnhagens in Erinnerung gekommen sein, wo sie von Rahels Zuneigung inspiriert die Verluste und Enttäuschungen ihres Lebens vergessen hatte, und, von Varnhagens sachlichem Rat und der Schmeichelei Pücklers bestärkt, schon den Erfolg ihres Briefwechsels mit Goethe vorausgeahnt hatte, an dem sie arbeitete; Abende, an denen sie sich als Frau und schöpferisches Ich ganz bewußt geworden war wie in den Ehejahren lange nicht mehr. Rahel war nun im Frühjahr gestorben, Varnhagen damit beschäftigt, das Buch zum Andenken für ihre Freunde vorzubereiten, und schon an der schönen Marianne Saling interessiert, Fürst Pücklers Zuneigung war nichts als die Laune eines Dandy gewesen. Sie zählte nicht, als Frau nicht, als Mensch nicht, aber sie wehrte sich gegen die Schwermut, wild, aufbegehrend: »Sie nennen meine an Sie geschriebenen Blätter ›Raserei, die aus bloßer Gehirnsinnlichkeit‹ hervorgehe, die nur künstlich herangeschraubt sei und noch obendrein jeden Augenblick beseitigt oder irgend einem anderen zugewendet werden könne. Ich habe Ihnen nie etwas zuleid getan, was veranlaßt Sie zu solchen Auslegungen? Warum wollen Sie mit schauderhaften Ausdrücken eine Geistessituation herabwürdigen, aus welcher Ihnen Lust und Ehre, Heil und Nahrung Ihrer höheren Eigenschaften hervorgegangen wär? ich meine meine Briefe an Sie; den labyrinthischen Grazientanz jener Empfindungen, der in einer prophetisch poetischen Aufregung häufig den tieferen Wahrheiten vorangeht.« Und sie spielte, ob mit Recht oder nicht, auf ihr Verhältnis zum Großherzog von Sachsen-Weimar an, turandotesk, beinahe dirnenhaft, wenn sie nicht hinzugesetzt hätte: »Ich wollte mit Ihnen in ein Verständnis kommen, wo die Sprache selbst ihr Meisterstück macht, indem sie die kühnsten Mitteilungen verständlich macht. Ich wollte mit Ihnen besprechen, was niemand anders kann, ich glaubte, zwischen Ihnen und mir würden sich große Geheimnisse aufklären, wo Ihrem durstigen Herzen doch einmal ein Labetrunk gereicht würde, wo Ihrem Drang doch einmal ein Ziel gezeigt würde, nach dem Sie zu streben hätten.« Pückler nahm das Verhältnis weniger hochtrabend: »... Frau v. A., deren gute und glänzende Seiten ich nicht verkenne, und der ich gewiß für ihre unverdiente, zu gütige Gesinnung dankbar bin, hat mich dennoch durch den sonderbaren Einfall, sich in mich auf das passionierteste verliebt zu glauben, seit lange in wahre Verlegenheit gesetzt. Halb aus Scherz, halb aus Gutmütigkeit habe ich mir schriftlich alles gefallen lassen, nun kam sie aber hierher, und affichierte vor allen Menschen ein völliges Liebesverhältnis mit mir, auf eine so tolle Weise, daß sie mich zur Zielscheibe des Spottes der ganzen Gesellschaft machte ... unter uns gesagt, die Frau leidet an einer sonderbaren Geisteskrankheit. Mit achtzehn Jahren und Schönheit wäre diese Erscheinung sehr verführerisch, aber mit ihren Sechzigern ist es nicht auszuhalten.« Nun, so boshaft wie Varnhagen gegenüber zeigte er sich vor Bettine nicht. Aber sie hatte verstanden. Sie zog sich zurück. »Ich bin in einer schweren Arbeit begriffen, die mitten im Tumult aufgeregter Gefühle gesammeltes Denken und Gegenwart des Geistes fordert. Es ist das Ordnen meines Briefwechsels mit Goethe.« Sie verzieh. Und auch Pückler reagierte anders als Goethe. Er beantwortete ihre Briefe weiterhin, wenn er ihr auch das Du versagt hatte. Sie schrieb ihm nun von Schleiermacher, ob mit der Absicht, ihn zu bekehren, wie er zu Varnhagen äußerte, bleibe dahingestellt. Wir verdanken dem Umstand ihre Beschreibung von Schleiermachers Tod.

»Meine letzten Gespräche, die ich mit ihm (Schleiermacher) hatte, waren alle über Sie ... Er hat mich ermahnt, ich solle deutlicher mit Ihnen sprechen, damit Sie mich nicht mißverstehen könnten ... Er bot mir an, die Korrektur meines Buches zu übernehmen, er verlangte, ich solle mich nicht von der zwischen Ihnen und mir eingegangenen Verbindlichkeit losmachen. Er umarmte mich und sagte: ich habe ihm wohlgetan durch alles, was sich zwischen uns ergeben habe. Dieser Freund ist mir also geblieben bis zur Todesstunde – ich habe keinen mehr in Berlin und vielleicht auch keinen mehr in der Welt ...« Sie beschrieb ihre Totenwache an Schleiermachers Sarg und das große Begräbnis, das ganz Berlin auf die Beine brachte. »Schon vom frühen Morgen an waren alle Plätze besetzt, wo der Zug vorüber mußte, der von hunderttausenden in stiller Rührung begleitet wurde; während vier Stunden war die Stadt wie ausgestorben. Der Kirchhof aber wurde vor Mitternacht nicht leer, denn alle, die vor dem Gedränge nicht zu Grabe gekonnt hatten, besuchten es später ...« – »Schleiermacher ist mit feurigen Liebkosungen, in denen Sinn und Geist nicht mehr getrennt waren, seinem göttlichen Freund nachgeeilt; das müssen Sie im Genuß des Abendmahls erkennen, und nichts Äußerliches. Für den Himmel werden wir neu erschaffen. Wir sind die einzigen Geschöpfe, die Geist werden. Unsere geistige Vorbildung hier auf Erden begründet unsere Individualität jenseits. – Dies Streben in der Wissenschaft, in der Erkenntnis, ist der sinnliche Trieb, sich weiterfortzubilden. In wem dieser Trieb nicht lebendig ist, der stirbt ab, wie der Baum abstirbt, dessen Triebe stocken.« Bettine hatte sich gefangen, indem sie sich Schleiermachers Gedanken auslegte und ihr Leben daran maß. Manche der an Pückler mitgeteilten Gedanken erinnern an Kierkegaard, sind Vorwegnahme der von Berlin ausgehenden Reform der Theologie, an der Schleiermacher entscheidenden Anteil hatte und die David Friedrich Strauß' und auch Bruno Bauers Kritik am Christentum weitergetrieben haben. Für Bettine bleibt die Sinn-Geist-Identität und das Sich-Fortbilden, Schleiermachers »... Immer mehr zu werden als ich bin«, verbindliches Maß. Und wenn auch Pückler sehr frivol schreibt: »... dagegen habe ich ihr vergönnt, mich zum Christentum zu bekehren«, so verband doch beide die schriftstellerische Arbeit trotz mancher Ausfälle, mit denen Pückler nicht sparte.

In den Tagen von Schleiermachers Tod und Begräbnis erschien Pücklers zweites Buch ›Tutti Frutti‹, das durch seine Unvoreingenommenheit und Spritzigkeit zu einem gesellschaftlichen und literarischen Ereignis wurde. Noch vor Erscheinen seines nächsten Buches ›Andeutungen über Landschaftsgärtnerei‹, das, mit einem Kartenwerk verbunden, Zeugnis ablegt von seiner Sachkenntnis und Liebe zur Gartenkunst, ging Pückler auf seine große Reise. In diesem Buch war ein Aufsatz von Bettine abgedruckt, ihre erste, wenn auch anonyme Veröffentlichung als Schriftstellerin. Sie galt Schinkels Entwürfen zu den Fresken in der Vorhalle des Berliner Museums, deren Ausführung auf Widerstand stieß, und die erst nach Schinkels Tod von Cornelius ausgeführt wurden. Pückler hatte Schinkel in Muskau bauen lassen, Bettine war seit langem mit Schinkel befreundet und von seinen malerischen Arbeiten, die wenig anerkannt wurden, begeistert. Immer schon hatte sie betont, daß seine malerische Begabung durch die Fülle der Aufgaben als Geheimer Oberbaurat und Akademieprofessor zu kurz kam. Als Freund Arnims und Clemens Brentanos war Schinkel ihr Förderer bei dem eigenen graphischen und malerischen Bemühen gewesen, sein Urteil hatte sie bestärkt, gegen die Unrast der Familie über dem Zeichenbrett zu bleiben, sie vertraute ihm so völlig, daß Varnhagen ihm scherzhaft den achten Platz unter ihren zweiundzwanzig Lieblingen gab, während er Pückler den zweiten Platz zubilligte. Ihr Aufsatz mußte erweisen, ob sie in der Lage war, sachlich zu interpretieren oder ob ihr Urteil subjektiv befangen blieb. Sie bestand. Sie hob hervor, daß Schinkel die Fülle des Lebens in seinen Entwürfen gebändigt hätte und wie wichtig die Förderung einer so großen Begabung wäre. Sie erinnerte an das Glück, das Goethe schon früh durch den fürstlichen Freund und Mäzen zuteil geworden war, und gab zu bedenken, wieviel die jungen Künstler, die zu zeitig nach Italien reisten und dort sehr schnell zu formaler Sicherheit gelangten, an eigener künstlerischer Handschrift einbüßten.

Pückler hatte die Einführung zu dem Aufsatz entworfen. »Ich überschicke Dir inliegend die Introduktion für Deinen Aufsatz in meinem Gartenwerk. Findest Du etwas daran zu tadeln, so bitte ich es mir zu schreiben, jedenfalls aber das Blatt zurückzuschicken, das ich noch weiter brauche«, schrieb er am 9. August 1832 und klagte nach Bettines Kritik am 22. August: »Du bist ein verteufelt mörderischer Rezensent! Ich werde mich wohl hüten, Dir mein Buch zu zeigen – Du wärst kapabel, es ohne weiteres in's Kamin zu werfen, um es Deines ästhetischen Feuers teilhaftig zu machen. Bedenke, Bettina, daß Du in der Luft schwebst, und ich auf der Erde gehe. Mein Stil ist scherzend, sauersüß und leichtsinnig, Deiner stets erhaben. Wir dürfen beide nicht aus der Rolle fallen ... Dennoch ist ein wichtiges Moment in Deiner Antikritik, und deshalb will ich Dir folgen. Es könnte Schinkel schaden, und ich habe höchstens nur das Recht, mir selbst zu schaden zum Besten anderer, und wie gern täte ich das, könnte ich einem Manne helfen wie Schinkel, den ich so wahrhaft verehre, daß ich nicht einsehe, warum ich ihn nicht meinen verehrten Freund nennen soll.« So brachte er denn in seiner Einführung zum Schinkel-Aufsatz nur sein Bedauern zum Ausdruck, daß die Ausführung der Wandgemälde in der Vorhalle des Berliner Museums verzögert würde, keine Spitzen sonst, keinen persönlichen Angriff. Er überlasse das Wort einem anderen, der »den Gegenstand mit ebenso viel Zartheit als Kraft behandelt«. Sehr nobel, sehr sachlich. Bettine und Pückler waren sich nicht nur in der Bewunderung Schinkels, sondern auch in der Kritik an der verstockten Kunstförderung durch Friedrich Wilhelm III. einig. So ist dieser kleine Aufsatz zu einem Zeugnis ihrer Freundschaft geworden, und Pückler hat 1837, als Theodor Mundt bei den Vorarbeiten zum Lebensbild des Fürsten auf die Verfasserschaft Bettines kam, nach ihrem großen Erfolg mit dem Goethe-Briefwechsel sehr gern betont, daß es ihr Wunsch gewesen war, mit ihm in irgendeine literarische Gemeinschaft zu treten.

Als Pückler reiste, stellte sich das Du in Bettines Nachrichten wieder ein, nun aber ohne Überhitzung, denn nun war sie längst in der Rolle des Kindes, in der Partnerschaft zu Goethe befangen.

Autorschaft als Partnerschaft – dieses sehr weibliche Ausleben der schöpferischen Begabung ließ Bettine sich jetzt als Suleika sehen, so wie sie sich fast dreißig Jahre früher in die Rolle der Mignon hineingeträumt hatte. »Suleika – Oreas, phantastisch Rätselwesen ...« hieß es denn auch in Pücklers Danksonett für die Zueignung von ›Goethes Briefwechsel mit einem Kinde‹, zu der sich Bettine entgegen dem Willen der Savignys und Clemens' Mißbilligung entschlossen hatte. Warum sie auf die vorerst geplante Zueignung des dritten, des Tagebuchteiles, an Lord Byron verzichtet hatte, bleibt offen. Jedoch gefiel auch den Brüdern Grimm, die das Buch hochschätzten, die Widmung nicht und nahm Moritz Carrière für die freisinnige Jugend das Wort (wenn auch 1890 aus dem Abstand eines halben Jahrhunderts): »... wir verstanden nicht, wie sie ihm, dem Semilasso, dem selbstbewußt selbstgefälligen Original, dem Sprachenmenger, dem frivolen Vergnügling die hochsinnige Begeisterung, diese Schale voll begeisternden Weines besonders kredenzen mochte.«

»Lassen Sie uns einander gutgesinnt bleiben, was wir auch für Fehler und Verstöße in den Augen anderer haben mögen, die uns nicht in dem selben Lichte sehen«, hatte sie an Pückler geschrieben, »wir wollen die Zuversicht zu einer höheren Idealität, die so weit alle zufällige Verschuldungen und Mißverständnisse und alle angenommene und herkömmliche Tugend überragt, nicht aufgeben. Wir wollen die mannigfaltigen edlen Veranlassungen, Bedeutungen und Interesse, verstanden und geliebt zu werden, nicht verleugnen, ob andere es auch nicht begreifen, so mag es ihnen ein Rätsel bleiben.« Bettine hatte den Text der Zueignung schon im Herbst 1834 nach Paris geschickt, wo Pückler sich bis in den Winter hinein aufhielt. Er selbst las das ausgedruckte Buch erst im März 1836 in Athen, wo es ihm der Fürst Schinas, Savignys Schwiegersohn und Gatte von Bettines Nichte, die derzeit schon tot war, ausgeliehen hatte. »Ich lese hier Dein schönes Buch, im blühenden Unkraut sitzend am Fuß des Parthenon. Der Schwiegersohn Deiner Schwester hat es mir gegeben. Ich freute mich auf die Nichte und fand sie im

Grabe ...« In der Nachschrift nahm er Bettines Text aus der Zueignung auf: »Lassen Sie uns einander gut gesinnt bleiben, was wir auch für Fehler und Verstöße in den Augen anderer haben mögen, die uns nicht in dem selben Lichte sehen.« Sie war ihm nun als Autorin ebenbürtig und er fern genug, um sich durch ihre Widmung geschmeichelt zu fühlen. Denn als er das Buch las, hatte es schon einen Wirbel ausgelöst, hatten Bettines sublime Erfahrungen, die die Nachwelt über ein Jahrhundert hin beschäftigen sollten, sie mitten in den politisch-gesellschaftlichen Umbruch hineingestellt, der nicht mehr aufzuhalten war.

Das hatte sie nicht erwartet.

Beim Durchblättern der Kritiken fällt auf, daß der Briefwechsel für echt gehalten wurde, selbst Jacob Grimm macht da keine Ausnahme. Kaum einer hat so scharf gesehen (und auch verurteilt) wie Clemens, der auf das Drängen Friedmunds und des Ehepaares Görres noch vor dem Erscheinen des Buches seine Bedenken anmeldete: »Ich kenne ganz dieses Leiden, sich einen Götzen schaffen zu müssen und, mit allen Kräften der Seele und der Natur liebend, ihn zu belegen und anzubeten, trotz selbst der innersten Mahnung, es sei Wahnsinn! – Goethe ist mir durch seine Behandlung dieses Verhältnisses eben nicht mehr geworden; ich darf diese Weise nicht für die wahre auslegen!« Aber Bettine ließ sich von den religiösen Bedenken des Bruders und den Vorbehalten der Pietät nicht kränken. Ihre Antwort an ihn ist beinahe übermütig. Die Berliner Gesellschaft hatte ihr eine gewisse großstädtische Nonchalance anerzogen, gegen die Görres und Clemens ängstlich, fast prüde erscheinen. Daß sie sich vor der Auslieferung des Buches noch einmal in das intime Gespräch mit Pückler zurückzog, war nicht ungewöhnlich. »Ich bin sehr glücklich. Gibt es beseligenderes, als aus der Einfalt der früher verlebten Jahre wie aus dem Zentrum der Glut in neu geweckte Flammen aufzuschlagen? ... Ich weiß einen, den wird es anregen wie leise Erinnerung ans gelobte Land; der wirds empfinden wie die Seele den Instinkt vom Paradies ...«

Der Brief zeigt, daß sie wußte, nunmehr eine Schwelle zu überschreiten, hinter der alles unbekannt für sie war. Sie zog sich ins Noch-einmal-durchleben der Vergangenheit zurück. Sie hatte die Freiheit und Verführung des Schreibens, des Abstrahierens begriffen. Wie sollte sie sich des Erfolges sicher sein – wenn sie ihn auch vorgeahnt hatte – die Arnims Mißerfolge und die Härte des Literatur›betriebes‹ kannte? Sie riskierte nicht nur den Namen ihrer Kinder, worauf Clemens sie aufmerksam gemacht hatte, sie riskierte auch wirtschaftlich viel. Sie trug ja, wie es damals gebräuchlich war, die Kosten des Druckes.

Daß Bettine sich nach dem Verkaufserfolg gegenüber dem Kommissionsbuchhändler Dümmler eigentümlich schroff verhalten hat, gehört zu den Zügen, die man anmerken muß. Sie hatte eine Abmachung mit Dümmler getroffen, wonach zwei Drittel der Einnahmen für die Erstellung ihres Goethedenkmals berechnet werden sollten, hatte aber den Verkaufspreis im Ermessen des Buchhändlers belassen und ganz offensichtlich nicht schriftlich geklärt, daß er an den Herstellungskosten beteiligt sein sollte. Noch als die zweite Auflage nicht ausverkauft war, verhandelte sie mit dem Buchhändler Merz wegen einer dritten Auflage, die jedoch nicht zustande kam. Die mangelnde Fairneß zu erklären, steht kaum an. Die Auffassung vom geistigen Eigentum, mit dem sie ja auch nicht sonderlich genau umgegangen war, kann kaum zu ihrer Entlastung herangezogen werden. Es ist nur an die Aufgeregtheit zu erinnern, mit der sie ihre Dienstboten manchmal behandelt hatte, um sich dann, weniger nervös, wieder voller Verständnis für sie zu zeigen. Und nervös war sie während dieser Auseinandersetzung mit Dümmler wegen der englischen Ausgabe ihres Buches, von der sie, so absurd das Unternehmen schien, wesentlichen finanziellen Gewinn erwartete. Ohne Englisch-Kenntnis hatte sie Mrs. Sarah Austin die Übersetzung des Goethe-Briefwechsels abgenommen, die Dr. Julius vermittelt hatte, den sie noch aus seiner Berliner Zeit (1827) kannte. Mrs. Austin hatte Kürzungen vorgeschlagen, die Bettine ablehnte. Die Mängel ihrer eigenen Übersetzung, die sich vornehmlich auf den Tagebuchteil erstreckte, sind nicht zu übersehen. Der Sprachduktus ist ohne Eleganz, der Satzbau dem Deutschen entlehnt, die ungeschickte

Übertragung der im Englischen ungeläufigen Abstrakta eines der Hauptmerkmale ihrer Übersetzung. Der große Erfolg, den die deutsche Ausgabe des Briefwechsels in ›The Athenaeum‹ gehabt hatte, wurde so von Bettine in ihrer Ungeduld und ihrem Eigensinn selbst zerstört, auch wenn sie später den preußischen Geschäftsträger in London, Bunsen, für die mangelnde Verbreitung ihres Buches verantwortlich machte. Wie hart ihr die Übersetzungsarbeit zusetzte, ist aus Briefen an die Söhne abzulesen. Sie schickte Freimund zusammen mit dem Neffen Louis Brentano nach London, »um die Übersetzung in Gang zu bringen«. (Als Kuriosum sei hier angemerkt, daß Bettines Wortschöpfungen heute in Beat- und Pop-Texten wieder auftauchen, ob bewußt übernommen oder aus dem Verlangen, die abgeschliffene Gebrauchssprache zu erneuern, kann hier nicht untersucht werden.) Die Briefe an die Söhne, vornehmlich die an Siegmund, zeigen aber noch mehr, sind verkappte Rechtfertigungen ihres Tuns, versteckte Selbstanpreisungen: »... daß ich vor kurzem einen Brief aus Norwegen erhalten habe, daß mich eine Menge Ausländer bestaunen, daß man mir die Korrekturbogen meiner englischen Übersetzung wegnimmt, um etwas von mir zu haben ...« Sie sah sich genötigt, sich gegen das Standesbewußtsein, das bei Siegmund besonders ausgeprägt war, zu verteidigen, weil dem Schreiben noch immer etwas von Vagantentum anhaftete, vom verächtlichen Außenseitertum, das die politische Karriere, wie sie Siegmund vorhatte, gefährden konnte. (Vielleicht war sie deshalb Jahre später so besonders eifrig, Siegmunds Anspruch auf den Titel ›Freiherr‹ zu verteidigen. Sie fühlte die unverhohlene Feindschaft dieses Sohnes, die ja weit über ihren Tod hinausreichte, der in seinen häßlichen Bemerkungen über sie ihre ängstlich verborgene Aversion mehr als deutlich bestätigt hat.)

An der finanziellen Katastrophe der englischen Ausgabe des Goethe-Briefwechsels trug Bettine schwer, weil so die Ausführung des Goethe-Monuments weiter in Frage gestellt blieb, auf die sie noch immer mit einer seltsamen Leidenschaft hinarbeitete. »Ich will nicht, daß man einstens von meiner Asche bös rede und sage, alles ist zu Staub und Asche geworden, auch das kühne Unternehmen mit Goethes Monument.« Ihr ging es noch immer ums Verherrlichen, obwohl ihr Buch sie längst in den Anti-Goethe-Wirbel hineingerissen hatte. Doch sie wußte ihr Goethebild unantastbar, weil es sich nicht mit der geschichtlichen Erscheinung deckte, weil Goethe für sie zum alterslosen Geliebten geworden war, vor dem sie sich – selber alterslos – dargestellt hatte, um aus der Enge des Ich zum Du zu finden.

Sie hatte den Dialog beinahe monologisch durchgehalten, wenn sie sich auch an den meist original übernommenen Antwortbriefen Goethes wie an Stichworten entzündet hatte. Beibehalten hatte sie den zeitlichen Ablauf ihrer Beziehung, ihr Hinfinden zu Goethe dank der mütterlichen Frau Rat. Eingeschmolzen waren Erinnerungen an die Zuneigung des jungen Goethe zu Maxe Laroche, die er kurz vor ihrem Tod bei seiner Rückkehr von der Kampagne in Frankreich zum letzten Mal gesehen hatte, eingefügt hatte sie Gedichte Goethes, in denen er manche ihrer Sprachbilder aufgenommen hat, die aber an Minna Herzlieb und an Marianne von Willemer gerichtet waren. Schon 1869 hat Herman Grimm Marianne als Suleika identifiziert und Werner Milch hat später das Verhältnis Bettines zu Marianne nach den Texten interpretiert. Doch war das zur Zeit des Erscheinens von ›Goethes Briefwechsel mit einem Kinde‹ noch unbekannt, und die Gedichte bedeuteten für Bettine die Legitimierung ihres Unterfangens, die sie aus Goethes knappen, meist unverbindlichen Nachrichten kaum hätte herleiten können. »Ich kenne ganz dieses Leiden, sich einen Götzen schaffen zu müssen …«, Clemens' Tadel und Bettines Bemerkung zu Meusebach, sie wäre in Goethe gar nicht so verliebt gewesen, zeigen das zwillingsgleiche Erleben der Geschwister. Beide suchten vor dem Rundhorizont einer groß entworfenen Liebe zu leben, die Clemens ins Religiöse transponierte, Bettine aber ganz fraulich auf die Erde, zu sich heranholen wollte. Ihre Reflexionen, ihre Naturschilderungen und Menschendarstellungen, vor allem aber ihre gesellschaftskritischen Betrachtungen, die sie erst nach den Jahren des Umgangs in den libe-

ralen Kreisen Berlins mit so viel Einsicht hatte aufschreiben
können, müssen vor solchem Rundhorizont gesehen werden.
Das angefügte Tagebuch holte noch einmal wie in erneuter
Rückbesinnung die Gefühlserfahrung nach und sammelte sich
in dem Satz: »Dieses Fleisch ist Geist geworden«, den sie schon
für den Denkmalsentwurf gefunden hatte. »Die Liebe tut alles
sich zulieb, und doch verläßt der Liebende sich selber und geht
der Liebe nach.«

Von daher erschließt sich die Interpretation. »Sie liebte nur
die Liebe, sie kniete nicht vor Goethe sondern in ihm; er war
ihr Tempel nicht ihr Gott«, notierte Börne. Und Gutzkow
schrieb: »Bettine warf auf das Antlitz zahlloser Frauen den ro-
sigen Abglanz einer freieren Anschauung der Menschen und
Dinge, so daß sie wieder etwas Dreistes, Großherziges, Naives
zu denken und zu sagen wagten.« Noch Rilke, Romain Rolland, Hermann Hesse und Rudolf Alexander Schröder variie-
ren diese Deutung. Sie verabsolutiert, sehr weiblich, nicht nur
den Partner, sondern auch die Liebe, die das Geschöpf, die Geliebte, die Frau schöpferisch macht und sie aus der gesellschaft-
lich und biologisch vorgegebenen Passivität entläßt. Hochemp-
findlich, mit der Fähigkeit, sich Sprachkonstellationen und Ge-
dankenfelder leicht anzueignen, hat sie gewiß weit mehr aufgenommen, als erkennbar ist. Das festzustellen mindert nicht
ihre schöpferische Potenz, nimmt aber den vielen, oft neben-
einandergereihten Gedanken, die, wenn man ihnen nach-denkt, einander dann und wann widersprechen, das Pathos einer frag-
würdigen Originalität. Nur Leopold von Rankes Hinweis hilft,
Bettines Assimilationsfähigkeit zu beachten: »... wenn Du es
ansiehst und im dritten Band auf allgemeine Erörterungen stö-
ßest über Genius, Liebe, Schönheit und Kunst, so kannst Du
dabei denken, daß dies eben die Träume oder Phantasien sind,
welche ich im Jahre 26–27 so oft dort gehört habe. Dieses Buch
ist die ganze Person, ebenso liebenswürdig, geistreich: aber
ebenso bei allem Anspruch auf Unabsichtlichkeit doch absicht-
lich und in der Übertreibung nicht ohne Langeweile.« (Brief
an Ritter, 28. 2. 35)

Solche Umweltabhängigkeit, die bei ihren Münchener und Landshuter Begegnungen schon einmal aufgefallen war und sich auch in der Benutzung von Bartholdis Text für die Beschreibung des Tiroler Aufstands darstellt, weist auf das Zeitgenössische in Bettine, ihre Offenheit für Zeitfragen, ihre hohe Empfindlichkeit und Mitleidensfähigkeit hin, aber auch ihre Fähigkeit, Gedanken aufzunehmen und zu reflektieren, die nunmehr in der Neuinterpretation des Bettineschen Werkes und Lebens durch die am historischen Materialismus geschulten Germanisten des Ostblocks und im Umkreis der Literatursoziologen der Pariser Schule bewußter herausgearbeitet wird als bisher. Freilich hatte schon Börne Bettine so erkannt: »Ist es doch das erstemal, daß wir deutschen Geist, ein Schiff mit reicher Ladung, auf offener See bei günstigem Winde mit geschwellten Segeln stolz dahinfahren sehen. Soll uns das nicht freudig überraschen, uns, die wir die deutschen Schiffe nur immer im Hafen sehen, einladend oder ausladend, aber bewegungslos?« Er wies auch darauf hin, daß Bettine Goethes »geheimste Gebrechen aufgedeckt«, sein Herz aber nicht habe »waschen« können. Der Frontalangriff der Jungdeutschen gegen den unpolitischen, den Fürstendiener Goethe, der nach Pustkuchens frömmlerischer Persiflage auf den Wilhelm Meister 1821 von einer Generation geführt wurde, die nach neuen überindividuellen Inhalten suchte, fand sich in Bettines Arbeit bestätigt. Denn klagten ihre warmherzigen, der politischen und sozialen Realität so aufgeschlossenen Briefe nicht den alternden, in seiner Würde befangenen Goethe an? War Bettine nicht Zeugin seiner Manieriertheit und Gefühlsverkünstelung geworden?

Die ihr Buch so sahen, wie sie es kaum gedacht hatte in ihrer Leidenschaft, sich selbst zu finden, halfen ihr, hinter der Schwelle, im Unbekannten, in der Öffentlichkeit, die nun nicht mehr mit der Gesellschaft identisch war, in der sie sich bisher bewegt hatte, ihren Ort zu finden. Ihr rasches Reagieren auf verschiedene Temperamente, ihre Wachheit für Unrecht und Not gehörte ihr nun nicht mehr allein, war Zwang zu handeln, um glaubwürdig zu bleiben.

Wenige Jahre später wird sie schreiben: »Es ist die Zeit, daß die Jünglinge mit Lust auf meinem Geist aufblühen, denn ich bin ein Baum, der trägt Jünglingsblüten.« Das erotische Pathos dieses Bildes erschreckt nur den, der sich die fieberhafte Ablö-sung der Generationen in diesen dreißiger Jahren nicht klar-macht. Bettine war ihr ungeschützt ausgesetzt.

Der Tod ihres Kühnemund im Sommer 1835 – man brachte ihn am 24. Juni bewußtlos vom Baden in der Spree zurück, wo er beim Springen aufgeprallt war, die Nacht an seinem Bett, er wachte noch einmal auf, war ganz klar und versuchte sie zu trösten, ehe er kurz darauf entschlief – muß sie, abgelöst von ihrem bisherigen Leben, tiefer getroffen haben, als sie unmittel-bar zugab. Wenn sie fünfzehn Jahre später in einem der Briefe an Friedrich Wilhelm IV. noch von dem Verlust spricht, ist das keine Phrase. Sie erkannte rückblickend die tiefe Zäsur ihres Lebens. Von daher rühre ihre Empfindlichkeit gegen das Lei-den anderer, sagt sie. Kühnemund war ihr von den Söhnen der nächste, wenn auch Friedemund geistig abhängiger und daher zärtlicher und ängstlicher liebend war. Sie erfuhr durch diesen Tod, wie schwer das tägliche Tun und Hinnehmen blieb, wie wenig endgültig es war, sich selbst gefunden zu haben.

Den jungen Leuten, die sie nun in ihr Haus zog, den vielen, mit denen sie Briefe wechselte, begegnete sie anders als sie vor dem Buch gewesen war, nicht mehr so zerfahren, sondern auf die Erwartungen hin gerichtet. Die Autoren des Jungen

Deutschland zählten sie zu den ihren. Ihr Goethebild zeigte den »ganz sinnvolle(n) Widersinn des Goetheschen Lebens, (den) Sinn seiner Formensteifheit, (den) Sinn seiner gehäuften Sammlungen, (den) Sinn seiner unheimlichen Betriebsamkeit, welche ihn auch das Phänomen Bettina, so wenig es ihm bequem war, nicht wegweisen, sondern mit in sein Naturalienkabinett aufnehmen ließ«, urteilt Hermann Hesse fast 100 Jahre später. Die jungen Autoren, die sich in der Reaktionszeit nach 1819 durchsetzen mußten, konnten Goethes Sich-Ausklammern aus der Welt nicht akzeptieren. Bettine erschien als die weltoffene, zeitoffene, begeisterungsfähige Liebende, bestätigte auch ihre Aversion gegen die kultische Goetheverehrung des Bürgertums, die sie als Geste, als Ausflucht verstanden. Wolfgang Menzel tritt als ›Teutscher Jüngling‹ gegen Goethe an, während Börne sein Versagen vor der ›nationellen‹ Aufgabe aburteilte. Das Weimarer Stadtgeflüster wurde laut und allgemein. Heine sprach von einer Einheitsfront gegen Goethe, die vom pietistischen Hengstenberg bis zu Börne reichte. »Goethe schlug Mignon tot mit seiner Leier und begrub sie tief, und verherrlichte ihr Andenken mit den schönsten Liedern ... Nach vierzig Jahren kam sie wieder und nannte sich Bettina ... Bettina ist nicht Goethes Engel, sie ist seine Rachefurie.« Bettine hat dieses Börnesche Mißverständnis nicht bestätigt. Aber sie war auf Seiten der Autoren des Jungen Deutschland, als deren Schriften am 14. November 1835 für Preußen und am 10. Dezember durch Beschluß des Bundestages für alle dort vertretenen Bundesländer verboten wurden. Der Beschluß lautete:

»Nachdem sich in Deutschland in neuerer Zeit, und zuletzt unter der Benennung ›das junge Deutschland‹ oder ›die junge Literatur‹, eine literarische Schule gebildet hat, deren Bemühungen unverhohlen dahin gehen, in belletristischen, für alle Klassen von Lesern zugänglichen Schriften die christliche Religion auf die frechste Weise anzugreifen, die bestehenden sozialen Verhältnisse herabzuwürdigen und alle Zucht und Sittlichkeit zu zerstören: so hat die deutsche Bundesversammlung – in Erwägung, daß es dringend notwendig sei, diesen verderblichen, die Grundpfeiler aller gesetzlichen Ordnung untergrabenden Bestrebungen durch Zusammenwirken aller Bundesregierungen sofort Einhalt zu tun, und unbeschadet weiterer, vom Bunde oder von den einzelnen Regierungen zur Erreichung des Zweckes nach Umständen zu ergreifenden Maßregeln – sich zu nachstehenden Bestimmungen vereinigt:

1. Sämtliche deutschen Regierungen übernehmen die Verpflichtung, gegen die Verfasser, Verleger, Drucker und Verbreiter der Schriften aus der unter der Bezeichnung ›das junge Deutschland‹ oder ›die junge Literatur‹ bekannten literarischen Schule, zu welcher namentlich Heinr. Heine, Carl Gutzkow, Heinr. Laube, Ludolph Wienbarg und Theodor Mundt gehören, die Straf- und Polizei-Gesetze ihres Landes, so wie gegen den Mißbrauch der Presse bestehenden Vorschriften, nach ihrer vollen Strenge in Anwendung zu bringen, auch die Verbreitung dieser Schriften, sei es durch den Buchhandel, durch Leihbibliotheken oder auf sonstige Weise, mit allen ihren gesetzlich zu Gebot stehenden Mitteln zu verhindern.

2. Die Buchhändler werden hinsichtlich des Verlags und Vertriebs der oben erwähnten Schriften durch die Regierungen in angemessener Weise verwarnt und es wird ihnen gegenwärtig gehalten werden, wie sehr es in ihrem wohlverstandenen eigenen Interesse liege, die Maßregeln der Regierung gegen die zerstörende Tendenz jener literarischen Erzeugnisse auch ihrerseits, mit Rücksicht auf den von ihnen in Anspruch genommenen Schutz des Bundes, wirksam zu unterstützen.

3. Die Regierung der freien Stadt Hamburg wird aufgefordert, in dieser Beziehung insbesondere der Hoffmann- und Campeschen Buchhandlung zu Hamburg, welche vorzugsweise Schriften obiger Art in Verlag und Vertrieb hat, die geeignete Verwarnung zugehen zu lassen.«

Gutzkow hatte im Sommer 1835 noch als Mitarbeiter der Zeitschrift ›Phönix‹ den Begriff ›Junges Deutschland‹ in Anlehnung an Mazzinis politischen Verein ›Giovine Italia‹ und die ›Jeunesse Suisse‹ programmatisch entwickelt. Für die geplante ›Deutsche Revue‹, die wie die ›Revue des deux mondes‹ oder die ›Revue de Paris‹ politisch wirken sollte, hatten Gutzkow und Wienbarg in Frankfurt die Vorbereitungen getroffen und auch Bettine um Mitarbeit gebeten. »... reizt Sie etwas in Idee und Ausführung, was uns nach Ihrem Dafürhalten ein gutes Omen verspricht? Jung sind wir, strebsam auch, noch hängt der Himmel voller Geigen und wir streichen lustig darauf hin und her – ach prophezeien Sie uns die Zukunft... Verstehen Sie gütigst durch einen Aufsatz (Thema, Novelle, was Sie wollen), mit dem sich gleich unsre Revue bei Ihren Freunden – und wie zahllose Bewunderer hat sich Bettina erworben – und besonders auch bei den Frauen einführt. Fürchten Sie nicht, daß Sie mit der Frau Johanna Schopenhauer zugleich in die Tür treten, sie ist nicht eingeladen, wie überhaupt keine Dame außer Ihnen... Das erste Heft der Revue erscheint d. 1. Dez. d. J...«

Das Heft erschien nicht, Gutzkow saß im Mannheimer Stadtgefängnis, Wienbarg war aus Frankfurt ausgewiesen worden: Aber Bettine hatte begriffen, wo sie stand, wo sie stehen mußte. Die Auseinandersetzung mit dem Saint-Simonismus, der seit der Juli-Revolution die Intelligenz Europas beschäftigte, setzte zugleich mit der Vergeschichtlichung der derzeit gegenwärtigen literarischen Entwicklung ein. Der Generationsschnitt der dreißiger Jahre wurde ausdrücklich als solcher begriffen. Mit Wilhelm von Humboldt war 1835 der letzte große Repräsentant des deutschen Idealismus gestorben. August Böckh hatte in der Gedenkrede auf ihn die Stimmung von Dämmerung und Abschied heraufbeschworen: »Literatur und Wissenschaft haben in letzter Zeit in rascher Folge so viele unersetzliche Verluste erlitten, daß den Stimmführern der öffentlichen Meinung auf diesem Gebiete unwillkürlich die öfter ausgesprochene Meinung sich aufdrängen mußte, die herrlichen Geister, welche den jetzigen Stand unserer Bildung vorzüglich hervorgerufen und befestigt haben und an deren mächtiger Kraft sich unser Zeitalter aufgerichtet hat, würden alle vom Schauplatz ihrer Wirksamkeit so plötzlich abgerufen, daß, während das jüngere Geschlecht noch nicht zu ähnlicher Gewaltigkeit oder mindestens zur Hoffnung derselben erstarkt sei, eine Kluft zwischen der Vergangenheit und der Zukunft bleibe.«

Dagegen stand die totale Utopie des Saint-Simon mit Gedanken wie Urkommunismus, Emanzipation der Frau, freier Liebe und dem einer zusammenhängenden Völkergemeinschaft: »Die Menschheit ist ein Gesamtwesen, das sich entwickelt und von Geschlecht zu Geschlecht wächst, wie ein einzelner Mensch, indem es hierbei einem physiologischen Gesetze folgt: – dem der fortschreitenden Entwicklung. Die allgemeinste Tatsache im Fortgange der Gesellschaften, die alle andere in sich befaßt, ist der Fortschritt des sittlichen Begriffes, durch den der Mensch fühlt, daß er eine soziale Bestimmung hat. Die politische Einrichtung ist die Verwirklichung, die Betätigung dieses Begriffes.« (Aus der Doktrin des Saint-Simon, mitgeteilt von Wilhelm Carové.)

Die Wirkung dieses Fortschrittsoptimismus auf das Junge Deutschland, aber auch auf Bettines politische Gedanken, ist unverkennbar. Bei Gutzkow traf er mit dem Einfluß Hegels zusammen. Er glaubte »an den Gott in der Geschichte, an die Perfektibilität unsres Geschlechts«. Die Einflüsse des Saint-Simonismus auf Anarchismus, Syndikalismus, frühkommunistische Kunstauffassung und die immer neuen Interpretationen des Anarchismus haben uns hier nicht zu beschäftigen, helfen aber die Bewußtseinslage der jungen Generation der 1830er Jahre erkennen und die Aktivität zu begreifen, die Bettine in diesen Jahren überwältigte. Die Zwanzigjährigen, die in ihr Haus kamen, gehörten nicht alle zum Freundeskreis ihrer Kinder. Wie immer, wenn ein Autor Erfolg hat, meldeten sich junge Dichter und baten um Urteil. Aus höflicher Anfrage und der Geduld, die Bettine den Bittstellern entgegenbrachte, entstanden Briefwechsel, die verraten, daß sie auf der Suche nach einem Partner war, dem sie sich anvertrauen konnte, um vielleicht ein ähnliches Verhältnis zu gründen, wie sie es für sich und Goethe in Anspruch genommen hatte. Nur war sie, sehr fraulich, auf die Formung und Entwicklung der jungen Männer, auf Erziehung bedacht und verfolgte zugleich die Absicht, einen jungen Mitarbeiter für die Herausgabe des Arnimschen Werkes zu gewinnen. Daß ihre Briefpartner sie schließlich enttäuschten, ist wenig erstaunlich. Welcher junge Mann gibt sich einer alternden Frau geistig so restlos preis wie umgekehrt junge Mädchen sich preiszugeben bereit sind!? Die Begabten unter ihnen suchen die Herausforderung, nicht die Pflege ihres Talents. Sicher, es schmeichelt sie, von einer erfolgreichen Frau beachtet zu werden, aber es bindet sie nicht.

Dennoch hat Bettine, obwohl sie ihre beiden Briefpartner für ›zahm‹ befunden hat, den Briefwechsel mit Philipp Nathusius später herausgegeben (›Ilius Pamphilius und die Ambrosia‹, 1848) und hat auch daran gedacht, den Briefwechsel mit Julius Döring bekannt zu machen, den sie in einem der letzten Briefe an ihn fragte, ob er etwas dagegen hätte, wenn sie die Briefe unter dem Titel ›Meine letzten Liebschaften‹ mitverwenden würde.

Es ist schwer zu verstehen, aus welchen Motiven sie die Veröffentlichung des Briefwechsels mit Nathusius in einer Phase ihres Lebens vorangetrieben hat, in der sie längst von politischen Aufgaben gefordert war. Die Gespaltenheit ihres Wesens, aus der heraus sie wohl schöpferisch war, ist nirgends deutlicher erkennbar als in der verbal demonstrierten Erotik dieser Briefwechsel. Die veranlaßte sie, sich selbst zu stilisieren, währenddem sie die jungen Leute in ihren eigenen Angelegenheiten, wenn auch nicht ohne pikante Anspielungen, eher mütterlich beriet. Nathusius wie auch Döring hatten nicht Phantasie, Leidenschaft, Begabung und vielleicht auch Spieltrieb genug, um auf Bettine zurückzuwirken, sie anzuregen, ihrer engagierten und enragierten Aktivität zu folgen. Ihre eigenen Lebensläufe blieben von der Begegnung unbeeinflußt. Doch war die groteske Tragödie dieser Partnerschaften wohl eine Erfahrung, die Bettine bestehen mußte.

Nach dem großen Erfolg stellte sich nicht unmittelbar die

Aufgabe, die der Niederschrift des Goethebuches hätte gleich-
wertig sein können. Zwar war sie neben der Rahel und der
Charlotte Stieglitz, die ihrem Leben in romantischer Verkennung der Realität ein Ende gemacht hatte, um ihren Dichter-
gatten durch den Schmerz zur Größe zu treiben, zum Idol der
jungen Generation geworden. Gutzkow hatte geschrieben: »Ich
sprach einst Bettine und fand, daß sie mit Sonnenstrahlen
spinnt, daß sie aus Klängen Häuser baut ... Diese Vielseitigkeit, diese geistreiche Formgebung im Momente, dieses necki-
sche Spiel mit der Wahrheit oder mit dem Schein derselben –
es bezauberte. – Sie, eine gaukelnde Sylphide, ist dem bedächtigen Ernst des Mannes immer im Vorsprung ...« Aber reichte
das aus? Hatte Gutzkow sie nicht auch mit Jeanne d'Arc ver-
glichen? Und glaubten die Jungdeutschen nicht, daß »der absolute Wert der Bücher« aufgehört hätte? »Tat ist alles. Gott
ist mehr als Denken, er ist Tat.« (Herwegh)

Bettine wußte – und darin war sie sich selbst gegenüber ganz
ehrlich –, daß sie nicht mehr so schreiben konnte wie in dem
Briefwechsel mit Goethe. Sie wußte, daß sie schreibend keine
neue Realität erfinden konnte, ihr also die Verwirklichung in
Roman, Novelle, Ballade oder Drama nicht gegeben war. Und
sie war keine Lyrikerin, die ihre subjektiven Erfahrungen so
weit objektivieren konnte, daß sie von der Spiegelung im Gegenüber frei wurden. Die später zusammen mit der Tochter
Gisela entwickelten Märchen sind intellektuell gehemmt und
trotz bestechender Einfälle als Parabeln, als die sie geplant
waren, nicht durchkomponiert. Und das eine große Petöfi-Gedicht nimmt seinen Atem aus der Begegnung mit Petöfis Werk
und Biographie, während die Sprache Hölderlin nachempfunden ist, mit dem sie sich damals wieder beschäftigte. Es gelang
ihr bei ihrer Hochschätzung der Musik und der bildenden
Künste und der Ausübung beider nicht, ihrer sprachschöpferi-
schen Begabung die gleiche Unabhängigkeit zuzutrauen. Sie
war zu umweltempfindlich. Der Kult, den sie mit dem Entwurf
des Goethedenkmals trieb, mag hierin seinen Ursprung haben.

So nahm sie Nathusius' Briefe zum Anlaß, die auf den Sommer 1835 zurückdatierende Bekanntschaft zur Begegnung zu kultivieren, den Zusammenstoß zweier Geister und zweier Generationen zu provozieren. Er, der Sohn eines Industriellen und Großgrundbesitzers aus dem Magdeburgischen und Student in Berlin, war von der souveränen Zwanglosigkeit, die Bettine im Umgang eignete, gefesselt. Nicht außergewöhnlich begabt, steigerte ihn die Anerkennung Bettines zu Selbstbekenntnissen und schwärmerischen Gedichten. Darüber kamen sie ins Briefgespräch, das von Nathusius ein wenig affektiert geführt wurde, da er von Anfang an mit der Veröffentlichung rechnete. Auch Bettines Frische wirkt aufgesetzt. Dennoch sparte sie nicht mit Belehrungen und flocht manchmal, wie entspannt, Berichte ein. Die Mutterrolle hielt sie bewußt durch. »... als Kind will die Liebe gepflegt sein, als Mutter will sie pflegen.« — »Wie ich Dich zum erstenmal sah, wo ich noch wie unbekannt mit dem Licht war, nach einem großen Weh; da konnt ich keinen andern Anteil an Dir nehmen, als bloß *Ersatz*, und was mich damals Jugendliches berührte, das machte mich wehmütig und weil Du mit einer Art Glauben an mir zu hängen schienst, so hatte sich ein heimlicher Wahn in mich geschlichen, als spräch mein Kind durch Dich zu mir, so geht es verwundeten Seelen, daß Fiebergebilde sich mit der Wirklichkeit mischen, und sie trösten, bis sie wieder stark genug sind, mit der Wahrheit abzuschließen ...« Kaum jemals wird Kühnemunds Tod so eindeutig als Schlüsselerfahrung benannt, vor der sie ausweicht und nicht ausweichen kann, sondern nur das Nicht-Entsprechen des Briefpartners schmerzhafter wahrnimmt. Der Briefwechsel bleibt geistreiches Getändel bis auf wenige Einschübe, die zeigen, was sie eigentlich beschäftigte: ihre Übersetzung, Krankenpflege, Wirtschaftssorgen, die Sache der Göttinger Sieben, die Erinnerung an Schleiermacher, die Herausgabe von Arnims Werk. Nathusius, den sie für die Korrektur der zweiten Auflage von ›Goethes Briefwechsel mit einem Kinde‹ hatte gewinnen können, wich vor der Mitarbeit bei der Herausgabe von Arnims Werk aus und machte seine Bildungsreise nach Italien und Griechenland. Die Briefe von der Reise zeigen ihn eng, ja prüde. Sein Abschied ist ohne Empfindung, Klischeegefühl: »Ich werde, sooft ich vorbeigehe, nach Deinen altbekannten hohen Fenstern hinaufsehen müssen und Dich vermissen ...« Bettines Absage klingt schroffer: »Die Zukunft wird einstimmen in den Grundton meines Geistes, und der wird ihre Modulationen leiten und stützen, das sei gewiß.« Sie hatten sich nichts mehr zu sagen. Nathusius' Hinwendung zum orthodoxen Protestantismus konnte sie nicht nachvollziehen, seine Sentimentalisierung ihres Verhältnisses ärgerte sie und hob die Enttäuschung schließlich auf.

Bettines Briefwechsel mit Julius Döring in dichter Folge zwischen Februar 1839 und Oktober 1840, den sie nicht veröffentlicht hat, obwohl die Manuskripte Spuren der Vorbereitung tragen, muß nicht nur deshalb im Zusammenhang mit dem Briefwechsel mit Nathusius gesehen werden, weil beide jungen Männer aus Althaldensleben im Magdeburgischen stammten, beide gleichzeitig mit ihr verkehrten und sie die Briefe an beide zusammen herauszugeben gedachte. Noch der vorerst geplante Titel des Buches: ›Ilius, Pamphilius und die Ambrosia‹ stellt durch das trennende Komma beide Partner gleich. Die Veränderung ihrer Unterschriften im Briefwechsel mit Döring in Ambrosia bestätigt ihre Absicht. Sie sah jedoch davon ab und behielt nur die beiden Namen ohne trennendes Komma bei. Das Buch »... besteht in Briefen, die ich mit Studenten gewechselt habe, und ich werde es nennen: Briefwechsel mit zwei Demagogen ... Aber leider sind diese wilden Bestien gar zu zahm.« Die Erfahrung, die sie mit Nathusius und Döring machte, ist ähnlich. Beiden hatte sie Hölderlin als Dichter-Vorbild genannt, beiden seine Werke geschenkt, beide ersucht, bei der Herausgabe von Arnims Werken mitzuhelfen. Döring hatte sie sogar an Clemens empfohlen, ihn bei der Neuherausgabe von ›Des Knaben Wunderhorn‹ zu unterstützen, und seinethalben eine sehr sachliche Anfrage über die Kosten des Aufenthaltes in München an den Bruder geschickt. Mit Döring reiste sie auch zu den Grimms nach Kassel, in den Briefen redete sie ihn mit ›Ingurd‹ an, schrieb auch: die ›Illusion‹ an das ›Phänomen‹, ihres Spiels bewußt, das sie, ob nun aus dem Abstand zu dem eigenen Schmerz oder durch Dörings weniger sentimentale Reaktion aufgeregt, weiter trieb als mit Nathusius. Eines der Zentralmotive der Bettineschen Erotik, das Sich-beugen unter den Fuß des Geliebten, zu seinen Füßen zu ruhen oder seine Füße zu umschmiegen, wurde in diesem Briefwechsel brutal variiert. Sie spann die Geschichte vom Getretenwerden durch Goethe aus. Sie hatte einen gipsernen Fuß neben ihrem Bett stehen, und sie schrieb: »Tritt mich mit Füßen« oder: »Unter Deinem Jünglingsfuß will die Brust in Begeisterung ihren Atem aushauchen.« Immer wieder betonte sie, es wäre ›Männerrecht‹ zuzutreten; sie lud Döring spät abends ein, er sagte ab, sie lud ihn spät abends nach Magdeburg ins Hotel, er sagte ab, sie reiste mit dem »jungen Freund, der mit großer Liebe an mir hängt und in einer beschränkten Lage ist« durch den Harz und erzählte in seinem Heimatort Althaldensleben von ihrer Beziehung zu ihm. Er äußerte sich darüber, verständlich genug, sehr böse, während sie ihn wissen ließ, daß er zur Dichtung nicht tauge. Er reagierte nach Clemens' Tod unsympathisch scharf: er hätte keine Zeile von ihm gelesen (und dabei hatte sich Bettine doch bei Clemens für ihn verwandt!); er machte auch aus seinem Antisemitismus keinen Hehl, als er Bettines kollegiale Freundschaft zu dem Frankfurter Jurastudenten Heinrich Bernhard Oppenheim bemerkte; »Fremdlinge, von denen keine Erneuerung für Deutschland ausgehen könne«, mißbilligte er, und unterschrieb gern zynisch »O. L. G. Assessor«. Dennoch ist die Zueignung an die Studenten, die Bettine dem Günderode-Briefwechsel vorausschickte, auf Döring zurückzuführen. Ihn hatte die Zueignung des Goethebriefwechsel an Pückler verstimmt. »Ach, ich wollte, Sie hätten das deutsche Volk, die deutsche Jugend zu diesem Ehrenamte erwählt.« Ihm schrieb sie ihre Gedanken über die Bergpredigt und daß sie ein Baum wäre, »der Jünglingsblüten« trüge. Zu der Zeit waren Moritz Carrière und Oppenheim ihre ständigen Gäste. Carrière eignete sie die Beschreibung von Schleiermachers Tod zu, eine Variante ihrer ersten Niederschrift für

Pückler, die nur wenig verändert in ›Ilius Pamphilius und die Ambrosia‹ übernommen ist. Oppenheim empfahl sie an Savigny, dessen Vorbehalte gegen die jüdische Herkunft sie kannte, um sein Vorurteil lächerlich zu machen. Carrière blieb teilnehmend und kritisierend auf Bettines Spur, auch die Verbindung zu Oppenheim riß nicht ab. Nathusius aber beobachtete Bettine halb neugierig halb entrüstet aus der Entfernung, während Döring ihre Adresse erst von Nathusius erfragen mußte, als er ihr seine Hilfe im Magistratsprozeß anbieten wollte.

»Es ist die Zeit, daß die Jünglinge mit Lust auf meinem Geist aufblühen...« Überschätzt sie sich nicht? Sie ist eine Mittfünfzigerin. Sie hat die Töchter um sich. Armgarts zarte Gesundheit macht ihr Sorgen, Giselas Übermut ist kaum zu bändigen, Maxe obliegt es, sich um die Erziehung der kleinen Schwester zu kümmern. Die Arbeit an Arnims Nachlaß verlangt Sorgfalt. Für viele Wochen verkriecht sie sich ins Schlößchen Bärwalde, das Arnim noch hat herrichten lassen und von wo aus Freimund die Güter verwaltet, weil Arnims Bruder, Onkel Pitt, Wiepersdorf verpachtet hat. Sie komponiert und zeichnet aber auch und sie denkt an »eine Philosophie der Könige«.

Ist sie »ein überlaufender Brunnen«? Treibt sie der Wunsch, Demeter zu gleichen, wie Werner Vordtriede den Briefwechsel mit Döring deutet? Ihre Abendgesellschaften in Berlin boten »in mehr als einer Hinsicht ein interessantes Schauspiel. Bettine liebte nämlich die verschiedensten, oft schroff einander gegenüberstehenden Elemente um sich zu versammeln und hatte ihre Freude daran, je schärfer die Geister aufeinander platzten«, berichtet Max Ring, der damals als Medizinstudent häufig ihr Gast war, und zählt die Savignys und Oppenheim, Nathusius, Bruno Bauer, Ole Bull, den norwegischen Geiger, Prinz Waldemar von Preußen, Werder, Pitt Arnim, Graf Raczynski und Tochter, ›Maxi und Armgart‹ auf. Die Ungezwungenheit dieser Zusammenkünfte hat etwas Beängstigendes. Bettines frankfurterisch schroffe Herzlichkeit – (»Schreibe Sie dem Carrière, daß er mir nicht mehr so viele Studentle auf den Hals schicke soll, ich hab jetzt gerade genug von der Sorte«, begrüßte sie etwa Max Ring) – verbirgt, so ehrlich sie gemeint ist, nicht ihr fast maßloses Verlangen nach Zuneigung, das ihr Verlangen zu helfen manchmal durchkreuzt.

So hat sie dem wahnsinnig gewordenen Maler Karl Blechen beigestanden und mit aller Energie und wiederum der Aufbietung ihrer glänzenden Organisationsgabe sich seines Schicksals bemächtigen wollen. Sie hatte Blechen als Künstler schon sehr früh geschätzt und 1832 den ›Nachmittag auf Capri‹ gekauft, als er von der Kritik noch völlig abgelehnt wurde. Nach Blechens Entlassung aus der Heilanstalt veranstaltete sie eine Lotterie, die seine Reise nach Gastein und Italien in Begleitung des Malers Keller oder des Kunstgelehrten Morelli finanzieren sollte. Sie hatte das Bild ›Im Park von Terni‹ zur Verlosung gekauft und zur Verfügung gestellt, sie gewann die Kronprinzessin zur Protektorin, sie schrieb an Moritz August Bethmann-Hollweg in Frankfurt, an den Syndikus Sieveking in Hamburg, an den preußischen Kultusminister von Altenstein, um Mittel zusammenzubringen und den »akademischen Gehalt« zu sichern. Allerdings gab sie Blechens Frau Henriette Dorothea schonungslos der Verachtung preis, »eine Schneidermamsell, 10 Jahre älter als er«, die sie für seinen Wahnsinn verantwortlich machte, der Mißhandlungen des Kranken beschuldigte und ihr Unverständnis vorwarf, obwohl die Frau ja Blechens Ausbildung als Maler ermöglicht hatte. Auf der Flucht vor Bettines drängendem Eifer war Henriette Dorothea mit dem kranken Mann nach Dresden gereist, ließ sich dann aber doch darauf ein, ihn in die Obhut eines Arztes nach Jüterbog zu bringen, ohne Heilerfolg, so daß die verzweifelte Frau ratlos mit dem Kranken nach Berlin zurückkehrte, wo Karl Blechen erst zwei Jahre später im Sommer 1840 starb, ohne noch einmal klar geworden zu sein. »Groß und übermütig unter den Bewohnern des Parnaß, hat er vielleicht sich mit den Musen gestritten, und diese haben ihm dafür die Besinnung geraubt ...«, schrieb Bettine über ihn an Nathusius, wieder zwiegesichtig: kühn und mutig im Urteil über den Künstler, energisch und

sachlich in der Hilfeleistung, aber eigensinnig, ja brutal gegen
die menschlich so überforderte einfache Frau, von der Fontane
später sagte: »Eine sehr gute, sehr verständige Frau, ganz
schlicht, ganz einfach, ganz ohne höhere Bildung, aber vom al-
lergesundesten Menschenverstand, und nicht bloß von richtigem, sondern auch von feinem Gefühl.« Gewiß war zur Zeit
der Fontaneschen Nachforschungen nach dem Leben des Malers Blechen die Aufregung der Frau abgeklungen, doch erscheint Bettines eifernde Einmischung neben seinem Urteil fast
hexenhaft. Das An-sich-Raffen von Leben, der Drang, Recht
haben zu wollen, zu dem auch die späte Äußerung zu Varnhagen paßt: Blechen sei aus Liebe zu ihr in Schwermut gefallen, überschattet ihre Hilfsbereitschaft.

Man kann das Verhalten Bettines in diesen Jahren kaum
anders als durch die Hysterie der Wechseljahre erklären. Die
Stimmungsbrüche, die bis an die Grenzen der Peinlichkeit erotischen Passagen in den Briefen an die jungen Männer verraten
die Unrast dieser Lebensspanne, das Sich-Auflehnen gegen das
Alter; rauschhaftes Hochgefühl und Depressionen, Bettine
blieb davon nicht verschont, wenn sie auch mit ungewöhnlicher
Zähigkeit für die Herausgabe der ersten Bände von Arnims
sämtlichen Werken sorgte und den Günderode-Briefwechsel
zur Veröffentlichung vorbereitete, beides Ableistungen an die
Vergangenheit.

Die »kühne Vorrednerin«

Doch es gibt den großen Brief der Auseinandersetzungen mit
Savigny im Zusammenhang mit der Sache der Brüder Grimm,
diese klare Durchformung ihrer Gedanken, Dokument ihrer
reifen Menschlichkeit. Bettine hatte die Kraft, der Zerstreuung
ihrer Fähigkeiten und dem Anprall der physischen Störungen
zu widerstehen. Mehr: Sie klärte ihr politisches Sympathisieren

zum Urteil und zog die Konsequenz: Sie handelte, wo es not war zu handeln. Sie erkannte ihre Zukunftsaufgabe.

Die Sache der sieben Göttinger Professoren ist hinlänglich bekannt. Die Wiederveröffentlichung der Schrift Jacob Grimms über seine Entlassung (die er 1838 in Basel in der Schweighauserschen Buchhandlung hatte erscheinen lassen), dazu im Anhang das Patent Ernst Augusts, des Königs von Hannover, vom 1. November 1837, die Protestation der sieben Professoren vom 18. November 1837, das ungenaue Lob ihres Verhaltens in Gaglianis Messenger vom 18. November, das Protokoll ihrer Vernehmung vom 4. Dezember, ihr Bescheid an das Königliche Universitäts-Kuratorium, das Entlassungsreskript vom 11. Dezember und Ernst Augusts Nachricht an den Pro-Rektor Bergmann, die Ausweisung von Dahlmann, Jacob Grimm und Gervinus betreffend (Inselbücherei 1964), stellt die Vorgänge zugleich auch aktenmäßig dar. Ernst Augusts Auflösung der Ständeversammlung und des Kabinettsministeriums, dem die Aufhebung des Grundgesetzes folgte, hatte den Protest der Professoren veranlaßt, denn der Vorgänger des Königs, Wilhelm IV., hatte 1833 mit der Inkraftsetzung des Grundgesetzes die Erfüllung der Reichsverfassung von 1819 geleistet. Die Einschränkung demokratischer Grundrechte und Wiederherstellung des absoluten Königtums durch Aufhebung des Grundgesetzes und Aufhebung der Ständeversammlung war offensichtlich. »Mit dem Parteiwesen hat die Sache nichts zu schaffen, und wir müssen die albernen Lobeserhebungen der Liberalen ebenso ertragen, wie die hoffärtigen Verhöhnungen von der anderen Seite«, schrieb Wilhelm Grimm. Jacobs Schrift macht die Beweggründe zum Protest deutlich. Die Göttinger hatten in der Verfassung, auf die sie den Eid geleistet hatten, nicht nur die den deutschen Fürsten aufgegebene Verpflichtung, sondern die Erfüllung einer historischen Forderung gesehen. »Wer kan den hêrren von dem knehte scheiden, swa er ir gebeine blôzez fünde?« zitiert Jacob Grimm Walther von der Vogelweide und stellt die Verletzung des Eides als einen Schlag gegen das Gewissen dar, der den Protest der Professoren unmittelbar hervorgerufen hat. »Die *deutschen* hohen Schulen, solange ihre bewährte und treffliche Einrichtung stehen bleiben wird, sind nicht bloß der zu- und abströmenden Menge der Jünglinge, sondern auch der genau darauf berechneten Eigenheiten der Lehrer wegen, höchst reizbar und empfindlich für alles, was im Lande Gutes und Böses geschieht. Wäre dem anders, sie würden aufhören, ihren Zweck so wie bisher zu erfüllen. Der offene, unverdorbene Sinn der Jugend fordert, daß auch die Lehrenden, bei aller Gelegenheit, jede Frage über wichtige Lebens- und Staatsverhältnisse auf ihren reinsten und sittlichsten Gehalt zurückführen und mit redlicher Wahrheit beantworten.« Er hatte das Königreich Hannover binnen drei Tagen zu verlassen, die Professoren Albrecht, Wilhelm Grimm, Ewald und Weber, die die Nachricht von dem Protest nicht über die Landesgrenzen hinaus bekanntgegeben hatten, durften in Göttingen verbleiben, vorausgesetzt, daß sie »sich völlig ruhig verhalten« würden. Die Aufregung um die Entlassung zeigte die allenthalben gärende politische Unruhe, die der so hochgespielte Kölner Kirchenstreit um das Problem der konfessionellen Mischehen, der im gleichen Jahr zur Entlassung und Verhaftung des Kölner Erzbischofs, des Freiherrn von Droste-Vischering geführt hatte, nicht abzuleiten vermocht hatte. Am 6. Januar 1838 wurde in Cuxhaven ein Schiff auf den Namen ›Professor Dahlmann‹ getauft, der König von Sachsen erklärte sein Land für die Göttinger offen. Ein Brief des jungen Niebuhr an Dahlmann spiegelt die Stimmung in Berlin: »Viele gibt es hier, die nicht nur fühlen, sondern auch Gedanken und Worte wagen; dazu gehören auch die mir am nächsten stehenden, besonders Savigny und Bettina von Arnim, die untröstlich ist und nach Kassel zu Grimms will.« Savigny hatte Jacob Grimm zwar gleich finanzielle Hilfe angeboten. »Ich habe für Euch beide ein Gefühl wie für nahe Blutsverwandte«, doch Jacob vermißte in Savignys Brief vom 21. Dezember 1837 die Zustimmung, die Savigny ohne genaue Kenntnis der hannoverschen Zustände nicht geben zu können glaubte. Er war als preußischer Beamter in seinem Urteil gehemmt, Friedrich Wilhelm III. hatte ja das Verfassungsversprechen gar nicht erst erfüllt. Man ließ bei Savigny von Seiten des Hofes durchblicken, daß seine Beteiligung an der Geldsammlung zugunsten der Göttinger Professoren mißfiele. Dabei hatte nicht er, sondern seine Schwägerin Bettine sich daran beteiligt.

Diese Lage, die Zivilcourage gefordert hätte, muß berücksichtigt werden, um die Mißhelligkeiten zwischen Savigny und den Grimms zu verstehen. Jacob Grimm, Mitglied der Berliner Akademie, äußerte die Absicht, das aus der Mitgliedschaft herrührende Recht zu Vorlesungen an der Berliner Universität zu benutzen, erhielt aber von dem Fachgenossen Karl Lachmann mit Berufung auf Savignys Urteil negativen Bescheid: Der König würde aus politischen Gründen seine Zustimmung verweigern. Auf Anregung des Philologen Moritz Haupt in Leipzig beauftragten Salomon Hirzel und Karl Reiner, die Besitzer der Weidmannschen Buchhandlung, Jacob und Wilhelm Grimm mit der Ausarbeitung des großen deutschen Wörterbuches. Diesen Auftrag nahmen die Brüder im Frühjahr 1838 nach längerem Zögern an, lehnten jedoch die Finanzierungshilfe durch Savigny, der hier offenbar keine Kompetenzschwierigkeiten bei der Öffnung eines Etatpostens sah, mit der Begründung ab, daß sie nicht Brot essen könnten, von dem sie nicht wüßten, ob sie es verdienen würden. Daß hinter all diesen Empfindlichkeiten, die Lachmann wiederum zur Beschwichtigung Savignys veranlaßten und die in Bettines Brief an Savigny vom 4. November 1839 als scharfe Konflikte erscheinen, mehr als persönliche Gereiztheit steckt, ist deutlich. Die Göttinger Professoren hatten die Identifizierung von Gewissen und staatsbürgerlichem Verhalten dargestellt. Die Verantwortung jedes einzelnen für den Staat war durch Ernst Augusts zynische Aufhebung des Grundgesetzes und der Verfassung nicht nur beleidigt, sondern der Untertan mit einer salbungsvollen Suada erneut kreiert worden. Parlamentarismus ist teuer. Ernst August lockte mit Steuererlassen. Daß seine Erlasse nicht die Empörung aller deutschen Fürsten, die sich zur Gewährung einer Verfassung entschlossen hatten, hervorrief, machte die Misere der Reaktionszeit deutlich. Immer noch war die Staatsauffassung des feudalistischen Zeitalters nicht überwunden. Savignys Vorsicht in der Beurteilung des Protestes, sein Versuch, durch die Hintertür einer Subvention Hilfe für die Brüder Grimm zu leisten, charakterisiert die politische Situation. Daß Bettine dieses fein geknüpfte Netz aus Rücksichten und Vorsichten nicht zu erkennen bereit war, daß sie sich von der spontanen Zustimmung für die Göttinger leiten ließ, spricht für ihr Temperament und ihre am Liberalismus geschulte Auffassung von der Verantwortung des Bürgers im Staat.

Der Konflikt mit Savigny, lange schon unterschwellig wirksam, mußte zum Ausbruch kommen. Nach vielen hin- und hergewechselten Briefen zwischen Kassel und Berlin, in denen sie Lachmann und Savigny angeklagt hatte – »es ist nichts ärgerlicher als Weiberklatschereien«, hatte Lachmann sich gewehrt und Jacob Grimm hatte Bettine verteidigt: »Vielleicht hat Euch Bettines allzusichtbare Tätigkeit für uns mißfallen und gereizt? Daß ist bald gesagt, daß sie übertreibt, überladet, nach Frauenweise hindert, stört und einiges verwirrt, aber das ist ihr auch schwer nachgetan, so viel treuen Anteil warm und unermüdlich zu erweisen. Ich sehe nicht, was sie ausrichten soll oder kann, danke ihr doch für ihre liebevolle Sorge und Verwendung. Wir rücksichtsvollen, verhältnisscheuen Männer sind zu solcher hingebenden Freundschaft viel unfähiger ...« – Nach zwei Besuchen bei den Brüdern, deren letzter im Herbst 1839 zusammen mit Döring durchaus Unruhe gebracht hatte, machte sie sich an die Ausarbeitung des großen Briefes an Savigny. Umfangreiche Konzepte, drei Vorstufen der endgültig abgesandten Fassung, dazu viele Teilausarbeitungen zeigen, wie wesentlich die Auseinandersetzung für Bettine war.

Nach einführender Beschreibung ihres Besuches in Kassel, von dem sie anmerkte, daß Jacob nicht von Savigny gesprochen, Wilhelm sie jedoch ins Vertrauen gezogen hätte, faltete sie den Konfliktstoff noch einmal auf und kam im Zentrum des Briefes auf die Verantwortung, mit der es Savigny zu leicht genommen hätte, als er sich beim Kronprinzen wegen der ihm hinterbrachten Anschuldigungen zu rechtfertigen suchte. »Was hätte es Dir verschlagen, wenn Du Dein Amt unter solchen Bedingungen lieber niedergelegt hättest? ... Du brauchtest nicht wider den Stachel der Zeitläufte zu lecken, denn die Ereignisse, die eine Folge langwieriger Verkehrtheiten sind, welche schon so lange in unsern durch Mißbrauch verderbten Grundsätzen sowohl der Politik wie der Moral und Religion (welches alles Eins und Dasselbe sein sollte) gären, die müssen ihren Eiter auswerfen, aber daß man diesen Eiter von sich abstoße und sich nicht mit davon ergreifen lasse, das bewirkt die Heilung der Zeit.« Sie verwies auf das Ansehen, das Preußen unter den deutschen Staaten genoß, und unterstrich die Wichtigkeit des Beispiels, das hier hätte gegeben werden können, um das moralische Versagen, das Preußen seit der ersten polnischen Revolution anhing, zu überwinden. Sie fand zu dem Gedanken, der sie hinfort nicht mehr freilassen würde: »Volk und König sind ein Leib und Geist, wer den Respekt des einen vor den Bedürfnissen und Forderung(en) des andern zu erhalten strebt, wer ihren gegenseitigen Unterwerfungsgeist anregt und nährt, dem allein können beide Dank wissen, und nur der Dank beider kann ihn des Vertrauens eines jeden von beiden wert machen.« Sie verschwieg nicht den Schmerz, den ihr Savignys Entfremdung bereitet hatte, mit dem sie ihren eigenen Werdegang so fest verbunden wußte. Ihr Leben stellte sich ihr in für diese Jahre ungewöhnlicher Klarheit dar. Zum Ende des Briefes spielte sie noch einmal humorvoll auf ihre Bärwalder Lebensumstände an, umkreiste noch einmal in scheinbarer Gelassenheit ihr Thema und zählte ihre Sorgen auf: »1stens der Grimm ihr Schicksal ... 2tens die Juden, welchen ich ein für allemal ein romantisches Heldenfeuer gewidmet habe; denn zu lange schon belasten sie die Philister öffentlich, deren sie heimlich sich nicht weniger schuldig wissen, und jene verlassen doch nicht ihre Schriftgelehrten und weisen Männer, wie wir es tun, sondern sie teilen ihren Segen mit ihnen. – 3tens das junge Deutschland ... (das) eine Affinität mit der Grimm Schicksal hat.« Sie stellte auch ihre Erziehungspläne an Nathusius und Döring dar. Dennoch gelang es ihr nicht, sich vom Zentrum ihres Briefes weit zu entfernen. Sie tadelte Preußens Haltung in der hannoverschen Sache und im Bundestag. Sie kannte die Zusammenhänge und hatte eine genaue Vorstellung von dem, was sie forderte, und von dem, was sie anklagte. Trotzdem schloß sie übermütig mit einer Episode wie mit einem Schnörkel, um das Bekenntnishafte des Briefes in die Distanz zu rükken. Savignys Antwortbrief ist bis auf die charmant spitzen, aber ausweichenden Anfangszeilen, die im Henricikatalog abgedruckt sind, unbekannt. »In dem reinen Genuß Deines ganz herrlichen Briefes bin ich beständig durch den Gedanken an den alten Zelter gestört worden, der auch seine Briefe mit stetem Hinblick auf den künftigen Setzer und Drucker schrieb.« Nach Bettines Antwort muß Savigny ausgewichen sein und das Hauptgewicht auf den Komplex, der ihn als Vormund der Arnimschen Kinder anging und den Bettine ganz beiläufig gestreift hatte, gelegt haben. Verbittert wehrte sie sich gegen die Anschuldigungen, »aus übertriebenem Selbstvertrauen ihr Vermögen und der Kinder Einkommen« vertan zu haben, und hing der Vorstellung, nach Kassel überzusiedeln, nach, wo sie in der Nähe der Grimms ihren Kindern eine gemäße Ausbildung bei geringeren Unterhaltskosten als in Berlin könnte zuteil werden lassen. Sie war verletzt, ohne verstört zu sein. Savigny, wohl verspürend, daß er zu weit gegangen war, schickte eine Zwischennachricht, die Bettine noch einmal zu einem Bekenntnis für die Grimms veranlaßte. »Deine Briefe lauten fast wie Abschiedsbriefe aller Freundschaft«, erwiderte Savigny. Sie waren es wohl auch. Bettine hatte Bilanz gezogen und feststellen müssen, wie weit ihr die Verwandten abgekommen waren, wie scharf ihre und des Schwagers und der Schwester Gedanken und Handlungen voneinander getrennt waren. Daß sie auf Savignys Angebot zur Versöhnung einging, war kein Kompromiß. Sie begriff seine Achtung und nahm sie an.

Nachtragend war sie nie. Savignys Bild im Günderode-Briefwechsel, an dem sie gerade arbeitete, trägt keine Spuren der

Auseinandersetzung, macht sie im Gegenteil verständlich: Savigny war das Vorbild ihrer Mädchenzeit, das Ziel ihrer mädchenhaften Liebe gewesen, ohne daß das Verhältnis zu ihm von sexueller Enttäuschung überschattet gewesen wäre. Er war für ihre Ungezügeltheit der andere, der sein Leben in Ordnung hielt, nicht von der Suche nach dem Sinn zerrissen, nicht von Träumen umgetrieben; und dennoch Abschiedsbriefe. Die Wege hatten sich getrennt. Die eigene Jugend blieb zurück, noch als Fabel, als Stoff, als Substanz der Briefbücher greifbar. Sie brauchte nun kein Vorbild mehr. Sie hatte bei aller Unrast zu sich gefunden.

Sie hatte Savigny überzeugt, etwas versäumt zu haben. Schon am 10. Dezember äußerte er in einer Unterredung mit dem Kronprinzen, dessen Interesse an den Grimms allerdings bekannt war, daß »sie zu ihrem Schritt in der Tat nur aus Gewissenhaftigkeit bestimmt werden konnten«. Es hat Größe, daß er Bettines späteres nicht faires Verhalten sehr bewußt übersehen hat. Sie schickte im März 1840 eine Abschrift ihres großen Briefes an Savigny an den Kronprinzen, dessen Nachfolge auf dem Thron absehbar geworden war, um ihn für die Sache der Grimms zu aktivieren. Der nahm Savigny elegant und generös in Schutz, ohne Bettine ihren faux pas fühlen zu lassen. Als er die Grimms nach seines Vaters Tod im Herbst 1840 nach Berlin berufen konnte, haben Savigny und Lachmann ihre Versäumnisse gutzumachen versucht, wenn auch das Verhältnis zwischen den Grimms und Savigny nie mehr ganz ungetrübt war. »Bettine ist entzückt, die Brüder Grimm sind ihre Leidenschaft«, notierte Varnhagen, als sich die Berufung der Grimms anbahnte, »das Hierherkommen derselben ist ihr um der Sache willen wichtig, um Grimms willen, aber auch eine Ehrensache der eigenen Persönlichkeit, eine gewonnene Schlacht gegen den Schwager Savigny, ein Sieg über Lachmann und Ranke«.

Nicht alle Äußerungen Bettines in der Sache der Grimms, nicht jede ihrer Aktionen und Aktivitäten war auf der Höhe ihres entscheidenden Briefes an Savigny. Nicht immer gelang ihr die Konzentration wie in diesem hart erarbeiteten Schrift-

nicht mehr aufgeben wird: Der Dämon als Inbegriff der Vernunft.

Der Günderode-Briefwechsel fand nicht die breitgestreute Kritik wie der Goethe-Briefwechsel. Moritz Carrière wies in seiner späten Würdigung zum erstenmal auf die sehr weibliche Gestaltungsweise Bettines hin. Er hatte ja als unmittelbarer Zeuge des entstehenden Buches an den Abenden, an denen Bettine aus dem Manuskript vorlas, Einblick in ihre Arbeitsweise bekommen; er war von ihrer persönlichen Wirkung, von der Grazie ihrer Gedankensprünge und der Leichtigkeit, mit der sie nach poetischen Formulierungen griff, fasziniert. »Sie kann eben deshalb keine Poesie machen, weil sie durch und durch Poesie ist, sie kann nur in persönlichen, durch unmittelbare Lebensverhältnisse hervorgerufenen Ergüssen die innere Poesie ausstrahlen.« Das Urteil, das der Rhythmik Bettinescher Texte und ihrem Leichthin-Aufgreifen von Aktualität wie auch ihrem Charme gerecht wurde und Gustav Loepers Urteil aus der Allgemeinen Deutschen Biographie von 1875 wiederholte, hat lange den Blick für Bettines unmittelbares Wirkenwollen verstellt. Die Unzugänglichkeit des Familienarchivs ließ das einseitig wohlwollende Urteil noch fast ein Jahrhundert lang durch die Nachschlagewerke geistern. Bettines Art der Mitteilung erleichtert gewiß solches Mißverstehen. Ihr Vertrauen auf die poetische Mitteilung ließ sie an ihren Manuskripten wieder und wieder arbeiten, die Sätze ausweiten, die Bildreihen verlängern, die Assoziationen schichten, die Sätze auf Rhythmus und Klang abhorchen. Dadurch wurde sie nicht immer verstanden, nicht immer ernst genommen und von denen, die ihre politische Aktivität ungern sahen, zum ›Kind‹, das ein wenig verrückt daherredete, zur ›Hohepriesterin der Romantik‹, wie Treitschke sie nennt, erklärt. Ja, ihr Sohn Siegmund ging einmal so weit zu schreiben: »Was Dein Buch betrifft, so glaube mir, daß es die Druckkosten nicht einbringen wird und ich sehe mit Sehnsucht der Zeit entgegen, wo ich tausende von Exemplaren kreuzweise benutzen werde.«

Bettine war zwischen die Zeiten geraten: Der Herkunft

und der Bildung nach noch der Romantik verpflichtet, waren ihre Einsichten in den Jahren des Vormärz von der politischen Realität geformt. Ihr Glaube, beide Möglichkeiten der Erfahrung durch die literarische Form ihrer Bücher vereinen zu können, setzte sie Mißverständnissen aus, deren größtes die Verkennung ihrer politischen Aktivität gewesen ist.

Hoffnung auf den Volkskönig

In den Briefen an Friedrich Wilhelm IV. und in den Briefen an die Fürstensöhne aus dem Freundeskreis ihrer Kinder zeigte sich die Interimssituation, die sie sehr bewußt zu nutzen versuchte. Als Friedrich Wilhelm IV. seinem Vater im Sommer 1840 als preußischer König folgte, war die Erwartung der Liberalen auf ihn gerichtet. In der langen Kronprinzenzeit hatte er keinen Hehl aus seiner Einstellung gemacht, jedoch wies ihn auch kein energisches Aufbegehren als eigenwillig aus. Unter seiner Herrschaft mochte es möglich werden, die Verfassung zu verwirklichen und die muffige Atmosphäre der dreißiger Jahre zu überwinden. Er erschien, gerade weil er ohne deutliches eigenes Konzept zur Regierung kam, aufgeschlossen. Die Krönungsrede ließ aufhorchen. Bei den Huldigungsfeierlichkeiten schlug die Stimmung hoch. Sollte die Kabinettsordre vom 4. Oktober, in der der König dementiert hatte, die seit 1815 versprochene Verfassung gewähren zu wollen, nur eine taktische Verzögerung gewesen sein und der König sich ein eigenes Konzept erarbeiten und neue Mitarbeiter gewinnen wollen? Denn schien er nicht in Sachen der Brüder Grimm recht zugänglich?

Bettine hatte sich mit ihren drei Töchtern am 15. Oktober 1840 schon um sieben Uhr morgens auf der Tribüne in der Säulenhalle des Museums eingefunden, um die Huldigungsfeierlichkeiten aus der Nähe zu erleben. Selbst der immer ein wenig nörgelnde Varnhagen konnte sich der Stimmung nicht entziehen. Vielleicht unterhielten sie sich über die bevorstehende Berufung der Grimms. Alexander von Humboldt, immer schon ein Vertreter der Interessen der Liberalen am Hof, hatte auch Bettines zweiten Brief an den König vermittelt und schien nicht ohne Hoffnung zu sein. Sollte der König Dahlmanns Pessimismus Lügen strafen, der die Meinung vertrat, daß Preußen auf ein zweites Jena zusteuerte? Bettine hatte seiner Forderung auf Reichsstände entgegengehalten: »Ein guter König muß sich überall selber Schach bieten.« Sie war entschlossen, den König gegen Ungeduld und Starrsinn in Schutz zu nehmen, wenn auch seit dem Sommer noch nichts geschehen war, was auf Veränderung hinwies. Im Bewußtsein, ›Vorrednerin‹ zu sein, hatte sie sich an den Berliner Magistrat gewandt, um die Illuminierung von Transparenten der königlichen Ahnen aus Anlaß der Krönungsfeierlichkeiten zu verhindern. Ihr Spott über die »in Öl getunkte Ahnenreihe«, die so fratzenhaft und häßlich wäre und dem neuen König so wenig entspräche, ihr Vorschlag, eine vereinigte Menschheit bildlich darzustellen, haben etwas von diesem halb mütterlichen, halb amazonenhaften Eifer, der sie in den ersten Briefen an Friedrich Wilhelm IV. beschwingte. Sogar im Doktorclub erinnerte man sich nicht etwa kritisch, daß genau vor hundert Jahren Friedrich II. an die Regierung gekommen war. Die Stimmung in Berlin war euphorisch. Auf dem Schloßplatz drängten sich die festlich gestimmten Menschen. Viele Blicke richteten sich auf die Tribüne, wo die Damen und Herren der Gesellschaft versammelt waren. Viele erkannten die berühmte Bettine. Auch ihre Töchter fielen auf. Die ungebärdige dreizehnjährige Gisela verstand sich neben Maxe und Armgart durchzusetzen. Man muß das für einen Augenblick zusammensehen, ein Oktobermorgen, über der Spree schon leichter Dunst, die Patinakuppel des Schlosses im aufkommenden Tag, drüben, jenseits der Spree die kantigen Doppeltürme der Friedrich-Werderschen Kirche und der Kubus der Schinkelschen Bauschule, die Linden mit ihren klaren Häuserfronten, die helle strenge Stadt in der Ebene, Wind spielt mit Roben und herbstgelben Blättern, Stimmengewirr, Pferde-getrappel, Erwartung. (Franz Krüger hat die Szene gemalt.)

Sollte es Preußen gelingen, die Metternich-Ära zu überwin-den? Sollte in dieser Großstadt im Norden mit ihren wie auf dem Reißbrett entworfenen Straßen sich eine neue, von der Ratio bestimmte Wirklichkeit darstellen, Gerechtigkeit über Geheimniskrämerei, Fähigkeit über den Vorzug der Geburt triumphieren?

Bettine sah sich in der hohen Spannung dieses Tages als die Partnerin des Königs, die sich bereithalten mußte, vor ihm für die vielen zu sprechen, die so viel von ihm erhofften. Aus sol-cher Stimmung entspann sich einer der seltsamsten Briefwech-sel der Geschichte, in dem Bettine die bestimmende Partnerin blieb, obwohl sie immer die Bittstellerin war. Der König ant-wortete ihr zuerst geschmeichelt, später manchmal unwillig, wenn auch mit der Grandezza der Wohlerzogenheit. Seine Fä-higkeit zur Ironie und seine ebenso schöne wie selbstgefällige Handschrift mit der Vorliebe für schwungvolle Unterbögen und elegante Schnörkel blieben ihm auch noch, als er sich im Nichtssagen übte und nachher, als er seine Hilflosigkeit vor den Ereignissen zu verbergen suchte, als er ein gebrochener Mann war.

Schon als Jacob Grimm am 8. Dezember in Berlin eintraf, um nach der Berufung für sich und seines Bruders Familie eine Wohnung zu finden, war die Enttäuschung über den neuen Kö-nig, der »Geruch von Schimmel und Muffigkeit« spürbar. Um diese Zeit notierte Varnhagen: »Bettine ist außer sich über die Wirtschaft, die hier beginnt ... Sie will dem König die Wahr-heit sagen, sie habe den Mut und das Geschick dazu.« Die Ver-weigerung der konstitutionellen Verfassung und der Pressefrei-heit, die Berufung Schellings und Cornelius' zeigten Friedrich Wilhelm IV. geistig wie künstlerisch an der Vergangenheit orientiert und politisch zaudernd. Er »tut, was er gerade will, was aus seinen frühbefestigten Vorstellungen sich entwickelt, und der Rat, den er allenfalls anhört, gilt ihm nichts«, charak-terisierte Alexander von Humboldt den König einmal. Noch

sangen die Berliner, entrüstet über die Berufung des reaktionären Hassenpflug zum Minister: »Wir wollen ihn nicht haben,/
Den Herrn von Hassenpflug, /Wenngleich die Schar der Ra-
ben/Zum Adlernest ihn trug!« Wenig später erschien die aufsehenerregende Schrift ›Vier Fragen – beantwortet von einem
Ostpreußen‹, von Dr. Johannes Jacoby, in der er die Einberufung der Provinzialstände Anfang 1841 als halbe Maßnahme
kritisierte und eine konstitutionelle Opposition forderte. Bettine bat um diese Zeit den König, die Zueignung eines Buches,
das sie ihm schreiben wollte, anzunehmen, und er bestätigte ihr
seine Bereitschaft dazu. Sie glaubte noch an ihren Einfluß, sie
glaubte, den König noch umstimmen zu können, während sie in
Bärwalde an dem Königsbuch arbeitete oder mit Varnhagen in
seinem Arbeitszimmer – mit dem Kanapee vor der graublau ge-
tünchten Wand und dem Bronzerelief von Rahel, mit Manu-
skriptschränken, Roßhaarsofa, Feldbett und Stehpult – die Lage
Preußens besprach. Varnhagen hatte Verbindung nach überall
hin. Bakunin, Turgenieff und Skatschkoff waren bei ihm zu
Besuch gewesen, Bettine hatte die jungen Russen kennengelernt. »Etwa 27–28 Jahre alt, früher Kapitän in der Gardeartil-
lerie, hoch und kühn aufgeschossen von rabenschwarzen Lok-
ken umschattet, eine wilde Natur ... Republikaner vom Schei-
tel bis zur Sohle, hat gründlich deutsche Philosophie studiert,
ist in Geschichte und Politik tüchtig bewandert«, schildert Adolf
Stahr den jungen Bakunin. »In sein Vaterland darf er nimmer
zurückkehren bei seinen Grundsätzen. Solche Naturen ... findet man nirgends in deutscher Jugend. Noch wunderbarer aber
waren seine Berichte über das Treiben der studierenden und
militärisch gebildeten Jugend in Rußland. Ich hatte keine Ahnung davon, daß man sich dort mit Feuer um deutsche Philosophie und ihre neuesten Evolutionen bekümmert ... Und das
sind keine Phrasen. Denn Ruge sagt mir, daß sie gründlicher
in das Wesen der Philosophie unsrer Zeit und ihre Konsequen-
zen eingedrungen seien als viele deutsche Professoren.« Die
jungen Russen mochten Bettine an das Bild von der vereinigten Menschheit denken lassen, sie bestärkten ihren Glauben

an die Mündigkeit der Völker, die durch Aufklärung und Ausbildung voranzutreiben war. Sie lernte aber auch den Bonner Professor Bruno Bauer kennen, der durch seine Evangelienkritik berühmt und im pietistischen Lager verhaßt war. »Ich habe auch in dieser Zeit einen jungen Mann kennengelernt, der mir seinem Wesen nach ungemein lieb geworden, ja, ich kann wohl sagen, daß sich selten, vielleicht nie eine so freie Sittlichkeit mit Bescheidenheit vermählte: es ist Bruno Bauer, der die Evangelienkritik geschrieben, ein Gräuel dem Eichhorn und den Pietisten. Ich fühl immer mehr, daß ich mich nur an die jüngere Welt anschließen kann, die alten Notabilitäten sind wie alte Schläuche, faßt man sie an oder wollt man sie gar mit Wein auffüllen, so würden sie wie Zunder reißen«, schrieb sie am 27. Oktober 1841 an Friedmund, der ihrem politischen Urteil als einziger der Söhne zustimmte. Gisela, der sie sich später mitteilen konnte, war noch zu jung, die anderen Kinder tolerierten Meinung und Umgang der Mutter als Extravaganz. Daß sie sich entgegen den Vorwürfen, die in Umlauf kamen, mit Bruno Bauers Schriften auseinandergesetzt, daß sie gelesen und ihr Urteil geprüft und entwickelt, nicht aber vor sich hingeträumt hat, ist nach der Erschließung des Wiepersdorfer Archivs nicht mehr zu bezweifeln. In einem unadressierten Briefentwurf heißt es über Bruno Bauer: »... das Christentum hat die *freie Individualität* ... nicht respektiert, sich immer noch zum Netzgarn brauchen lassen, diese Individualität zu Paaren zu treiben, und in Karren gespannt den Staatsdünger auszubreiten für des Thrones gepolsterte Herrlichkeit.« Immer durchsichtiger wurde ihr das Gewebe von Macht und Meinung, wie es in der ›Gesellschaft der Freien‹, zu der Bauer gehörte, diskutiert wurde. Bauer durchdachte die Aufhebung des Privatbesitzes, notierte den Versuch von zwanzig Uhrarbeitern, die sich zum Kollektiv zusammengeschlossen hatten, verwarf aber Weitlings aus dem Handwerkerkommunismus entwickeltes Programm einer geldlosen Gesellschaft wegen des ihr innewohnenden Zwanges zur Überorganisierung. Ob Bettine durch Bruno Bauer und seine Verbindung zum Doktorclub, aus dem die ›Gesellschaft der Freien‹ hervorgegangen war, auch mit Karl Marx in Berlin bekanntgeworden ist, läßt sich nicht nachweisen, wenn auch der junge Doktorand aus Trier dort verkehrte (wie die ihm von Karl Friedrich Koeppen 1840 gewidmete Schrift ›Friedrich der Große und seine Widersacher‹ beweist), und wenn auch beide Männer während Marx' Redaktionszeit an der ›Rheinischen Zeitung‹ miteinander verkehrten. Daß die in der Überlieferung so ungesicherte Begegnung zwischen Bettine und Marx aber stattgefunden hat, konnte Gertrud Meyer-Hepner für das Jahr 1842 und Kreuznach belegen. In einem Artikel aus dem ›Leipziger Sonntagsblatt‹ vom 14. September 1862 beschrieb Jenny Marx' Jugendfreundin Betty Lukas einen Besuch Bettines bei Jenny. (Der Aufenthalt Bettines in Kreuznach ist durch einen Brief an Siegmund gesichert.) »Ich erinnere mich«, heißt es bei Betty Lucas, »wie mir die junge Braut klagte, Bettina von Arnim raube ihr zum großen Teil ihren Bräutigam, der morgens in aller Frühe und abends bis spät in die Nacht mit ihr die Umgebung durchschweifen müsse und doch nur kurze acht Tage zum Besuch gekommen sei nach halbjähriger Trennung. Ich erinnere mich, wie ich eines Abends rasch und ohne anzuklopfen in das Zimmer Jennys getreten und im Halbdunkel eine kleine Gestalt auf dem Sofa kauern sah, die Füße heraufgezogen, die Knie von den Händen umschlossen, eher einem Bündel als einer menschlichen Gestalt ähnlich, und ich begreife heute noch nach mehr als zehn Jahren meine Enttäuschung, als dieses Wesen vom Sofa glitt, um mir als Bettina von Arnim vorgestellt zu werden … das Ohr hätte sich schließen mögen vor dem Klagen über die Hitze, den einzigen Worten, die ich aus dem gefeierten Munde vernahm, denn alsbald trat Marx ein, und sie bat ihn in so bestimmten Ausdrücken, sie zum Rheingrafenstein zu begleiten, daß er, obschon es neun Uhr abends und der Fels eine Stunde entfernt lag, mit einem wehmütigen Blick auf seine Braut der ›Gefeierten‹ folgte.« Ob Bettine Marx' 1844 formulierten Gedanken von der Aufgabe der Geschichte, »die Wahrheit des Diesseits zu etablieren«, die Kritik des Himmels in die Kritik der Erde, die

Kritik der Religion in die Kritik des Rechts, die Kritik der Theologie in die Kritik der Politik auf diesen Wanderungen schon aufgefaßt hat, läßt sich nicht nachweisen, wenn auch ihre aktive Kritik am Zustand der Gesellschaft im Aufruf zur Erstellung der Statistik über die Armut 1844 einsetzt. Wichtig ist die Intensität der Gespräche; nicht zu übersehen auch wieder Bettines Rücksichtslosigkeit gegenüber anderen, die unpersönliche Leidenschaft im An-Sich-Raffen-Wollen von Leben. Dabei aber das seltsam Flüchtige ihrer Erscheinung, das Sich-nirgendwo-binden-wollen, das beinahe heimatlose Umhertreiben zwischen denen, die ihr aus der Vergangenheit nahe waren und denen, die ihre Gedanken in die Zukunft richteten.

Jacob Grimm empfand ihre häufigen Besuche in der Wohnung der Grimms in der Lennéstraße längst als lästig, als sie noch immer von den Brüdern begeistert an Clemens schrieb: »Jacob, der einfachste zugleich friedlichste Charakter, der die Opposition als ein Priestertum verwaltete, allen Streit unterdrückend, aber auch kein Recht, keine Pflicht vergeudend, ist aus diesem Konflikt öffentlicher Meinungen, geheimer Verleumdungen und politischer Umtriebe mit einem Heiligenglanz hervorgegangen ... wenig Menschen können ihn sehen, ohne sich beschämt zu fühlen.« Daß die Entfremdung von den Grimms sich vorbereitete, war dennoch selbstverständlich. Beide Brüder hielten sich aus den tagespolitischen Debatten heraus, waren viel zu sehr in ihrer Arbeit befangen, um die umstürzlerischen Gedanken der Jungen auf ihre Ursachen hin zu reflektieren. Bettine, die »durch ihr überschwengliches, endloses, wiewohl immer anziehendes Gespräch« störte, immer ungeduldig und von den täglichen Fragen aufgeregt, »... ihre Natur ist Nacht wie Tag unermüdet«, vermochte die stille Gelehrtenarbeit nicht zu würdigen, obgleich sie darüber nie ein Wort der Kritik verlor.

Zwischen den Zeiten, zwischen den Generationen, immer aufnehmend, begierig auf Menschen und das, was sie dachten, dabei voller Charme und Witz, Dame, Kind und berühmte Frau, dann wieder nachlässig mit ausgefransten Säumen und nicht ordentlich nachgefärbtem Haar, dann wieder in Schadows Atelier, begeistert von der bildenden Kunst: »So wie zu Goethes Zeit durch Poesie das Leben einen höheren Schwung nahm, so scheint unsere Zeit die bildende Kunst herauszufordern, es ist daher auch die Aufgabe unserer Zeit, das, was als echtes Kunstwerk diesen Geist realisiert, in sich aufzunehmen und mit zu entwickeln«, notierte sie. Hochbegabt, aufnahmefähig, bereit zur Sympathie und doch nie ganz da, nie ganz auf das Gegenüber eingestellt, immer unruhig zu verabsolutieren, suchte sie zusammenzuschauen, zusammenzubiegen, ihrem Weltbild einzufügen, was sie auch sah und spürte. 1842 erschien bei Breitkopf und Härtel Bettines Liederheft ›Dédié à Spontini‹, das die Vertonung ›O schaudre nicht‹ aus Goethes Faust, vier Stücke aus Arnims ›Wintergarten‹, ein Duett und Goethes ›Herbstgefühl‹ enthält, Arbeiten früherer Jahre, deren Herausgabe und Zueignung demonstrativen Charakter hatte. Spontini war wegen einer unvorsichtigen Äußerung in der ›Leipziger Allgemeinen Zeitung‹ vom königstreuen Opernpublikum ausgepfiffen und von Friedrich Wilhelm IV. mit Gehalt von seiner Stellung als Generalmusikdirektor suspendiert worden. Bettine erregte sich über das Verhalten des Publikums und über die Nachgiebigkeit des Königs. Ihre Zueignung ist als Solidarisierung mit Spontini zu verstehen, so wie sie sich auch in den Briefen an Spontini niederschlug. Daß die Veröffentlichung der Lieder, die zumeist in der Münchener und Landshuter Zeit entstanden sein dürften, aus dem Anspruch zur Selbstdarstellung herrührt, kann kaum bezweifelt werden. Bettine erreichte gerade in diesen Jahren des Erfolgs die vollkommene Identität mit der Rolle, die sie sich zudachte, ein beinahe matriarchalisches Bewußtsein von Verantwortung aus eigener ungewöhnlicher Kraft und Fähigkeit. So ist auch ihr Verhalten gegenüber Franz Liszt zu deuten, wenn das halb-erotische Gesellschaftsspiel, das sie mit dem berühmten und von den Berlinern umjubelten Pianisten spielte, auch nicht ohne groteske Züge ist. Sie schrieb ihm von ihrer Freude, an seinem Arm aus dem Konzertsaal gegangen zu sein, wehrte aber ab: »Ihre körperliche und geistige Anlage ist der meinen entgegengesetzt. Sinnlichkeit strömt augenblicklich bei mir in den Geist über. Die erste Bedingung meines Genies ist Unabhängigkeit, ja Überwindung alles Körperlichen...« Über diese öffentliche Zurschaustellung eines Anspruchs, über den nachzudenken lohnt, berichten drei Hefte mit Karikaturen und Texten von Adolf Glaßbrenner, in denen er Bettine als das ›Immerkind‹ verspottet. Dabei hatte sie den Antrag, den der Student Hallwitz ihr überbracht hatte, sich bei Savigny für Liszts Ehrendoktorschaft zu verwenden, abgelehnt. Liszts gesellschaftlicher Ehrgeiz kränkte sie und sie tadelte ihn auch später deswegen. Sie mochte, ohne es schon benennen zu können, das Ausweichen in den von der Musik provozierten Rausch als ein gesellschaftliches Kriterium erspüren. Bei Liszts Abreise aus Berlin waren die Straßen schwarz voller Menschen. Der Rausch, den die ungenaue Erregung durch die Musik im Starkult provozierte, verwischte die Grenzen der Gesellschaftsschichten, machte gegenwartsblind und täuschte falsche Einigkeit vor. Darum schockierte sie auch den pietistischen Kultusminister Eichhorn, der sie beim Liszt-Konzert nach ihrem Ergehen gefragt hatte, durch die Antwort, es ginge ihr immer schlecht, wenn sie ihn sähe. Die Rippenstöße der Schwester und Ministersgattin Gundel beachtete sie nicht, die ihr diesen faux pas kaum verzeihen mochte. Sie kannte die Rolle, die ihr die Öffentlichkeit zubilligte und die sie sich selber zudachte.

Aus dem gleichen Jahr gibt es eine Notiz, die Metternichs Geheimagenten nach Wien schickten und die beweist, daß Bettine ständig beobachtet wurde. Die Nachricht wurde am 26. September 1842 in Frankfurt aufgegeben, wo sich Bettine zu Besuch bei der Familie befand. »Bettina von Arnim verweilte in der letzten Zeit mehrere Tage hier und regte die literarischen Kreise etwas an. Mit ihren Verwandten, der strenggläubigen katholischen Familie Brentano, kam sie aber durch die Verfechtung ihrer Bruno Bauerschen Religionseinsichten in starken Konflikt. Namentlich sprach sie sich in Rödelheim stark gegen den dortigen katholischen Pfarrer Hungari (bekannt als

Dichter) aus ...« War auch die Gesellschaft, in der sich die so Denunzierte befand, respektabel – die ›Augsburger Zeitung‹, die ›Gesellschaft der Freien‹, Dr. Jacoby wurden ebenso beobachtet wie sie –, so wird doch die Spannung zur eigenen Familie für Bettine nicht ohne Bitterkeit gewesen sein. War schon das Verhältnis zu Savignys seit der Auseinandersetzung wegen der Grimms abgekühlt, so hatte der Tod von Clemens trotz der längst nur noch losen Verbindung zwischen den zwillingsgleich begabten Geschwistern sie doch vollends isoliert. Ohne die schmerzliche Erfahrung der Einsamkeit, in die sie immer tiefer hineingeriet, wäre sie in der Rolle der Vorrednerin, der Königen und Genies ebenbürtigen Partnerin unmenschlich geworden.

Doch, so hatte sie in der Günderode (ganz aus der Auseinandersetzung mit Bruno Bauer heraus) geschrieben: Jesus war »menschlich wie wir menschlich sind, was uns zu höheren Wesen bildet, nämlich das Bedürfnis der Liebe... weil nun die Liebe auf Erden nicht zu Hause war, so fand er keinen Stein, da er sein Haupt ruhen konnte, da verwandelte sich dieses reine Bedürfnis der Liebe in das göttliche Feuer der Selbstverleugnung ...« Sie war entschlossen, nach dieser Erkenntnis zu leben, zeichenhaft zu werden. Ein Jahrzehnt später wird Gisela in ihr Tagebuch notieren: »Die deutliche Beschreibung der Unsterblichkeit, die Mutter vermag aufzubauen, bringt bis jetzt verborgene Wahrheiten einem vor die Augen...« Und schon 1832 – wie lange ist das her! – hatte Wilhelm Grimm zu Lachmann geäußert: »Ihr Herz ist noch besser als sie sich anstellt, und ihr Geist ist einer, wie ihn Gott nicht häufig auf die Welt schickt.« Die Rolle, die Bettine sicher auch mit der Lust am Spiel in diesem fünften, dem unruhigsten Jahrzehnt des 19. Jahrhunderts, so anspruchsvoll durchhielt, legt ihr Wesen bloß. »... ich fühlte eine Bewegung zum Handeln«, hatte sie im Goethe-Briefwechsel geschrieben, »ich wußte aber nicht, *was* ich ergreifen sollte; oft dachte ich, ich müsse mit fliegender Fahne voranziehen den Völkern ...«

Als ›Dies Buch gehört dem König‹ 1843 erschien, war die

Erwartung, die die Liberalen in Friedrich Wilhelm IV. gesetzt hatten, längst enttäuscht und die Kritiker der Opposition waren weitgehend ausgeschaltet. Der Begriff ›Kommunismus‹, wenn auch vor dem ›kommunistischen Manifest‹ noch weit aufgefächert, galt als Schmähwort. Die Zensur griff hart ein. Gutzkows ›Telegraph‹, Arnold Ruges ›Deutsche Jahrbücher‹, die ›Leipziger Allgemeine Zeitung‹ und die ›Rheinische Zeitung‹ wurden in Preußen verboten, Karl Grün hatte mit der ›Mannheimer Abendzeitung‹ Schwierigkeiten und redigierte das Blatt, das für Baden verboten worden war, von der Rheinschanze aus. Aber in Rummelsburg bei Berlin sammelten sich die Wiedertäufer, Preußen hatte Ambitionen im Heiligen Land, in allen Kirchen wurde für das anglo-preußische Bistum St. Jacob in Jerusalem gesammelt, die Wiederaufnahme des Dombaues zu Köln lenkte das Interesse auf die Einigung der Konfessionen. Dennoch waren im April 1843 in Danzig Unruhen ausgebrochen und fuhren im Juni des Jahres 1500 Kölner auf zwei Dampfschiffen nach Düsseldorf, um die Landstände zu beglückwünschen, die den neuen Strafgesetzentwurf einstimmig abgelehnt hatten. Die anti-preußische Stimmung im Rheinland war auch nach dem Verbot der ›Rheinischen Zeitung‹ ein fruchtbarer Boden für die Opposition. Die Bonner Universität sammelte die fortschrittlichen Lehrer, führende Persönlichkeiten des aufkommenden Großkapitals wie David Hansemann, Ludolf Camphausen und Gustav von Mevissen gaben dem bürgerlichen Selbstbewußtsein in der sich entwickelnden Industriegesellschaft Ausdruck (Marx hatte sie ja schon als Aktionäre der ›Rheinischen Zeitung‹ gewinnen können!). Denn die großräumige Wirtschaftsplanung war nach Aufhebung der Zollschranken und durch den Eisenbahnbau unumgänglich geworden, die Agrarstruktur des preußischen Kernlandes mit dem beharrlichen, nach Potsdam orientierten Feudalismus war revisionsbedürftig. Und doch konnte Varnhagen mißmutig notieren: »Deutsche bringt man schwer zusammen, außer zur Philisterei.« Er beobachtete die sich zersplitternde Opposition, ein Schreibtischrevolutionär, der erst zehn Jahre nach der Gründung der Borsigschen Werkstätten auf dem Nordufer der Spree einmal die Fabrik voller naiver Bewunderung besichtigte.

Bettine, so oft sie auch bei ihm war und ihn über das Entstehen des Königsbuches auf dem Laufenden hielt, vermochte anders als er die vielen Stimmen der Auflehnung zusammenzuhören. Ihr Buch wäre sonst nicht zu verstehen. Deutlicher als in den beiden bisher veröffentlichten Büchern versuchte sie aktuelle Reflexionen in ein literarisches Modell zu zwingen. Es wäre vordergründig und Bettine nicht gerecht, darin ein Ausweichen vor der Zensur zu erkennen, wie etwa aus dem raschen Verbot von Adolf Stahrs deutender Broschüre ›Bettina und ihr Königsbuch‹ geschlossen werden könnte. Für Bettine gab es noch die überhöhte Bildsprache neben der publizistischen Mitteilung, wenn auch die Kritik, die das Buch fand, schon das nüchternere Verhältnis der jungen Generation zur Sprache erkennen läßt. Es wäre ungenau, Bettine eine politische Konzeption zuzubilligen, die Modellcharakter hat, und etwa von einer Anknüpfung an Novalis zu sprechen, der in seinem Aufsatz ›Die Christenheit oder Europa‹ ein idealisiertes Bild des europäischen Mittelalters entworfen und projiziert hatte, wenn Bettine auch einmal in einem Brief an Pauline Steinhäuser in Rom ihre Hoffnung auf den Papst setzen würde, als Pius IX. 1846 eine allgemeine Amnestie erließ und Schritte zur Einführung einer Laienregierung vorbereitete. Schon Arnim hatte sich ja aus der Orientierung an mittelalterlichen Ordnungsvorstellungen gelöst, nach seinen frühen Aufzeichnungen zu deuten nicht einmal ganz ohne Einfluß Bettines. Sie war aber auch keine Revolutionärin, so deutlich sie auch an das Naturrecht der Aufklärung anknüpfte und so revolutionär ihre Einsicht von der Gefährdung des Staates durch die Armut auch sein mochte. Die Anregung zur Beschäftigung mit Fragen der Armut war 1842 von der Potsdamer Regierung ausgegangen durch die Veröffentlichung der Preisfragen, ob die Klage über die zunehmende Armut begründet sei, welches die Ursachen und Kennzeichen seien und durch welche Mittel einer zunehmenden Armut gesteuert werden könne. Obwohl Bettine sehr richtig die Entmündigung der Armen in der Form der Befragung erkannt hatte, entwarf sie in ihrem Buch kein neues politisches Konzept, sondern wollte durch die Gegenüberstellung vom Modell der Freien Reichsstadt Frankfurt während der Rheinbundzeit und dem Anti-Modell der Elendsstadt vor den Toren Berlins, das sich in den Berichten aus dem Vogtland darstellt, etwas aufzeigen. (Die Bezeichnung Vogtland für den Armenbezirk stammte aus dem 18. Jahrhundert, als Bauleute und Saisonarbeiter aus dem Vogtländischen vor den Toren angesiedelt wurden.) Bettine hatte die Frau Rat Goethe zur Sprecherin der Vernunft gemacht und in ihren Gesprächspartnern, dem Pfarrer und dem Bürgermeister, die Institutionen karikiert. Mißverstandene Frömmigkeit und mißverstandene Bürgerbiederkeit reichten nicht aus, um mit den akuten Nöten fertig zu werden, hieß das. Sie nahm den Gedanken zur Gefängnisreform wieder auf, der sie schon gemeinsam mit Arnim nach Dr. Julius' Vorlesungen 1827 beschäftigt hatte. Sie setzte sich mit der Abschaffung der Todesstrafe auseinander: »Wenn die Frage über ein Bestehendes in uns rege wird, deutet es nicht auf die Möglichkeit des Entgegengesetzten? Wenn ich frage: Ist die Todesstrafe gerecht, deutet dies nicht auf die Möglichkeit, sie sei ungerecht? Wenn diese Möglichkeit meinem Gewissen vorschwebt, ist es ihr dann nicht verpfändet, bis diese Zweifel zur absoluten Wahrheit geworden? Wenn es möglich ist, daß sie im Geist manifestiere, die Todesstrafe sei ungerecht, wie kann ich von heut an noch zum Tode verurteilen und welche entgegengesetzte Möglichkeit offenbart sich hierdurch im Geist, die diesem widerspricht? – vielleicht, daß durch das unbestrafte Verbrechen der Schuldlose der bösen Willkür bloßgegeben sei.« Die Dialektik dieser undatierten Notiz weist auf die Niederschrift im Zusammenhang mit dem Königsbuch hin. Bettine hatte sich hier ja zum ersten Mal aus der Ich-Du-Beziehung gelöst und umkreiste in der Wechselrede ihre Themen und Fragen. So konnte sie die aktuellen Gegenargumente entkräften und ihre Einsicht, daß der Mensch gut sei und ihn nur die Umstände seines Lebens verformten, durch die Starrheit der karikierten Gegensprecher der Frau Rat indirekt beweisen. Die Armenberichte in der Bettine fremden, sachlichen Sprache des Berichts haben innerhalb der Komposition des Buches die Aufgabe der schockierenden Enthüllung. Die Anti-Vernunft der Realität bleibt als Forderung stehen.

Sie hatte den jungen Schweizer Heinrich Grunholzer mit der Sammlung von Berichten beauftragt und ihn dafür mit fünfzig Talern honoriert. Der Vergleich mit seinen Aufzeichnungen läßt den Schluß zu, daß Bettine seine Notizen verwendet hat. Jedoch hatte sie nicht nur Grunholzer mit der Aufzeichnung von Berichten aus den Familienhäusern beauftragt, sondern auch den Entwurf einer Armenstadt herstellen lassen, den sie auf Grunholzers Rat nicht beifügte. Ihrer beider Meinungsverschiedenheit über Armenstädte, Armenkolonien hat seine Ursache in Bettines Mangel an historischer und verwaltungspolitischer Einsicht. Sie vermochte zwar die geistigen Akzente der Entwicklung zu erkennen, war auch in der Lage, die Armut als zentrales Problem des preußischen Staates zu deuten, war sich aber nicht im klaren darüber, daß die Armensiedlungen in Preußen seit den frühindustriellen Ansiedlungen zur Beseitigung der Armut unter dem Soldatenkönig Friedrich Wilhelm I. Tradition hatten, also Ausdruck des patriarchalischen Absolutismus waren, der der Entwicklung zur Demokratie im Industriezeitalter zuwiderlief, weil er die Armen politisch entmündigte. Bettine daraus einen Vorwurf zu machen, wäre irrig. Sie folgte ja Grunholzers Vorschlag und nahm die Zeichnungen und Entwürfe nicht in das Buch auf, wenn auch die Idee der Armenkolonie noch in ihrem Protest gegen den Neubau des Berliner Domes geisterte, in dem sie dem König vorschlug, statt des Domes Hütten in Schlesien zu bauen. Sie konnte in dem immer noch vorwiegend agrarischen Preußen an keine andere Möglichkeit denken. Borsigs (ihr unbekannte) gleichzeitige soziale Fürsorge für seine Arbeiterschaft macht deutlich, wie zeitnah Bettine reagierte. Sie war keine originäre Politikerin. Wenn sie im Brief, mit dem sie das Königsbuch an Friedrich Wilhelm IV. überschickte, schrieb: »Du mußt Dein Bürgertum auslösen«, das

Königtum also ins Volk zurücknahm, den König nicht mehr als ersten Diener seines Staates, sondern als den ersten Bürger einer Gemeinschaft von Bürgern erkennen wollte, der mit ihnen den Staat erschuf, in dem sie leben wollten, wird ihre Konzeption sichtbar. Ihre an Bruno Bauers Gedanken geschulten Reflexionen halfen ihr, die enge Bindung von Volk und König als existentielle Verwirklichung dessen, was Christus gelebt, gelehrt hatte, zu sehen, ganz im Gegensatz zur bestehenden Auffassung in Preußen, in dem »die Kirche die geheime Triebfeder des Staatsrades (ist), nämlich durch diese soll die große Staatsmaschine wieder in Gang gebracht werden«. (Brief an Friedmund 27. 10. 1841) Sie hatte zusammen-gehört, zusammen-gesehen und zusammen-gedacht, was ihr begegnet war, was sie beschäftigt hatte. Die frühe Auseinandersetzung mit Mirabeau, das Fatum Napoléon, die Vaterlandserfahrung in Preußens Notzeit, die politischen Einsichten der jungen Generation der dreißiger und vierziger Jahre wertete sie literarisch aus, wertete sie auf. Das war neu, war vor allem neu für eine Frau ihrer Herkunft.

Sie war sehr lange mit dem Plan umgegangen, dem König als Partnerin gegenüberzutreten. Schon 1841 hatten die Gespräche in den Abendgesellschaften bei ihr zu einer Zeitungsnotiz geführt, die über den Druck des Buches berichtete. Ihre Äußerung, daß das Buch in Druck ginge und sie hoffe, daß ihre Gedanken sie nicht verlassen würden, läßt schließen, daß sie sich selbst sehr nötigen mußte, das Buch zu schreiben, das anders als die Briefbücher nicht aus der Erinnerung gespeist wurde. Der Briefwechsel mit dem Kronprinzen Karl von Württemberg 1840–42, die Briefe an den Erbprinzen Carl-Alexander von Sachsen-Weimar ab 1843 sind Vorübungen und Einübungen in der Verfolgung des Gedankens vom Königtum als Darstellung des Volkswillens. »Ei, das wäre zum Verzweifeln, wenn der Funke der Wahrheit nimmer könnte im Herrscherherzen zur leuchtenden Fackel werden, erstens den Volksgeist, denn der geht voran aller Herrscherwürde, und dann den übrigen Potentaten. Ja, denen möchten Sie mit dem einfachen Prinzip der Menschenwürde, der Geisteswürde, des Vertrauens in die Stimme der Wahrheit imponieren, das ist es, was ich von Ihnen zu erwarten mich berechtigt fühle ...« Die Vorstellung vom Volkskönigtum wurde von Bettine jedoch nicht aus der Geschichte oder der idealisierten Geschichte abgeleitet, sondern mit republikanischen Inhalten ausgestattet. Die Bürgerkönige Frankreichs mögen ihr Vorbild gewesen sein, die Republik ohne König nach der Schock-Erfahrung der jacobinischen Exzesse, von denen sie ja als Kind in Offenbach so viel gehört hatte, war ihr noch nicht vorstellbar.

Ihre verschiedenen Auftritte in der Öffentlichkeit waren Darstellung der Partnerschaft zum König. »Frau von Arnim repräsentiert für die höheren Kreise in Berlin die Opposition, das Genie ist an die Stelle des Hofnarren getreten ...« Sie sah sich ja schon seit 1831 in der Lage, die Wünsche des Volkes zu dolmetschen.

War der Formenwechsel im Königsbuch eine Hilfskonstruktion, so ist seine Schwäche die des literarischen Modells zu einer Zeit, in der um politische Modelle gerungen wurde, abgesehen von den oft müde hinschleppenden Gedankengängen der Frau Rat, die Bettine durch das Frankfurter Idiom und durch humorvolle Bemerkungen künstlich zu beleben bemüht war. Ihre Unsicherheit beim Schreiben ist unverkennbar. Es fehlte ihr die Wiedererfahrung, die Wiederbegegnung mit einem ihr vertrauten Gegenüber. Der König blieb für sie Figur, die sie beobachtete, kaum kannte oder auch nur kennen wollte. (Sie wich der Begegnung mit ihm lange aus; es wird erzählt, daß sie sich sogar einmal in der Theaterloge vor ihm verborgen hätte, um ihn nicht von Angesicht zu sehen.) Anders als Goethe verführte er sie nicht zur Mythisierung, anders als die Günderode war er ihr nicht vertraut, anders als die jungen Leute, die sie um sich sammelte, blieb er ihrem mütterlichen Eros entzogen, immer Repräsentant, kaum mehr der Mensch, den als König zu erleben sie zu Beginn seiner Regierungszeit noch so bereit gewesen war.

Aber sie hatte sich einmal zu diesem Buch aufgerufen, sie wußte der andrängenden Wirklichkeit nicht anders Herr zu werden, und sie erkannte, ehe sie das schon darstellen konnte, die Aufgabe ihres Alters. Ihr war es vorbehalten, tätig einzugreifen. Und sie setzte die Tat so hoch an, wie sie von sich dachte. Sie forderte den König heraus.

Daß das Buch von den Freunden wie von den Gegnern als Tat begriffen wurde, erweisen die Rezensionen und der rasche Verkauf. Das Buch war unter Umgehung der Zensurbehörde erschienen, der es den Bestimmungen nach als anonyme Veröffentlichung über zwanzig Bogen hätte vorgelegt werden müssen. Daß Bettine nicht etwa fahrlässig oder versehentlich gehandelt hatte, ist aus den Zensurschwierigkeiten mit ›Clemens Brentanos Frühlingskranz‹ im darauffolgenden Jahr ersichtlich. Sie reagierte als Snob auf ihr unwürdig erscheinende Bestimmungen. Über den Fall des Königsbuches berichtet eine sehr ausführliche Akte der Zensurbehörde, doch wurde sein Weg in die Öffentlichkeit nicht aufgehalten. Der König selbst dankte lakonisch: »Ich habe Ihr Buch empfangen. – Ich danke Ihnen für Ihr Buch. – Ich fühle mich durch Ihr Buch geehrt: *Warum?*«, schrieb aber auch poetisierend nichtssagend »Sonnenstrahlengetaufte, Rebengeländer Entsproßene« und hat nach Alexander von Humboldt nur in dem Buch geblättert, Anlaß genug dann doch, um bei Hof über Bettine zu spotten, eine Eigenheit, die Friedrich Wilhelm IV. immer wieder nachgesagt wurde.

David Friedrich Strauß tadelte das Buch, das er als literarisches Tendenzstück erkannte und gedanklich unausgereift fand. Moritz Carrière nannte es im Vergleich zu den vorhergehenden Büchern schwächer und ging, seltsam stilblind, nicht auf den Einbruch der Realität im Vogtlandbericht ein, in dem die literarische Mitteilung in die publizistische Mitteilung aufbricht. Wilhelm Grimm fand Bettine nur noch in den erzählenden Passagen wieder, tadelte aber, daß sie darauf ausgehe, »nachdem sie Bruno Bauer hat kennen lernen, das Christentum lächerlich zu machen, und das ist mir zuwider«. Hengstenberg schrieb in der ›Evangelischen Kirchenzeitung‹ die schärfste Ablehnung, weil er natürlich herausspürte, daß er karikiert und attackiert worden war: »Dilettantismus, eitle Zweifel, müßige Grübeleien, eine Art von Amateurtrieb nach Wahrheit, Tändeln und

Kokettieren mit der Wahrheit – das ist die schwerste Sünde, das ist die Wurzel aller denkbaren Sünde«, und er sprach von Quacksalberei und davon, »daß ein gewisser Teil unserer gebildeten Zeitgenossen allen festen sittlichen Boden verloren hat . . .« Kein Wunder, daß das Buch von der Opposition hochgelobt wurde, die sich in ihm wiedererkannte und verstanden sah. Karl Gutzkow begeisterte sich im ›Telegraph für Deutschland‹, der ja in Preußen nicht erscheinen durfte: Das Buch »ist ein Ereignis, eine Tat, die weit über den Begriff eines Buches hinausfliegt. Dies Buch gehört dem König, es gehört der Welt. Es gehört der Geschichte an . . . Es sagt Dinge, die noch niemand gesagt hat, die aber, weil sie von Millionen gefühlt werden, gesagt werden mußten«. Er erwähnte auch den Spott, den das Buch bereits gefunden hatte und finden würde und stellte die Anklage, es wäre kommunistisch, polemisch in Frage: »Man hat die Partie des Buches kommunistisch genannt, man höre, was er enthält, und erstaune über dieses sonderbare Neuwort *Kommunismus*! Ist die heißeste, glühendste Menschenliebe Kommunismus, dann steht zu erwarten, daß der Kommunismus viele Anhänger finden wird.«

Das größte Aufsehen erregte Adolf Stahrs Broschüre ›Bettina und ihr Königsbuch von A. St . . ., Hamburg, Verlags-Comptoir 1844‹, die schon im Herbst 1843 erschien und kurz nach Erscheinen in Preußen konfisziert wurde; Stahr, der mit Bettine seit der Veröffentlichung des Goethe-Briefwechsels befreundete liberale Schriftsteller, der damals noch als Lehrer in Oldenburg lebte, später in zweiter Ehe Fanny Lewald heiratete und bis ins hohe Alter dem Liberalismus anhing, hatte das Königsbuch in die publizistische Alltagssprache übersetzt mit der eindeutigen Absicht, es aus dem Bereich der nur literarischen Würdigung oder Kritik herauszunehmen. Bettine, die den Zusammenhang zwischen Verbot und Verkaufserfolg kannte, schrieb einen Tag vor der Konfiszierung an ihn, er möchte die Schrift rasch in Umlauf setzen, die unter den Umständen um so sicherer gekauft werden würde. Das Urteil des Oberzensurgerichts trennte scharf zwischen Bettines »unverständlicher poetischer visionärer Sprache« und Stahrs »scharf ausgeprägtem und allgemein verständlichem Bilde«. Eine ironische Deutung im Sinne Bettines kam 1844 in dem Berner Verlag Jenni Sohn, der ausschließlich frühsozialistische Texte veröffentlichte, heraus: »Ruchlosigkeit der Schrift ›Dies Buch gehört dem König‹, ein untertäniger Fingerzeig, gewagt von Leberecht Fromm«.

Bettines Sprache wurde also von ihren Freunden und Gegnern verstanden. Darüber darf der Abstand der Zeit und dürfen uns die Schwächen des Buches nicht hinwegtäuschen. Es erfüllte die publizistische Funktion, aufzuklären. Es erreichte, zumindest als Ärgernis, auch die, die nicht in den Berliner Zeitungscafés die vom öffentlichen Verkauf ausgeschlossenen Blätter der Opposition lasen. Bettine hatte sich zur Unmittelbarkeit des Tuns freigeschrieben.

Dennoch geht jede radikale Deutung ihrer Entwicklung fehl. Sie löste weder die Bindung zur Familie – die standesgemäßen Ehen ihrer Kinder waren ihr selbstverständlich – noch verachtete sie Andersdenkende, noch wandte sie sich von den Künsten ab, wenn sie auch in der schon erwähnten Notiz die Zeitbezogenheit der bildenden Kunst und ihre Wirkung auf die Umwelt (heute würden wir sagen: die Funktion der Kunst innerhalb der Gesellschaft) überdachte, getreue Schülerin der Autoren des Jungen Deutschland. Sie verzichtete auch nicht darauf, dem König durch Alexander von Humboldt zum Jahreswechsel eine Zeichnung übereignen zu lassen, auf der ein nackter Jüngling und ein nacktes Mädchen einander begegneten, eine etwas unglückliche Symbolisierung ihres Partnerschaftsanspruchs.

Nach der Veröffentlichung des Königsbuches beschäftigte sie die Herausgabe ihres Briefwechsels mit Clemens, sicher nicht nur ein Akt der Pietät, wie die Zitate, die sie dem Buch voranstellte, glauben machen könnten. Sie ließ das Buch im Verlag Edgar Bauers, eines Bruders von Bruno Bauer, erscheinen, eine politische Geste, deren Folgen sie zu spüren bekam, als das Buch fast unmittelbar nach der Auslieferung konfisziert wurde, »weil der Verfasser nicht genannt war und weil ihm (dem Po-

lizeiamt) die Dedikation unziemlich schien«. Bettine hatte
›Clemens Brentanos Frühlingskranz‹ dem Prinzen Waldemar,
Sohn des Prinzen Wilhelm und Neffen des Königs, zugeeignet,
der als Freund ihrer Söhne und Verehrer ihrer Töchter in ihrem Haus verkehrte. Waldemar, der im Herbst 1844 den Orient
bereiste, 1846 an der anglo-indischen Expedition gegen die
Sikhs teilnahm und schon 1849 starb, wurde der Hamlet des
preußischen Hofes genannt. Nicht nur seine Liebe zu Maxe,
sondern auch seine Aufgeschlossenheit, banden den jungen Prinzen an Bettine. Die Zueignung an ihn, durchaus im Zusammenhang mit ihrer Absicht, junge Fürsten zu erziehen, verrät tiefe
Sympathie. Waldemar war wie Kühnemund 1817 geboren, er
hatte Phantasie und galt als umgänglich, ungleich dem nüchtern
schroffen Vater, eher schwermutgefährdet. Die Nachrichten,
die er bei Bettine zu hören bekam, müssen ihn sehr beunruhigt haben. Am Hof hätte er wohl kaum von dem Armen-
elend vor den Toren der preußischen Hauptstadt erfahren,
kaum auch die Aufgabe des Königtums so von der Etikette befreit begriffen. »Es ist das aufrichtigste Gefühl der Verehrung
und Liebe, was mich bewogen hat, Euer Hoheit dies Buch zu
widmen«, heißt es denn auch in Bettines Zueignung, und nachdem sie über Schicklichkeit und Etikette scherzt: »Fahre ich nun
fort und sage: In diesem Buch werden Euer Hoheit viel Ana-
loges mit sich finden! so können die Schicklichkeitsmenschen
behaupten, dies sei sehr unschicklich einem Prinzen zu sagen,
er habe Ähnlichkeit mit einer Volksseele ... Ich habe dies früh-
lingsduftende Buch nur dem darbieten können, gegen den ich
keinen Zweifel hege, der Feldblumenkranz könne ihm zu gering
sein ...« Und sie schloß mit der Anrede der »Leute auf dem
Markt«, denen sie jenen Fürsten zu vertrauen empfahl, die an
Feldblumenkränzen Freude hätten. Einmal, erinnern wir, hatte
sie an Arnim von den Königen und den Dichtern, die es von
Geburt seien, geschrieben. Die Zueignung zeigt, daß ihr die
Vorstellung noch immer nahe war; daß sie im Dichter den Sprecher, im Fürsten den Vertrauten des Volkes sah.

Bettine vermutete sehr richtig, daß unter dem Vorwand von

der Unschicklichkeit der Widmung die Brüder Bauer und sie selbst attackiert werden sollten, und sie bat Adolf Stahr, die Tatsache der Beschlagnahme »durch ein öffentliches Blatt« publik zu machen. »Natürlich darf ich keinen Anteil daran zu haben scheinen.« In dem ihr selbstverständlich nicht bekannten Schreiben des Ministers des Innern, des Grafen von Arnim-Boitzenburg an den König heißt es: »Wenn also Bettine und diejenigen, welche Euro K. M. über diese Angelegenheit Bericht erstattet haben, der Zensur das selbstverschuldete Hindernis aufbürden möchten, so ist dies eine Verdrehung der Wahrheit. – Wenn Bettina aus besonderer Vorliebe für die habitués ihres Salons (Bruno Bauer, wohlbekannt, Egbert Bauer, der neulich aus einer Branntweinschenke betrunken in den vorüberfließenden Rinnstein fiel, von mildherzigen Vorübergehenden auf der Polizei abgeliefert und dort durch seinen schätzbaren Bruder abgeholt wurde) das dritte Blättlein dieser Kleepflanze, Edgar Bauer zum Verleger ihrer Geisteswerke auswählt, so muß sie sich schon die Folgen gefallen lassen, da diese Herren bekanntlich eine besondere Abneigung gegen die Lektüre der Gesetze haben; – einem honetten Buchhändler ist dergleichen noch nie begegnet ...« Der Tenor dieses Schreibens bekundet neben der ungenauen Kenntnis des Ministers (der Verleger war Egbert Bauer), die vergiftete Atmosphäre des vormärzlichen Preußen. Natürlich hatte Bettine den jungen Buchhändler und Gleichgesinnten unterstützen, aber zugleich auch gegen die Zensur protestieren wollen. Nach Verwendung Alexander von Humboldts gab der König wenige Wochen später den Erlaß zur Freigabe des Buches. Bettine dankte ihm und bat Stahr, die Nachricht darüber zu verbreiten. »Ich glaube, es würde nicht übel tun, wenn man in der Zeitung anbrächte, nicht die Zensur habe dies Werk befreit, das über die Bogenzahl hinaus nicht mehr zensiert dürfte werden, sondern lediglich die Gnade des Königs, der keine übermütigen Schikanen dulde. Nun es ist Hott wie Haar! –« Noch war sie entschlossen, den König von Vorwürfen freizuhalten, hielt noch an dem Bild von dem Uhu, der dem Schwarm der Vögel, die ihn hassen, ausgesetzt ist, fest, das sie im Anschreiben zur Übereignung des Königsbuches für Friedrich Wilhelm IV. verwendet hatte. Doch »es ist Hott wie Haar!« Der Aufstand der schlesischen Weber war Anfang Juni 1844 von preußischen Truppen niedergeworfen worden. Bettine konnte sich ihres Glaubens an den König nicht mehr sicher sein. War er denn noch der König, der den Volksgeist verkörperte? Graf von Arnim beschuldigte Bettina von Arnim, sie wäre die Ursache des Aufstandes, sie hätte »die Leute gehetzt, ihnen Hoffnungen geweckt, durch ihre Reden und Briefe, und schon durch ihr Königsbuch! – Auch stand schon in der ›Spenerschen Zeitung‹ ein Artikel in diesem Sinne«.

Den Hungrigen helfen
heißt jetzt Aufruhr predigen

Was galt da noch die Freigabe von ›Clemens Brentanos Frühlingskranz‹? Sie begriff, daß die Zeit, ihre eigene Biographie in den Briefwechseln nachzuvollziehen, für sie vorbei war. Trotz reichhaltigen Materials (wie sie Varnhagen gegenüber behauptete) hat sie die später mit Clemens gewechselten Briefe nicht veröffentlicht. »Wir haben keine Zeit mehr zum Spielen oder die Träume der Vergangenheit auszubauen.« Das von Heinrich Heine ausgesprochene Lebensgefühl war die vordringliche Erfahrung aller, die das unruhigste Jahrzehnt des Jahrhunderts als Forderung begriffen. Sie unterbrach die Vorarbeiten für das ›Armenbuch‹, das »schon bis zum 15. Bogen gediehen« war. Denn ». . . den Hungrigen helfen heißt jetzt Aufruhr predigen, hat mir jemand geschrieben und den Rat verbunden, den Druck (des Armenbuches) hier nicht fortzuführen.« Sie stand im Zentrum der Unruhe, im Zentrum der Angriffe. Sie gehörte dem Stand an, der in den Aufständen nur die Störung der staatlichen Ordnung, den Ungeist sah und sich der Realität verschloß, die sie mit jedem Tag mehr gefangen nahm.

(Um das Sozialgefälle zu demonstrieren, seien hier ein paar Zahlen genannt: Eine Wohnung der besseren Stände kostete jährlich 300–400 Taler, die Einnahmen der besseren Stände beliefen sich auf jährlich 3000–4000 Taler. Ein Zimmer in den Rentenhäusern vom Hamburger und Oranienburger Tor, in dem jeweils eine ganze Familie wohnte, kostete monatlich 2 Taler, die Reineinnahmen der Familien in diesen Wohnungen lagen zwischen 3 und 6 Talern monatlich. Soldaten und Arme, so stellte sich nach einem Brief Grunholzers dem Durchreisenden das Bild in den Garnisonstädten dar.)

Den Hungrigen helfen. Aber wie? Bettines Post wurde kontrolliert. Heinrich Bernhard Oppenheim, nach dem Studium in Berlin Privatdozent in Heidelberg, Jurist und häufiger Besucher ihrer Abendgesellschaften zu Ende der dreißiger Jahre, machte ihr vorsichtig davon Mitteilung. Ein Brief von George Sand wurde erbrochen, der Bettine die französische Ausgabe von ›Goethes Briefwechsel mit einem Kinde‹ übersandt hatte und die ihr im März 1845 mit einem langen Brief dankte und ihr vorschlug, über Goethes ›Wilhelm Meister‹ unter dem Aspekt »la propriété est un bien commun« zu schreiben und Goethes »l'idéal de l'égalité« herauszuarbeiten. »Si Goethe était en France à l'heure qu'il est (à l'age où il écrivit Wilhelm Meister) il serait, en fait d'idées sozialistes, notre maître, comme il est et le sera toujours en fait d'art.« Da dieser Brief nach der Kontrolle sogar im öffentlichen Gespräch war – einige Zeitungen berichteten von einem Briefwechsel der Schriftstellerinnen über Kommunismus und Sozialismus –, wagte ihn Bettine nicht einmal zu beantworten, sondern bat ihre französische Übersetzerin Hortens Cornu, sie bei der Sand zu entschuldigen, daß sie nicht habe antworten können, der Brief wäre ihr offen überbracht worden.

Wie helfen?

›Clemens Brentanos Frühlingskranz‹ wurde nicht nur von den Gesinnungsfreunden gefeiert, sondern auch gut verkauft. »Unzweifelhaft ... das reinste, *einfach*-schönste und lieblichste von allem, was sie geschaffen hat«, schrieb Stahr, »mein Genuß war um so reiner und die Empfindung um so wohltuender, je einfacher und reiner hier die Verhältnisse und Bedingungen der Entstehung uns entgegentreten und je ferner alles Unruhige, peinlich Beklemmende, Gespannte, Seilschwebende gehalten bleibt, was denn doch hier und da bei andern Mitteilungen der herrlichen Frau wohl das ruhige Genußbehagen beeinträchtigt.« Das Buch war Abschied von dem zwillingsgleichen Bruder Clemens, Abschied von der Erinnerung, ja Abschied von dem ihr eigenen Leben. Von nun an blieb das Private, so souverän sie es auch durchspielte, nebensächlich. Die Rolle der ›Vorrednerin‹ hatte sie ganz. Und sie hielt sie allen Anfeindungen und täglichen Miserabilitäten zum Trotz durch. Sie hatte sich nie verraten. Das bewiesen die Briefwechsel, die sie veröffentlicht hatte, sie war Schwester, Freundin, Geliebte gewesen, sie war auch Frau und Mutter gewesen, sie hatte vor keiner Aufgabe, vor keinem Verhältnis zurückgeschreckt. Sie lebte noch immer mit ihren Kindern mit, war dankbar für Friedmunds Verständnis und ermunterte ihn in seiner schriftstellerischen Tätigkeit, in der er ihr bis zur geistigen Abhängigkeit vertraut erscheint. Er hatte durch die Mutter die innere Freiheit von seinem Stand erreicht, als politischer Denker stieß er selten in die Realität des Tages vor. Doch seine Schriften über die ›Rechte jedes Menschen‹, ›die gute Sache der Seele, ihre eignen Angelegenheiten und die aus dem Menschen entwickelte Geschichtszukunft‹, über ›Vernunft-Religion und Vernunft- oder Hülfsstaat‹ oder über die ›Lehre der Liebe‹, seine Arbeiten über die Homöopathie und sein Verhalten in der Todeskrankheit der Mutter zeigen seine innige Nähe zu ihr. Lange wurde seine Rezension über Max Stirners ›Der Einzige und sein Eigentum‹ für eine Arbeit Bettines gehalten. Anders, verschlossen und immer ein wenig gedrückt, immer überfordert, war Freimund, der Herr auf den Gütern um Wiepersdorf und Bärwalde, an dessen später Heirat sich Bettine denn doch so herzlich freute und das Wiepersdorfer Schloß für ihn richtete. 1945 war noch ein von ihr und Armgart gemaltes Rosenbukett zu sehen, das sie zum Empfang für Freimunds junge Frau Anna von Baumbach auf die Wand gemalt hatten. Deren Tod nach kaum einjähriger Ehe bedrückte sie alle. Doch auch mit Freimunds zweiter Frau, ihrer Nichte Claudine, Bruder Georgs Tochter, verwitwete Firnhaber, verstand sie sich gut. Sie war ja eigentlich ein Familienmensch, brauchte Trubel um sich, brauchte es: zu sorgen, zu schwätzen, übermütig zu sein. Anders wäre sie den Anspannungen des eigenen Lebens kaum gewachsen gewesen. Selbst Siegmund, der ihr so fremd geblieben war wie schon als Kind, obwohl er ihr äußerlich ähnlicher war als seine Brüder, gab sie, was sie geben konnte. In einem langen Brief setzte sie sich für seinen Anspruch auf den Freiherrntitel ein, den er für seine – ihr nicht angenehme – diplomatische Karriere brauchte. »Wenn er alles so klar und deutlich sähe«, könne es ihm nicht möglich sein, sich »noch einen Augenblick im Interesse dieser Gewaltherren« zu verwenden, schrieb sie einmal über ihn an Friedmund. Auch den Töchtern gegenüber war sie großzügig, obwohl Maxe und Armgart durchaus nicht mit der politischen Aktivität der Mutter zufrieden waren und nur Gisela, genialisch, verwöhnt, Zigarre rauchend, in großkarierten Jacken und extravaganten Röcken, extravagant auch in ihrem Benehmen, der Mutter zustimmte und sie bewunderte. Maxe urteilte über die so anders geartete Schwester so generös wie über die Mutter, wenn sie auch manchmal ungeduldig war und aufbegehrte: »Es ist ein Jammer, daß Du glaubst, die Politik sei Dein Feld. Du machst all Deinen Kindern Kummer damit. Und Dein Ruhm wird keineswegs vergrößert. Dein Ruhm sind Deine ersten Bücher; mit dem Königsbuch ist er nicht mehr gestiegen, sondern man sieht, wieviel höher die ersten Bücher stehen. Du lachst und sagst, ich sei dumm und verstände nichts. – Ich bin aber nur die Einzige, die den Mut hat, Dir das immer wieder ins Gesicht zu sagen.« Sie nahm da wohl das Wort für die Savignys, für Siegmund, für den schweigsamen Freimund und die immer anfällige zarte Armgart, deren Gesundheit in den Briefwechseln der Mutter mit den Kindern eine bedeutende Rolle spielte. ›Amra‹ war Arnims Lieblingskind gewesen, sie glich ihm auch äußerlich, ihre Stille mochte Bettine

guttun, sie reiste in späteren Jahren gern mit ihr. Sie war überhaupt leidenschaftlich Mutter, nahm als Hospitantin an den Sitzungen der ›Kaffeter‹ teil, einem literarischen Damenkränzchen,
das ihre drei Töchter und die Schwestern Bardua aus Ballen-
stedt gegründet hatten und dem Maxe als ›Präsident Maiblüm-
chen‹ vorstand. Caroline Bardua war eine beliebte Porträtma-
lerin, die Schwestern lebten ein wenig jüngferlich in kleinen
Verhältnissen, aber der Übermut dieser regelmäßigen literarischen Sitzungen – mit Kaffee und Kuchen und später auch mit
Eis, mit Kinderknarren, Kindertrompeten, silbernen und goldenen Kaffeekannenorden und für die Herren silbernen Kaf-
feelöffelorden, als Auszeichnung für Beiträge in der Kaffeter-
Zeitung wie Gedichte, Erzählungen, Märchen – gehört zumindest am Rande auch zu Bettines täglicher Wirklichkeit in diesen
Jahren, ohne die Leidenschaft ihres politischen Engagements
zu schmälern. Als die Malerin Caroline Bardua einmal erschrocken fragte: »Aber Frau von Arnim, wenn wir keine feste
Religion mehr haben, ist doch unser ganzes Leben nichts!« und
Bettine antwortete: »Ich weiß nicht, was Sie noch wolle. Sie
habe Ihr Minche, und's Minche hat ihr Carlinche – ich weiß
nicht, was ihr noch extra für geschmorte Äppel wollt!« sehen
wir das Lächeln, das an Bettines Altersbild, dem Pastell von
Karl Johann Arnold, so überzeugt. Sie war auch für die Unternehmung der ›Häringszeitung‹ zu haben gewesen, die Gisela,
Herman Grimm und Gebhardt von Alvensleben schon 1843 in
lustigem Dichterkonkurrenzkampf herausgaben. Das Titelblatt
mit vier Heringen deutet auf die satirische Absicht hin. (Nachlaß Irene Forbes-Mosse im Fft. Hochstift.) Märchen, Satiren,
eine Ehrenmitgliedschaft im Kaffeter für Hans Christian An-
dersen, epigonales Nazarenertum bei Caroline Bardua, jüngferliche Behaglichkeit in der Französischen Straße 28; ein senti-
mentales Gedicht von Maxe verrät, was ihr in Bettines Nähe
denn doch fehlte: die Behaglichkeit, die Wärme und das Ganz-
ernst-genommen-werden. Es tut not, die Umwelt zu sehen, in
der Bettine an ihrem ›Armenbuch‹ arbeitete. Die Wohnung in
der Köthener Straße, draußen noch Äcker, keine Pflasterung,

wurde bald aufgekündigt. Bettine hätte gern, Berlins überdrüssig, die Stadt verlassen, in der sie so viele Feinde hatte, aber Varnhagen drang darauf, daß sie blieb, weil sie in die Stadt gehörte. Und es war wohl auch nur eine Laune, nur Müdigkeit gewesen, die sie sich selten gönnte.

Den Hungrigen helfen, heißt jetzt Aufruhr predigen. Dazu der Rat Alexander von Humboldts, den Druck des Armenbuches in Berlin nicht fortzuführen. Waren also im Sommer 1844 die Möglichkeiten, durch Verbreitung von Tatsachen aufzuklären, erschöpft? Zumindest in Preußen erschöpft, wo Militär und Zensur, polizeiliche Rohheit und die Kurzsichtigkeit der Minister die akute Krise nicht wahrhaben wollten? Bettine hatte die Augen überall. Sie setzte sich für die Mutter des Schmiedegesellen Otto ein, der bei einer Razzia von einem Gendarmen so schwer verletzt worden war, daß ihm der Arm amputiert werden mußte und der, Ernährer der Mutter, wenig später starb, einer, der nachweislich nicht einmal in den Auflauf verwickelt gewesen war. Sie setzte sich auch für den Attentäter Tschech ein, der, ehemaliger Bürgermeister aus Storkow, im Juli 1844 ein Attentat auf den König versucht, aber nur den Wagen des Königs auf dem Schloßhof getroffen hatte, als er gegriffen wurde. Sie erfuhr von dem kläglichen Auftritt Friedrich Wilhelms IV. in Königsberg, wo seit seinem Regierungsantritt die Opposition gegen ihn am deutlichsten entwickelt war. Sie war zornig über Savigny, den das Bild von den armen Webern auf der herbstlichen Kunstausstellung störte. Sie freute sich über die Eckensteher Lude und Friede, die die Könige von Bayern und Preußen verhöhnten und kannte den berlinischen Spottvers: »Immer langsam voran! Immer langsam voran! Daß der preußische Fortschritt nachkommen kann!« Sie war aber auch enttäuscht über die Brüder Grimm, die sich in Berlin ganz auf ihre Arbeit zurückgezogen hatten und sich, eigentümlich unsicher im politischen Verhalten, von Hoffmann von Fallersleben distanziert hatten, der nach dem Verlust seiner Professur in Breslau wegen seiner ›Unpolitischen Lieder‹ als ihr Gast während des Fackelzuges für Wil-

helm Grimm am 24. 2. 1844 gesehen und unmittelbar ausgewiesen worden war. Grimms hatten ihn öffentlich einen unge-
legenen Gast genannt, sicher aus persönlicher Aversion und
auch ängstlich, ihre Stellung wieder aufs Spiel zu setzen. Sie
waren ja beide Männer in den Fünfzigern, beide auch abhängig.

Daß Bettine nichts von dieser Lebensängstlichkeit annahm,
daß sie beinahe sechzigjährig mit den Jungen jung war, mit
ihnen an den Völkerfrühling glaubte (der Ausdruck war damals über ganz Europa verbreitet), erschien den Freunden
wunderbar und den Gegnern verschroben. Varnhagen verglich sie einmal mit Voltaire, nannte dasselbe Feuerfangen und
Funkensprühen, dieselbe Schwungkraft bis zum Äußersten,
auch dieselben Eitelkeiten und dieselbe Großmut und Menschenliebe ihr eigen. Zwar wirtschaftlich unabhängig durch die
Rente aus dem Brentanoschen Vermögen war Bettine nicht
reich und immer noch dankbar für Lebensmittellieferungen von
den Gütern. Doch immer war sie bereit zu helfen, immer auch
bereit zum Risiko wie etwa zur Gründung des Familienverlages, um die Herausgabe der Arnimschen Werke weiterzutreiben, immer auch eigensinnig auf ihr Recht pochend, um sich ja
nicht als alte Frau betrügen zu lassen. Die Post brachte ihr
Bittgesuche der Bedrängten, die sie nicht unbeantwortet ließ.
Das ›Armenbuch‹, von dem nicht nur ihre Freunde schon wußten, blieb liegen. »Ich denke mir, es wird ungefähr wie der
Anhang zum Königsbuch werden«, schrieb Oppenheim dazu,
»... ich erwarte Bedeutendes, und ich freue mich, wenn ich dran
denke, daß es noch einen Menschen von dieser mutvollen, un-
verdrossenen, edlen und rein menschlichen Tätigkeit gibt, in
unserer Zeit der kraftlosen Gebundenheit, und daß ich diesen
Menschen meine Freundin nennen darf.« Auch außerpreußi-
sche Zeitungen berichteten schon von dem Buch.

(Es wurde erst 1962 erschlossen. Die Familie hatte die Armenpapiere 1929 auf der großen Auktion angeboten, wo sie
der damalige Direktor des Frankfurter Hochstifts, Prof. Dr.
Beutler, aufgekauft hatte. Daß die Auswertung während der
Hitler-Ära nicht möglich war, ist selbstverständlich. Werner

Vordtriede interpretierte das vorhandene Material und machte es in seinen wesentlichen Teilen bekannt.

Seit der Zeit der Cholera war Bettine der Frage nach der Armut nicht mehr ausgewichen, hatte die Rentenhäuser im Vogtland besucht und war anders als andere Damen der Gesellschaft, die sich wie sie der Wohlfahrtsaufgaben annahmen, nicht an Sonntagsschulen und Weihnachtsandachten interessiert, sondern hatte immer mehr von den Lebensbedingungen dieser Ärmsten zu erfahren versucht. Der junge Mediziner Max Ring hatte sie begleitet und ihr dabei von der Armut in Oberschlesien erzählt, Grunholzer hatte für sie die statistischen Erhebungen gemacht, sie hatte ihre Erfahrungen in der Krankenpflege angewendet, die sie als Gutsfrau und an den eigenen Kindern gesammelt hatte, sie wußte, daß die Armut nicht auf diesen Stadtteil beschränkt war, und erkannte, daß in der Lösung des Armenproblems ein politisches Problem steckte. Als sie am 15. Mai 1844 in vielen großen Zeitungen, u. a. der ›Magdeburger‹ und der ›Cölner Zeitung‹ einen namentlich unterzeichneten Aufruf veröffentlichte, in dem sie ihre Absicht, die Ergebnisse ihrer Forschungen über das Armenwesen in einem besonders ausführlichen Werk der Öffentlichkeit zu übergeben, bekanntmachte und um Mitteilungen über das Armenwesen bat, war das eine letzte Aktion, um ihre Forschungen abzurunden. Schon Anfang des Jahres hatte sie von Friedrich Wilhelm Schloeffels Einsatz für die verarmten Weber erfahren und ihn im März um genaue Angaben gebeten. Er schickte ihr bereits am 10. März eine in Eichberg in Schlesien aufgestellte Liste mit statistischen Angaben über 92 Arme (ein Konvolut von zweiundzwanzig großen beiderseitig beschriebenen Blättern). »Über vorstehende Aussagen habe ich mannigfaltige Erkundigungen bei Sachverständigen eingezogen, welche den geschilderten Notstand als wahrheitsgemäß bestätigen. Den Abgabenpunkt (Steuern, Klassensteuer, Grundsteuer, Gemeindesteuer) habe ich größerer Sicherheit wegen, so weit ich vermochte, in Maiwaldau durch den Abgabenerheber, in Schildau, Boberstein und Lomnitz durch den Ortschulzen feststellen lassen.« In einer anschließenden Denkschrift untersucht Schloeffel die Ursachen des schlesischen Elends, die er in der Folge der Kontinentalsperre mit ihrer Rückwirkung auf Englands überseeischen Handel erkennt und den Ausbau des preußischen Überseehandels vorschlägt. »Scheinvertretung des Bürger- und Bauernstandes in Preußen« müßten dann der realen Freiheit, »die Vorrechte dem Volksrechte« weichen. Er wies aber auch auf die Unmündigkeit der Armen hin und berichtete, daß die Befragten sich bereits durch die Befragung Linderung erhofft hätten, weil die Not so groß wäre »und ich möchte sie alle anhören und ihr Elend aufschreiben«. Schloeffels Punkte hier zu nennen, scheint wichtig, um seinen Realitätssinn zu demonstrieren und um die Beschuldigung, die 1846 zu seiner Verhaftung führte, zu entkräften: Der im gesunden Staatsleben unmögliche Notstand muß aufhören, wenn »1., das preußische Gouvernement, die Notwendigkeit der gewerblichen Industrie im Staate anerkannt haben wird, und 2., nach dem Beispiele desjenigen Staates, wo Industrie und Handel einen nachahmungswürdigen Höhepunkt erreicht haben, für eine mit dem Bedürfnisse fortschreitende Gesetzgebung gesorgt werde: was 3., nur durch harmonisches Zusammenwirken der Theorie-Männer – Beamten – mit den praktisch erfahrenen, sachverständigen Männern aus dem Volke möglich ist, wenn 4., die Verfassung ohne Rücksicht auf Stände, eine Gliederung gestattet, mit der nicht die Interessen einzelner Stände, sondern die Interessen Aller, das heißt, des ganzen Volkes wahrgenommen werden, womit 5., der Staat aufhören wird, ein bloßer Agrikulturstaat zu sein, und in Folge dessen, 6., Gleichheit vor dem Rechte, Öffentlichkeit des Gedankens und der Tat, eine Volkskraft erzeugen wird, welche Preußen vor jeder inneren Not bewahren und jedem äußeren Feinde gegenüber gerüstet und kampfgerecht halten wird.« Schloeffels Blick nach England ist deutlich. Das englische Modell bleibt auch für Bettine noch vorbildlich, als es Friedrich Engels schon durchleuchtet und für die westeuropäische und die rheinische Industrie als Modell der kapitalistischen Wirtschaft kenntlich gemacht hat. Die Zusammenstellung von

Armenstatistiken war damals nichts Außergewöhnliches. Die Gemeinden waren belastet durch die fast brotlosen Handwerker (überall waren vornehmlich die Weber betroffen), die Auswanderungswelle war seit den zwanziger Jahren nicht mehr zum Stehen gekommen, zu Schiff und zu Fuß erreichten die verarmten Familien die Seehäfen zur Verladung nach Amerika. Aber auch die Wanderung in die großen Städte hatte zugenommen. Das agrarische Europa war der Bevölkerungsexplosion des 19. Jahrhunderts noch nicht gewachsen.

Bettine bewahrte Listen aus Zeitungen auf und hatte eine große Anzahl von Druckschriften durchgearbeitet, die sich mit ökonomischen Fragen beschäftigten. Nach ihrem Aufruf vom Mai erhielt sie Nachrichten aus Schlesien und Posen, ja aus Reutlingen, dabei viele Bittschriften. Und mitten in dieser Nachrichtenflut die Abschriften aus schlesischen Zeitungen, die über den Weberaufstand berichteten und die Klage gegen den Fabrikanten Zwanziger, der »ein wahrer Schinder und Blutsauger« war. Varnhagen notierte über ihn, daß er seine hungernden Weber verhöhnt hätte; sie sollten sich doch mit Häcksel ernähren, hatte er ihnen vorgeschlagen. Aber der Aufstand war niedergeworfen, die Anführer wurden schon am 16. Juni bestraft. Der Leumund und die Berliner Presse gaben Hinweise auf Bettines Mitschuld. Am 22. Juni übergab sie einen Teil ihrer Armenlisten in Abschrift an Alexander von Humboldt. »So manche Hilfsquelle, so manches notwendig zu erwägende sollte in mein Armenbuch kommen, ich lasse es jetzt nicht weiterdrucken. Ich sende hier ein paar Bogen aus demselben, nicht zum Lesen, sondern zum Einsehen, was diese Leute dort gelitten ehe es soweit kam...« – »Unser Schuldbuch sei vernichtet, ausgesöhnt die ganze Welt«, schrieb sie darunter. Hoffnung oder das Pathos der Trauer? Sie wußte, daß die Weberaufstände nur ein Signal gewesen waren. »Warten wir nicht auf das vielverheißende Buch der Frau Bettina Arnim. Dies kann uns keinen bessern Aufschluß über den Zustand unsrer Armen geben, als wir diesen durch eigenes Schauen gewinnen können«, heißt es in einem ›Sendschreiben an den verehrlichen Handwerkerstand Deutschlands über den Pauperismus‹, das 1844 in Leipzig veröffentlicht wurde.

Die erhaltenen Listen weisen Zeichen der Vorbereitung für den Druck auf. Bettine hatte das Buch dem Schwanenorden widmen wollen, dessen Patent Friedrich Wilhelm IV. am 24. 12 1843 zum vierhundertjährigen Bestehen wieder erneuert hatte, eine Gesellschaft von Privatleuten mit dem Ziel, durch tätiges Christentum – wie etwa durch die Stiftung eines Mutterhauses für Krankenpflege – der Armut Herr zu werden. Nach den Weberaufständen hatte Bettine jedoch begriffen, daß der Not nicht mehr mit Wohlfahrt zu begegnen war. In den Armenpapieren befanden sich neben stichwortartigen Notizen ausgeformte Texte, deren Rhythmus und Sprache bezeugen, daß Bettine an ihnen gearbeitet hat, um sie zu Beschwörungsformeln zu stilisieren, und ein unaufgeschnittenes Buch von 162 Seiten ohne Verfassernamen und Titel, gedruckt bei Trowitsch und Sohn der Druckerei, die die Aufträge des Arnim-Verlages erledigte. Die Handschrift, die als Druckvorlage gedient hatte, lag dabei. Einige Korrekturen sind von Bettines Hand, die meisten Korrekturen jedoch in einer lateinischen Handschrift, die sich dank eines erhaltenen Briefes als die Schrift von Georg Svederus aus Stockholm identifizieren ließ. Da Svederus' Aufenthalt in Berlin Anfang der 40er Jahre belegt und auch die Veröffentlichung seiner Schrift ›Über Industrialismus und Armut‹ im Herbst 1844 im Arnimschen Verlag durch eine Notiz Rudolf Baiers bestätigt ist, kann also kein Zweifel sein, daß Bettine mit allen ihr zur Verfügung stehenden Möglichkeiten in den politischen Prozeß, der in den Weberaufständen sichtbar geworden war, eingreifen wollte. Die Schrift kann als Beantwortung der Preisfragen der Regierung angesehen werden. In der Einleitung setzt sich der Verfasser mit den Theorien Adam Müllers, Friedrich Lists und dem Kommunismus auseinander, der ja zu Anfang des Jahrzehnts noch ein sehr vager Begriff war. Auf Seite 12 heißt es: Der Schule des Kommunismus »liegt zugrunde dieselbe alte, verworrene, gespensterartig noch immer wiederkehrende Idee einer Gleichheit, die nie errungen werden kann oder soll, weil, wenn sie möglich wäre, die menschliche Entwicklung durch sie ins Stocken geraten müßte«. Dann folgen zehn Kapitel über die Ursachen der Armut, volkswirtschaftliche Fakten und staatsökonomische Theorien. Svederus ist der Meinung, daß der Verlust an Religiosität das Jagen nach Besitz fördere, kennt und nennt aber auch schon Praxen der Bedürfniserzeugung. Quintessenz seiner Ausführungen ist die Ansicht, daß die Vererbung von Kapital, das eine Vorgeneration aus der Arbeit der Armen gewonnen habe, unrechtmäßig sei, da sie nur die Möglichkeiten zur Ausnutzung der Armen steigere. Das Wesen des Kapitalismus wird also in nuce begriffen.

Nicht nur deshalb ist die Veröffentlichung bemerkenswert, weil Svederus' Gedankengänge sich in Bettines Notizen wiederfinden, sondern weil die Schrift als Veröffentlichung in ihrem Verlag Rückschlüsse auf ihren politischen Standort zuläßt: Sie hatte sich vom Pathos des Saint-Simonismus gelöst, hatte aber zum Weitlingschen Handwerkerkommunismus und zum Frühmarxismus keinen Kontakt. Die spätere Verbindung zum ›Arbeiter-Lokalverein‹ ist charakteristisch. Ihr lag das Tun näher als die Theorie. Sie blieb darin durchaus fraulich unsystematisch. Dennoch war ihre Beschäftigung mit ökonomischen Fragen konsequent. Die Zustände verlangten nach augenblicklicher Änderung. Ihr Organisationstalent, ihre Fähigkeit zur praktischen Hilfe waren angesprochen. Im Konvolut der Armenpapiere befand sich außerdem das Armenmärchen, in dem sie das Motiv von der uralten Frau, die für ihre Enkel sorgen muß, ausspann, ein romantisches Märchenmotiv, das Clemens im Märchen ›Vom braven Kasperl und dem schönen Annerl‹ verwendet hatte, für Bettine jedoch ein reales Motiv. Schon im Briefwechsel mit Arnim erwähnte sie eine alte Frau, die von weither mit ihrem Hundekarren in die Stadt kam und die tägliche Milch brachte und von ihren Enkeln und ihrem langen Leben erzählte. Bettine hat an dem Märchen intensiv gearbeitet. In vier Fassungen wird ihre Arbeitsweise sichtbar: Das Aufweiten des Textes, das Mühen um die durchgehende Sprachmelodie zur Verfremdung der Realität, das Einarbeiten von Erinnerungsschüben, bis das Ich im Text durchbricht und die Deutung des mythischen Grundgehalts möglich wird. Der Arbeitsvorgang beweist Bettines Einstellung zum literarischen Kunstwerk, bestätigt am Manuskript, was die Briefwechselbücher erkennen lassen: Das Sprachkunstwerk ist für sie immer durch Mit-Teilung belastet, immer dialogisch, niemals absolute geschlossene Form.

Ob sie jedoch die Arbeit am Armenbuch abgebrochen hat, weil die Entwürfe auf keinen Partner hinzielen (wie das Königsbuch immerhin noch mittelbar), und ihr damit ein wesentlicher schöpferischer Anlaß fehlte, wie Werner Vortriede in seiner Interpretation der Armenpapiere annimmt und durch den Hinweis auf Gedanken- und Stileigentümlichkeiten in Bettines letztem Buch, den ›Gesprächen mit Dämonen‹, bestärkt, ist zu bezweifeln. Er übersieht Bettines Erregbarkeit und den schöpferischen Prozeß. Beunruhigt vom Weberaufstand inmitten der eigenen Auseinandersetzung mit der Frage der Armut und noch mit dem reichhaltigen statistischen Material beschäftigt, war ein neues Buch noch nicht gereift, gab es außer dem neuen Rohstoff noch nichts Mitteilbares für sie, das sich von der Mitteilung im Königsbuch abgehoben hätte.

Daß sie in ihrem Verlag einen Autor zu Worte kommen ließ, der systematisch Einsichten erarbeitet hatte, denen sie zustimmen konnte, bestätigte ihren Sinn für Realität, gehörte mit in den Umkreis ihres Tuns.

Sie dachte nicht an Revolution, sondern an Reform. Sie ließ den König nie aus dem Blick, in dessen Macht es ja noch immer stand, die verweigerte Verfassung zu gewähren, die Zensur aufzuheben, die Demokratie zu verwirklichen. Erst im März 1848 brach ihr diese Hoffnung zusammen und sie formulierte ihr Ja zum Volk als einer politischen Ganzheit, das sich in der Klage über den ›Madensack‹, in der Trauer über den ›schlafenden König‹ in den ›Gesprächen mit Dämonen‹ als ihre letzte Aussage erhalten hat.

In diesem Jahr 1844 mit seiner vorrevolutionären Unruhe war sie noch von der Möglichkeit einer Verjüngung der spätfeudalistischen Ordnung, eines wenn auch romantisch-ironisch reflektierten Paradieses überzeugt, wenn auch der König, den sie sich als Partner erwählt hatte, um vor ihm für das Volk zu sprechen, am Ende des Jahres nach der Hinrichtung des Attentäters Tschech noch mehr an Glaubwürdigkeit eingebüßt hatte Aber sie hatte mit ihm zu rechnen. Das mochte genügen. Ohnehin hatte sie ja noch Zweifel an der Mündigkeit des Volkes, waren doch zur Ausstellung des Heiligen Rockes in Trier im Herbst 1844 mehr als eine Million Menschen gepilgert und hatte die ›Rhein-Moselzeitung‹ triumphiert: »Diese Scharen verkünden uns den Sieg des Glaubens über die falsche Aufklärung.«

Bettine hatte sich, je intensiver sie sich mit denen, die in Not waren, befaßte, aus der Bindung ans Gegenüber gelöst. Die nach-sexuelle, mütterlich-erotische Zuneigung für die jungen Leute verwandelte sich zur pan-erotischen Begeisterung. Sie hoffte auf den Aufbruch der Völker. Ihr Anteil an dieser Zukunft waren vorerst Hilfeleistung, Eintritt für das Recht der Rechtlosen, Bloßstellung des Unrechts. »Ne pleure pas sur ton propre sort, Vogtlandais, ne plains que aux qui sont pour toi sans pitié«, hieß es in einem Aufsatz in der Zeitschrift ›Voix des femmes‹ vom 22. März 1848, der Bettine zugeschrieben wird. Ermutigen, das Selbstbewußtsein der Rechtlosen stützen war naheliegende Aufgabe.

Während Marx und Engels in Paris in den ›Deutsch-französischen Jahrbüchern‹ den aufkommenden Industriekapitalismus systematisch untersuchten und daraus den Umbruch der bestehenden Gesellschaft folgerten, während im preußischen Polen im polnischen demokratischen Verein an der Vorbereitung eines polnischen Staates gearbeitet wurde, der der willkürlichen Teilung des Landes ein Ende machen sollte, während der Bau der Eisenbahnen die deutschen und die europäischen Staaten näher zueinanderrückte, hatte Bettine in den Notizen zum Armenbuch geschrieben: »O selig, wer einer großen Idee lebt, die er höher achtet als Ruf und Nachruf, als Ruhm und Tadel. *Ich* verachte beide.« So war es selbstverständlich, daß sie sich für

Friedrich Wilhelm Schloeffel einsetzte, als er im März 1845 als Kommunist denunziert und verhaftet wurde. Schloeffel war schändlich behandelt worden. Nach Übersendung der Erhebungen an Bettine war er vom Gerichtsherrn von Rosen in Eichberg zur Verantwortung gezogen worden, hatte sich jedoch nicht entmutigen lassen und in Hirschberg Vorträge über den zunehmenden Pauperismus und die Städteordnung und Kritisches zur Verfassung des preußischen Staates geäußert, hatte auch in einer Denkschrift an den Provinziallandtag die Wiederherstellung der richterlichen Unabhängigkeit gefordert und gegen die häufigen Haussuchungen, die den Staatsbürger unsicher machten, protestiert. Als er Anfang 1845 zu seinem Schwiegersohn nach Breslau reiste, wurden dort auf Grund der Anzeige des Tischlers Wurm seine Papiere durchsucht und Hausarrest verfügt und nach der Verhaftung auch seine Eichberger Wohnung durchsucht. Der Einspruch des Oberpräsidenten Merkel erwirkte seine Entlassung nach wenigen Tagen, aber die Denunziation wirkte weiter, und er wurde beim Besuch seines Vaters wieder verhaftet und über Liegnitz nach Berlin in die berüchtigte Bleikammer der Hausvogtei gebracht. Immerhin wurde ihm der Verteidiger Justizrat Gräff bewilligt, der gedroht hatte, er würde im Verweigerungsfalle keine Prozesse mehr für den preußischen Staat führen. Schloeffel wurde freigelassen und im Herbst des Jahres auch freigesprochen. Dennoch blieb der König der Meinung des Denunzianten, Schloeffel habe den Umsturz der Staatsverfassung und die Beseitigung seiner Person geplant. Die Atmosphäre war haßgeladen wie immer, wenn ein Staat von innen her fault. Bettine lebte wie mit angehaltenem Atem. Sie hielt zu den Savignys die familiäre Vertraulichkeit aufrecht, obwohl ihr die Eitelkeit des Schwagers ebensowenig behagte wie den Grimms, die sich zwischen den livrierten Dienern im Ministerhaus in der Wilhelmstraße nicht mehr wohlfühlen konnten. (Bismarck zitiert in ›Gedanken und Erinnerungen‹ Bettines Ausspruch, Savigny könne an keiner Gosse vorübergehen, ohne sich darin zu spiegeln.) Doch verdient ihre Eigenschaft, sich mit niemandem zu überwerfen, sondern Verhältnisse, die ihr nicht behagten, nicht wichtig zu nehmen, Beachtung. Sie hatte Humor, weil sie Distanz hatte. Es gibt aus dieser Zeit einen Bericht über Savignys Haushalt, den zu beobachten sie während einer Reise des Ehepaares übernommen hatte, der so prall und heiter ist und dabei doch voller Ironie steckt, daß begreiflich wird, aus welchen Reserven sie lebte. Und es gibt einen anderen Brief, der ihre große Freude über Freimunds Verlobung zum Ausdruck bringt. Sie konnte zusehen. Sie konnte das Leben wie einen fremden Stoff greifen und begreifen. Sie war nie von der Schwermut so zerrissen, daß alles sie anging, störte oder zerstörte, sondern immer noch neugierig, immer noch bereit und fähig zu formen, was sie anging, immer noch Künstlerin. Dabei hatte sie Sorgen. Die Herausgabe von Arnims Werken ging langsamer vonstatten, als sie gedacht hatte. Immer wieder hatte sie junge Leute zur Mitarbeit gewinnen, immer wieder den Verlag wechseln müssen, ehe sie sich zur Gründung des Familienverlages entschloß. Dennoch spielte sie mit dem Gedanken, Arnims Nachlaß zu veräußern. Ein undatierter und unadressierter Brief erwähnt Verhandlungen mit Cotta. Ein Brief von Gebhardt von Alvensleben ist erhalten, der ihr als Freund ihrer Töchter verbunden war und in Frankfurt anläßlich eines Besuches bei den Brentanos Verhandlungen mit dem dortigen Buchhändler Löwenthal wegen Arnims Nachlaß geführt hatte, die auch ergebnislos geblieben waren. Im Sommer 1945 war das Schlößchen Bärwalde abgebrannt, und es hatte Monate gedauert, bis Wiepersdorf vom Pächter geräumt worden war und sie dort einziehen konnten. Maxe und Armgart waren inzwischen mit Savignys nach Frankfurt gereist, Bettine und Gisela machten das Schloß wohnlich. Wie mögen die Mutter und ihre Jüngste, beide voller Übermut, beide voller Spaß am Spott – aber auch am Werkeln – zwischen den Maurern und Töpfern und Malern herumgewirtschaftet haben und sich schließlich über das frisch geweißte Haus und die neuen Öfen und die gemalten Zimmer gefreut haben!

Ein wenig von dem schnoddrigen Übermut steckt auch in

Bettines Verhalten, das den Prozeß des Berliner Magistrats gegen sie heraufbeschwor, Aufbegehren gegen Amtsfilz und Ärmelschoner, selbstbewußtes Aufbegehren gegen die Unkorrektheit der Verwaltung. Im August 1846 war Bettine aufgefordert worden, das Bürgerrecht von Berlin zu erwerben, weil sie das Gewerbe als Verlagsbuchhändlerin betriebe. Sie antwortete überrascht, sie wäre keine Buchhändlerin, sondern druckte, wie erlaubt, im Selbstverlag. Arnims Nachlaß, den sie zum Druck vorbereitete, gehörte ihrer Auffassung nach in diese Kategorie. Sie übergäbe die ausgedruckten Bücher an den Buchhandel in Kommission. Nach Monaten des Schweigens mahnte der Magistrat von Berlin – diesmal mit Unterschrift des Bürgermeisters Krausnick – wieder, das Bürgerrecht zu erwerben, ohne auf ihr Antwortschreiben Bezug zu nehmen. Wieder schickte sie eine sachliche Richtigstellung und legte den Kontrakt bei, den sie mit Herrn P. L. Lenatz geschlossen hatte, damit er die Kommissionen durchführte. Dann aber ging der Zorn mit ihr durch, sich mit solchen Bagatellen abgeben zu müssen, und sie fügte mit roter Tinte einen längeren Text hinzu, in dem sie übermütig selbstbewußt ihre Arbeit und ihr Nein zum Bürgerrecht darstellte und begründete und nachwies, daß sie mit der Herstellung der Bücher Proletariern Arbeit gäbe. Sie erklärte, daß sie das Bürgerrecht nur als Geschenk annehmen wollte. Dieser Brief wurde »wegen der in demselben enthaltenen groben Beleidigung« dem Staatsanwalt übergeben. Bettine nahm die Beleidigung zurück: »Ich sage also: daß die Absicht des inkriminierten Schreiben die war, auf möglichst schonende Weise bemerklich zu machen, wie ein dermaßen geringschätzendes Übergehen meiner jedesmaligen Entgegnungen gerade dadurch zu absichtlicher Beleidigung wird, weil dies Verfahren ein bewußtes Unrecht vorauszusetzen scheint. Will ein hochlöblicher Magistrat sich beleidigt finden, weil die Verletzungen, welche dies wiederholte Verfahren aufs Höchste steigern, dadurch hervorgehoben werden, daß ihre Rüge in ein der Form zwar nicht gemäßes, aber nicht boshaftes, sondern humoristisches, zur Sühne geeignetes Gewand sich kleidet, so wird es zweckdienlich sein, das gegenseitige Verhalten zu vergleichen, und das beschuldigte Schreiben zu prüfen.«

Das klingt nach Michael Kohlhaas und Schalksnarr in einem. Kein Wunder, daß Bettine verklagt wurde. Der Amtsweg war schon betreten, ihre Zurücknahme überhaupt nicht beachtet worden. Hartnäckig wurde ihr die Konzession als Verlagsbuchhändlerin überbracht, die sie nicht beantragt hatte. Lenatz bezog sich wiederum auf das Gesetz, nach dem selbstverlegte Bücher konzessions- und gewerbescheinfrei waren. Bettine verlor den Prozeß und wurde zu zwei Monaten Gefängnis verurteilt, die sie absitzen wollte, um den Magistrat lächerlich zu machen. Durch Savignys Einspruch, der das öffentliche Ärgernis ebenso fürchtete wie die Söhne, wurde sie in der zweiten Instanz zur Geldstrafe verurteilt. Dennoch hatte der Prozeß die Presse lebhaft beschäftigt, und Hortense Cornu hatte ihr aus Paris zu ihrem mutigen Protest gratuliert. Was Bettine hatte erreichen wollen, war geschehen, ohne daß sie im Gerichtssaal erschienen war. Der faux pas des Gerichts, das unsachlich drohend auf eine frühere Geldstrafe für Bettine verwies, die aktenmäßig nicht belegbar ist, während ihre Weigerung vorliegt, in einem Prozeß gegen ihre frühere Hausangestellte Hackwitz, die sich einen falschen Adelstitel zugelegt hatte, als Zeugin zu deren Gunsten aufzutreten, entlarvte auch den Magistratsprozeß als politisches Verfahren, Bettine mißliebig zu machen.

Am 11. April 1847 hatte der König vor den Abgeordneten der Provinziallandtage im vereinigten Landtag erklärt, er hätte sie nicht einberufen, wenn sie »ein Gelüst hätten nach Rolle sogenannter Volksrepräsentanzen«. Am 21. April war in Berlin die sogenannte Kartoffelrevolution ausgebrochen, Marktstände und Geschäfte waren geplündert, die Fenster im eben erfolgten Umbau des Palais des Prinzen von Preußen zertrümmert worden. Viele hundert Verhaftungen waren erfolgt. Man sprach vom ›schwarzen Menetekel‹. Im Herbst brach in Schlesien der Hungertyphus aus und zu Ende des Jahres zogen Scharen von Bettlern und hungernden Frauen und Greisen durch das Land. Warnungen in der Presse wurden unterdrückt. Die preußischen Ärzte wurden vom Oberpräsidenten in Breslau zur Hilfe aufgerufen. Viele, unter ihnen Virchow, gingen nach Schlesien. Der laue Winter förderte die Krankheit, die schlechten Ernten des Jahres 1847 hatten die Preise hochschnellen lassen. Alles wies auf Unruhe, auf Aufstand hin. In Berlin waren am 2. Dezember die Führer des polnischen demokratischen Vereins nach zweiundsiebzig Verhandlungen verurteilt worden, zweihundertvierundfünfzig Männer unter der Führung Mieroslawskis, dessen Urteil auf Verlust des Adels, Konfiskation seines Vermögens und Tod durch das Beil lautete.

Bettine, deren Briefbuch ›Ilius Pamphilius und die Ambrosia‹ im November 1847 vor dem Erscheinen beschlagnahmt worden war, weil es als eine Veröffentlichung der Arnimschen Verlagsexpedition auf dem Umweg über Leipzig die Zensur hatte umgehen sollen, wie es hieß, trat noch einmal ungeachtet der eigenen Schwierigkeiten mit ihrem großen Anspruch vor den König hin, sich über die ›Krähen‹, die eine der anderen die Augen aushackten, hinwegzusetzen. Ob sie noch überzeugt war, im König wirklich den ›liebenden Vater‹ anzureden, bleibt zweifelhaft. Eine derartige Formulierung findet sich nur in einem undatierten Briefentwurf. In der Sache Mieroslawskis beschwor sie Friedrich Wilhelm IV. um Nachsicht und reichte ihm Mieroslawskis Verteidigungsrede, die er in polnischer und französischer Sprache gehalten hatte, in der französischen Fassung ein – ein unmißverständlicher Affront gegen den König der seine Behörden und Beamten vor ihr verteidigt hatte. Mieroslawski hatte in seiner Rede ein Bild der Zukunft entworfen, was den König schrecken mußte und die Anklage kühn entschärfte. »Kommunismus – was ist Kommunismus unter der Feder unserer Feinde? Heutzutage ein Vorwurf, welcher der Anklage der Schwarzkünstelei und der Alchimie im Mittelalter völlig gleicht ... Was damals der Natur noch nicht abgelauschtes Geheimnis war, das gilt heute vom Kommunismus, dem noch ungelösten Rätsel der sozialen Ökonomie ... Von welchem Kommunismus will Ihre jüngste Anklage sprechen? Wir kennen unendliche Verschiedenheit von Kommunismus; wie alles

verschieden ist, was sich in die Wirklichkeit noch nicht hinein-
gelebt hat.« Die Polen waren im Februar 1846, als in Österrei-
chisch-Polen der Aufstand ausbrach, in Posen unter dem Ver-
dacht verhaftet worden, als Mitglieder des polnisch-demokra-
tischen Vereins eine Revolution vorzubereiten mit dem Ziel der
Vereinigung aller Landesteile Polens, also Preußisch-Polens,
Russisch-Polens und Österreichisch-Polens (bis 1846 Freistaat
Krakau). Als einer der fünf führenden Mitglieder des demokratischen Vereins war Ludwig Mieroslawski, der schon als
Sechzehnjähriger im polnischen Aufstand von 1830/31 mit-
gekämpft hatte, zum militärischen Führer der künftigen Erhebung bestimmt worden. Seine ›Geschichte Polens seit Johan So-
bieski‹ und seine Geschichte des Aufstands von 1830/31 zeigten sein politisches Ziel: Die Gründung der Republik Polen.
Die Verbindung zur polnischen Emigration in Paris war durch
seine Schwester und seinen Schwager Mazurkiewcz gegeben,
der vermutlich mit dem Sekretär der Zentralisation in Paris
identisch ist. Durch Hortense Cornu, die in Paris mit den polnischen Emigranten Verbindung hatte, war Bettine schon im
Frühjahr 1847 gebeten worden, den König zu bewegen, Mieroslawski nicht an Rußland auszuliefern. Sie hatte die Bitte über
den getreuen Helfer und Mittelsmann Alexander von Humboldt weitergegeben und erfahren, daß sie sich um die ›Haupt-
person‹ nicht zu sorgen brauchte. Nach der Verkündung der
Todesurteile am 2. Dezember 1847 beschwor sie den König, die
Polen freizusprechen. »Wenn es aber nicht sein sollte, Ihr Polen,
wenn seine (des Königs) Friedensfahnen nicht über Eurem
Haupt zusammenschlagen, wenn Ihr denen verfallen seid, die
am Beil schleifen oder als Milderung ewiges Gefängnis über
Euch verhängen, tausend mal härter als Opfertod – dann
glaubt daran, daß wie die Blüte ihren befruchteten Staub weit
in fremde Lande sendet und dort einheimisch niederläßt, so
wird der Besseren Kraft Euch nachschweben, mit Euch seufzen,
mit Euch den ernsten Trauerweg wandeln und die Hoffnung
mit Euch richten dahin, wo kein Bote der Verzweiflung sie
mehr verjagen darf!« Der Besuch von Mieroslawskis Schwester

Xavière Mazurkiewicz, die ihren zum Tode verurteilten Bruder im Gefängnis besuchen wollte, gab Bettine den Anlaß, sich an den König zu wenden. Friedrich Wilhelms IV. Antwort auf der Rückseite ihres Weihnachtsbriefes an ihn ist zum erstenmal unhöflich abweisend. Sie verstünde nichts von Politik. Bettine blieb hartnäckig, aber eigentlich war das Gespräch zwischen ihr und dem König zu Ende, die Partnerschaft, die sie so sorgfältig gepflegt hatte, zerstört und die Feindseligkeit sichtbar geworden. Zu deutlich hatte sie die Bittstellerschaft überschritten.

Hatte jener unbekannte Verfasser, der unter dem Namen Leberecht Fromm ›Über die Ruchlosigkeit der Schrift: Dies Buch gehört dem König‹ polemisiert hatte, recht? »Sie (Bettine) will einen *revolutionären* König, nicht einen konstitutionellen ... die Verfasserin weiß recht gut, daß ihr König eben nur die kurze Mission des Scharfrichters an allem Guten und Hergebrachten zu vollziehen habe, um dann überflüssig zu sein.« Friedrich Wilhelm IV. hatte sich nicht nur der Forderung nach Konstitution gesperrt. Er war sichtbar in Bedrängnis. Sein Freisinn sei nur Schein, hatte Alexander von Humboldt längst gesagt, es sei nichts mehr zu hoffen, dieses Spiel sei verloren. »›Ich bitte Sie‹, sagte er, ›geben Sie es auf, an den König oder für den König zu schreiben, schreiben Sie für's Volk!‹«

Daß das keine Utopie war, bewies das heraufkommende Jahr 1848. Am 26. Februar brach in Paris der Aufruhr los, Louis Philipp entsagte am 27. dem Thron und floh mit seiner Familie. Frankreich wurde als Republik ausgerufen. Am 1. März mahnte der Bundestag die Deutschen zur Eintracht und Stärke. Aber die Revolution war nicht mehr aufzuhalten, griff nach Wien über, Metternich floh, in Köln brachen Unruhen aus, in Baden wurde Pressefreiheit bewilligt und wurden Geschworenengerichte angekündigt, in Hamburg Reformen. In Berlins Caféhäusern und Lesekabinetten, wo die Zeitungen auslagen, drängten sich die Menschen. Das größte Gewühl war in der Zeitungshalle. Die erste Volksversammlung im Tiergarten fand am 7. März statt, die zweite Volksversammlung am 9. März war bereits polizeilich genehmigt und hatte viertausend Teilnehmer. Von nun an fanden täglich Versammlungen im Vergnügungsviertel, in den Zelten statt. Die Arbeiter forderten ein Arbeitsministerium, die Stadtverordneten verweigerten diese Eingabe der Volksversammlung, der Rektor der Universität genehmigte eine Studentenversammlung in der Aula. Vom 9. bis 11. März begannen die militärischen Vorsichtsmaßregeln. In den Landwehrzeughäusern wurden Zündstifte und Bajonette von den Gewehren abgenommen, Munitionsvorräte wurden in Sicherheit gebracht, nachts wurden Schloß und Artilleriewerkstätten besetzt. Am 12. März wurde der Landtag für den 27. April einberufen und das Versammlungsverbot erlassen. Die tobenden Volksmassen waren von den Schutzbürgern mit den weißen Armbinden nicht mehr zu beschwichtigen, Truppen wurden nach Berlin gezogen und rings um die Stadt in die Quartiere gebracht, hundertfünfzig akademische Bürger traten den Schutzkommissionen bei, Kavallerie ritt gegen Menschenansammlungen an. Steinwürfe. Blanke Waffen. Ein schwüler trockener März. Würde der König die Stunde nützen? Würde sich noch erfüllen, was hoffnungslos schien? Würde der König, vom Volk genötigt, zum Volkskönig werden?

Bettine, die damals schon In den Zelten 5 wohnte, beobachtete mit steigender Spannung die Versammlungen in den Vergnügungsgärten vor ihrem Haus. Varnhagen hatte sie auf des Polizeipräsidenten Minutolis Doppelspiel aufmerksam gemacht. Hatte die Revolution mehr Freunde als erwartet? Sie erlebte die ungeheure Spannung dieser Tage, sie sah zu. Sie wußte, daß jetzt nichts mehr zu tun, nicht einzugreifen war. Ob sie da in den großen Zimmern auf- und abgehend überdachte, wohin ihr Leben sie geführt hatte? Im Salon der Töchter waren Angst und Ungewißheit und leise Gespräche zu hören. Brach die Welt, die den Kindern des Freiherrn Ludwig Achim von Arnim und den Nichten des Ministers von Savigny offenstand, zusammen? Was mochte Maxe denken, deren Verlobung mit dem Fürsten Lichnowski 1842 wegen der Standesgesetze nicht zur Ehe geführt hatte, die ihre Verlobung mit Georg von der Gröben, dem Adjutanten des Prinzen Waldemar, wegen der

Vorbehalte von Gröbens Eltern gegen Bettine gelöst hatte und die Prinz Waldemar liebte? In Hofkreisen war sogar von morganatischer Ehe gesprochen worden.

»Wenn aber die Dämmerung hereinbrach und sie traulich und traumhaft von alten Erinnerungen erzählte, saß sie oft auf einem Fauteuil zusammengekauert, aber nicht auf dem Sitze, sondern oben auf der Lehne mit den Füßen auf dem Sitze, ein schwarzes seidenes Tuch um den Kopf geschlungen; der Gesichtsausdruck war dann bald wie der einer wahrsagenden Zigeunerin, bald, wenn sarkastische Raketen in ihrem Redestrom aufleuchteten, wie der eines Mephisto in weiblicher Verkleidung ... Bettine hatte die Laune, uns ihre Demokraten zu nennen und so vorzustellen«, schrieb Eduard Wiß, der in diesem Jahr in Bettines Haus aus- und einging. »Im Hause Arnim gab es zwei Salons, einen demokratischen und einen aristokratischen«, ergänzt Maxe das Bild in ihren Erinnerungen und sie berichtet, daß Friedmund von Blankensee hereinkam, um die »große Zeit« mitzuerleben.

Bettine sah zu. Noch war das letzte Briefbuch nicht freigegeben und sie war sich wohl kaum noch sicher, warum sie es hatte veröffentlichen wollen. Nathusius war ein Biedermann geworden wie auch Julius Döring, dem damals die verwandten Empfindungen gegolten hatten. Es war nicht einmal zehn Jahre her, daß sie geglaubt hatte, die jungen Leute so fesseln zu können, wie sie von Goethe gefesselt war. Sie hatte diese letzte Briefbuch nicht Hoffmann von Fallersleben widmen können, wie sie beabsichtigt hatte. Sie hatte nicht durchsetzen können, daß ihr Goethe-Monument, das der Bildhauer Steinhäuser in Rom in Marmor ausführen sollte, für die Vorhalle des Berliner Museums in Auftrag gegeben wurde. Alles Persönliche schien zurückzubleiben, so weit war sie ins Mit-leiden hineingerissen.

Sie wußte, wenn nun das Volk mündig gesprochen, die Verfassung gegeben, die Zensur abgeschafft werden würde, dann tat Nüchternheit not, Erfahrung, Leidenschaft. Dann würde noch einmal oder vielleicht erst ganz ihre Zeit sein.

IV   Erkennen und Altern

Das Feld der Freiheit ist die Basis aller.

Völkerfrühling

Unmittelbar unter dem Eindruck der Revolution schrieb Bettine an Siegmund, der als preußischer Diplomat in Karlsruhe war, so als wollte sie ihn, der von ihren Kindern am schärfsten ihr politisches Engagement ablehnte, durch die Ereignisse überzeugen.

»Am 19ten um 6 Uhr. In diesem Augenblick ist alles still, aber eine erhabene schauerliche Demonstration ist vom Volk dem König gemacht worden. Ich will Dir alles nach der Reihe erzählen, was wir seit heute 8 Uhr, wo erst das Schießen aufhörte, erlebt und erfahren haben. Um 10 Uhr ging ich mit Jenatz und Giesel in die Stadt. An dem Tor begegneten uns die Truppen, die, um das Volk zu beschwichtigen, aus der Stadt entfernt wurden, und auch, weil die Offiziere erklärt hatten, das Volk nicht bezwingen zu können. Dies hat ungeheure Taten getan, und nichts wird den Glanz seines Ruhmes und seiner Milde und Gutmütigkeit verdunkeln, den es in dieser einen Nacht ohne Waffen erworben. – Also: auf dem Schloßplatz versammelte sich das Volk, verlangt die gestern Gefangenen, die im Schloß in den Kellern stecken. Der König mußte sie herausgeben und sagte dabei: ›Betrachten Sie die Gefangenen, ob Sie sie haben wollen.‹ – Für diesen Witz hätte er schier hart gebüßt. – Unter den Linden begegneten wir einem Leichenzug von der imposanten Art: Ein großer, offner Möbelwagen mit 17 Leichen, hinter diesen 9 Leichen, welche einzeln mit offnen Wunden je von 4 Leuten getragen wurden und mit Blumen geziert waren, eine ungeheure Masse von Volk, welches alles Barhaupt ging, und an allen Fenstern Leute, viele vom Volk weinten, wahrscheinlich waren's Freunde der Gefallenen! – Es kam eine Kompanie Soldaten zu Pferd, sie mußten das Gewehr präsentieren, so ging's bis zum Palais des Prinzen von Preußen. Dort wurde Halt kommandiert, das Volk trat auseinander, bildete einen Kreis, der nach der Seite des Palais offen war, die Leichen in der Mitte, und so in der tiefsten Stille vor *jedem* Fenster Halt machten, dann wie sie vorbei waren, einen Kirchengesang anstimmten, an der Wache hielten sie wieder an. Die Soldaten präsentierten das Gewehr, die Offiziere salutierten. Nachdem die Leichen vorüber waren, brachte die ungeheure Volksmasse dem Militär ein dumpfes Hurra, sie zogen nach dem Schloß; zufällig stürzte dort der Vater, der nach dem Sohn suchte, nach dem Wagen und fand ihn dort. Das Volk schrie, der König solle herauskommen und die Leichen ansehen; es hörte nicht auf zu schreien bis er herauskam. Nun fragten sie ihn, ob er noch ferner die Bürger wolle unbewaffnet lassen, die sich als Schutzkommission hatten müssen totschießen lassen. Kurz, sie drangen ihn, daß er die Bewaffnung gewähren mußte! – Heute bis gegen 6 sollen alle bewaffnet sein. Den Prinzen von Preußen will das Volk nicht mehr hier dulden. Heute Nacht hat man das Gefängnis der Polen bestürmt, ist aber nicht fertig geworden. Der General Möllendorf ist von Studenten gefangengenommen worden, sie haben ihn als Geisel behalten und dem König sagen lassen, daß sie ihn hängen würden, wenn etwas nicht gewährt werden sollte, was die Bürger fordern! – Heute Nacht ist Vincke hier angekommen und zum König gegangen und ihm gesagt: ›Majestät, Ihr Thron wankt, halten Sie noch eine Stunde an, ehe Sie der Rheinprovinz alles gewähren, so erklärt sie sich unabhängig als Republik und begibt sich unter den Schutz Frankreichs.‹ – Der König hat sich also geeilt, alles zuzugeben! – und endlich heute, nachdem drei verschiedene Konzessionen der Preßfreiheit vom König gemacht, vom Volk verworfen war, so mußte er unbedingt sie zugeben ohne alle Nebenbedingungen! Magdeburg hat heute zweitausend Bürger hergeschickt und eine große Masse Flinten, um den hiesigen Bürgern zu helfen. Von einem Regiment sind 80 Mann geblieben, von einer Kompanie eines andern Regiments sind 37 Mann geblieben, 13 Stabsoffiziere sind geblieben. – Kanitz, Bodelschwingh, Thiele, Eichhorn abgesetzt, Arnim als Präsident vom Volk noch nicht bestätigt, der Landtagsschwerin Kultus, Auerswald Minister des Innern; das Äußere ist noch nicht deklariert – man vermutet Radowitz! –

Am 20ten. Gestern wollte eine Deputation von 30 Bürgern zum König gehen, um demselben mehrere Vorstellungen zu machen. Man hätte gern das Oberhaupt der Bürgerschaft, den Oberbürgermeister Krausnick, als Vortragenden gehabt. Doch dieser zeigte sich lässig und meinte, das sei eine Demonstration, die den König beleidigen könne. Da nahmen mehrere Bürger ihre Schnupftücher, banden diese zusammen und zogen damit den Ex-Oberbürgermeister nolens volens mit fort.

Generalleutnant Prittwitz ist gleich von den Bürgern totgeschossen worden, weil er Feuer kommandiert hatte, als das Volk friedlich vor dem Schloß geschart war. Hauptmann Borke tot, noch 13 Stabsoffiziere gefallen.«

Die Erregung ist spürbar, die Nachrichten sind mit Gerüchten vermischt. Sie kommentiert nicht, aber die Sympathie ist deutlich bei den Aufständischen. Es ging ihr darum, Siegmund zu überzeugen, daß selbst der König sich habe den Umständen fügen müssen, daß Siegmunds Nein zur Entwicklung irrig war. Deutlicher ist ein Briefentwurf vom 21. oder 24. März an Pauline Steinhäuser, die Gattin des Bildhauers Karl Steinhäuser in Rom, den sie noch als Schüler Rauchs kennengelernt hatte. Pauline Steinhäuser genoß ihr Vertrauen, die Briefe an sie sind ohne Emphase, eher wie aus einer nüchternen Übereinstimmung geschrieben. Bettine mochte an der Sachlichkeit und Intelligenz der jungen Künstlerfrau Gefallen haben. »Was in diesen Tagen hier vorgegangen, werden die öffentlichen Blätter Ihnen berichten, aber nur die, welche mit hineingerissen waren, werden den furchtbaren Kampf des 18. März sich versinnlichen können. Mit Lügen wird man Schmach decken wollen, mit welcher König und Regierung verräterisch sich befleckten, aber der Schade ist nicht zu verwinden, er hat sie vernichtet. Die Schlacht des Verrats am Volk! bewaffnete Soldaten gegen wehrloses Volk und es ist Sieger geblieben, moralisch und physisch. Versammelt auf dem Schloßplatz, um für die gegebene Preßfreiheit zu danken, wird plötzlich vom Militär in die Menge eingehauen, mit Stückkugeln geschossen. Die Leute fliehen und werden verfolgt – in zwanzig Minuten war die Stadt mit Barrikaden verschanzt, jedes Haus eine Festung – die Waffenböden gestürmt ... unterdessen hat der König jede Bitte der Geistlichkeit wie des Stadtrates, dies Blutbad aufhören zu lassen, hartnäckig abgewiesen ...«

Bettines Darstellung entgegen steht die 1850 ohne Verfassernamen herausgegebene Schrift ›Die Berliner Märztage vom militärischen Standpunkt aus geschildert‹ (Verfasser Graf von Arnim), die die Vorgänge umwertet und das Gerücht vom versehentlichen Losgehen der Gewehre des Grenadiers Kühn und des Unteroffiziers Hettgen als Anlaß des Blutbades wieder aufgreift, ohne die Erregung verschweigen zu können, die seit der Pariser Revolution in Berlin angewachsen war, wenn sie auch hämisch ausgedeutet und wie beiläufig erwähnt wird, daß »mehrere Schutzkommissionen, in denen sich viele Juden eingedrängt, heute um 2 Uhr eine große Demonstration durch Adresse-Überreichung vorbereiten.« Der Stil des reaktionären Politikers ist unverkennbar. Die Verachtung des Volkes feiert Triumphe.

Nach den Märztagen gab es für Bettine keinen Zweifel mehr, daß Friedrich Wilhelm IV. »der Romantiker auf dem Thron der Cäsaren« war, als den ihn David Friedrich Strauß schon 1847 apostrophiert hatte. »Höret die väterliche Stimme Eures

Königs, Bewohner Meines treuen und schönen Berlins und vergesset das Geschehene, wie Ich es vergessen will und werde in Meinem Herzen, um der großen Zukunft willen, die unter dem Friedenssegen Gottes für Preußen und durch Preußen für Teutschland anbrechen wird ...« hatte die Proklamation »An Meine lieben Berliner« gelautet, die am Sonntag Reminiscere, dem 19. März überall angeschlagen und vielfach abgerissen worden war. Der Glaube an den väterlichen König war erschüttert. Schätzungen nach war am 19. März früh drei Fünftel Berlins in den Händen der Aufständischen. Die Soldaten fraternisierten mit den Bürgern, die Truppen waren entgegen dem Befehl des Königs nicht nur aus den Straßen, sondern aus der Stadt abgezogen und von der Bürgerwehr abgelöst. Am 20. März 1848 hallten Freudenschüsse und Berlin war bis in die Nacht hinein illuminiert. Der König hatte die Konstitution zugesagt. »Bis jetzt ist alles nur ein Anfang«, notierte Varnhagen und hielt auch fest, daß der Umritt des Königs unter der schwarzrotgoldenen Fahne wenig Sympathie fand. Die Geste war zu deutlich, um glaubwürdig zu sein. Am 22. März war das Leichenbegängnis für die Opfer des 18. auf dem Gendarmenmarkt. »In diesen Tagen ist alles konvulsivisch aufgeregt, man bekämpft den Landtag, man will Neuwahlen«, schrieb Bettine am 30. März. Vom König gingen keine Initiativen aus. Alle wußten vom Streit mit Prinz Wilhelm, der ihm den Degen vor die Füße geworfen und ihn eine Memme genannt haben sollte. Verfassungsfragen beschäftigten die Bevölkerung. Der Gedanke der Urwählerschaft gewann an Boden. Aber waren die Arbeitenden und Armen in der Lage, ihre politischen Forderungen parlamentarisch durchzusetzen? War der Einfluß der ›Pietistik‹ (neues Wort sehr zu brauchen), wie Bettine anmerkte, im ›Lokalverein für die arbeitenden Klassen‹, einer Untergruppe des ›Zentralvereins für die arbeitenden Klassen‹, überwunden? Bettine hatte längst kritisch beobachtet, daß die Regierung dort von Anfang an »eine Menge Leute drunter« hatte. Konnte es der ›Arbeiterverbrüderung‹, die im Februar 1848 achthunderttausend Mitglieder zählte, unter Stefan Born und Bisky gelingen, ihre Interessen durchzusetzen? Noch immer hatte Berlin vorwiegend Handwerkerproletariat und gab es auf dem Lande in der Folge der Steinschen Reformen keine ausgeprägte Opposition.

»Heute ist der Landtag eröffnet worden«, notierte Bettine denn auch am 2. April 1848, »der König und die verantwortlichen Minister haben alles gewährt, nur der Arbeiterstand, der bedürftigste, an Zahl die größte Masse, die allein am 18. März den Sieg errungen hat, ist vergessen worden.« Doch war alles in Bewegung, gab es vieles einzulösen und blieb zur Skepsis keine Zeit. Sie war häufig bei Varnhagen, sie tauschten die Nachrichten aus über die Vorgänge in der Stadt. Überall waren Wahlkomitees an der Arbeit, die Wahlversammlung sollte in der Dreifaltigkeitskirche stattfinden, die kleinen Kneipen waren überfüllt, nirgends konnte »ein Apfel zur Erde«. Unterdessen aber zeigte sich in Polen das wahre Gesicht der preußischen Politik.

Die verhafteten Polen waren während der Märztage aus dem Gefängnis freigelassen und von der Berliner Bevölkerung umjubelt worden. Der König hatte Mieroslawski und die führenden Männer des polnischen demokratischen Vereins empfangen, »und als die Polen herunterkamen vom Schloß mit der Wiederherstellung ihrer Menschenrechte, alle – die des Königs Gnade ihnen gewährt hatte, da strömte das Volk seine Begeisterung in tausend Segnungen über sie hin. Und die Polen wiederum schworen ihnen Brüderschaft und ihre Freiheit zu schützen gegen allen Verrat, und sie schworen hoch, gegen Rußland eine Schutzmauer für Deutschland zu sein, und schworen auch bei dem Bruderkuß des Volks, niemals das zu vergessen, wie das Blut am 18. und 19. März auch für ihre Befreiung geflossen sei, und daß sie niemals wollten deutsches Blut vergießen. Viele Polenhelden, deren Blut unschuldig am Verrat jetzt von den aufgehetzten Soldaten vergossen gen Himmel raucht, die zeugten dafür! –«

In Polen war das Versprechen auf Volkssouveränität nicht eingelöst worden, der Aufstand war ausgebrochen und wurde niedergehalten. Die preußische Soldateska war aufgehetzt, der

Polenhaß wurde geschürt. General Willisen, der das Vertrauen des polnischen Nationalkomitees hatte, war in eine zweideutige Rolle gedrängt worden, als er die Entwaffnung der Polen unter falschen Voraussetzungen durchsetzte. Russische Truppen rückten an die polnische Grenze vor. General Pfuel, der sich am 18. März vor Ausbruch der Schießerei auf dem Schloßplatz zurückgezogen hatte, wurde nach Polen entsandt und ließ den Belagerungszustand von Posen auf die ganze Provinz ausdehnen, Mieroslawski war wieder in Haft, weil er einen Polen erschossen hatte, der gefangene Preußen hatte töten wollen. Aus der Zitadelle von Posen schrieb er an Bettine: »La province de Posen offre à cette heure le spectacle des plus mauvais jours de la tyrannie.« Seine Enttäuschung und die der Polen ließ ihn verzweifelt über den Verrat, über den Mißbrauch des königlichen Versprechens aufstöhnen: »Ah! ma mère noble et chérie, que ne suis-je tombé avec mes compagnons dans le champ de Wozesnia? Ceux – là sont morts croyant encore à Dieu à la justice.«

In Polen war die Revolution zur Farce degradiert worden. Daß Bettine das erkannte und ihre ganze Energie darauf verwandte, das darzustellen und aus dem Gedanken von der Volkssouveränität ein anti-autoritäres Staatsmodell zu entwickeln, zeigt sie auf der Höhe ihrer politischen Einsicht, nicht nur weil die Sympathie für Polen unter den Linken in ganz Europa ausgeprägt war – während des polnischen Aufruhrs war mit dem Eingreifen der französischen Republik gerechnet worden – sondern weil das so willkürlich geteilte Polen in seiner tragischen Geschichte das politische Selbstbewußtsein der Unterdrückten entwickelt hatte, vor dem jeder Wortbruch doppelt wiegt. Die Demokratie, die Bettine mit dem Begriff »Volkssouveränität« zu fassen suchte, war für sie eine reine Idee, an die sie glaubte und daher empfindlich war gegen tagespolitisches Zweckverhalten.

In Berlin gab es Unruhen vor der Hausvogtei, wurde Unter den Linden von Studenten und Arbeitern der Verfassungsentwurf verbrannt, gab es eine Verordnung gegen ruhestörende

»Katzenmusiken« und wenige Tage später eine Lärmdemonstration Arbeitsloser auf dem Wilhelmplatz, Studenten wurden relegiert, die am Tage der Bürgerschaft schwarze Fahnen aufgesteckt und schwarze Halstücher getragen hatten, und die Konstabler wurden als Sicherheitspolizeitruppe geschaffen.

Am 24. Juni brach in Prag der Aufstand aus, wurde aber niedergeworfen, während in Frankfurt der Bundestag von der Nationalversammlung abgelöst und der Erzherzog Johann als Reichsverweser gewählt wurde. In Piemont kämpfte Radetzki gegen die italienischen Aufständischen, in Schleswig-Holstein kam es zu militärischen Aktionen gegen Dänemark und einer Intervention Rußlands.

Vor dem Hintergrund der mühsamen Einigungsversuche in der Frankfurter Nationalversammlung, vor der Zähigkeit der überlieferten Machtstrukturen, vor religiösen und ideologischen, wirtschafts- und verwaltungspolitischen Spannungen, vor der boshaften Abwertung der polnischen Freiheitsbestrebungen, zu deren Sprecher sich Wilhelm Jordan in der Paulskirche machte – er nannte die Absicht, Polen wiederherzustellen, »schwachsinnige Sentimentalität« und erklärte: »Ich gebe ohne Winkelzüge zu: Unser Recht ist kein anderes als das Recht des Stärkeren, das Recht der Eroberung« –, vor dem Stillstand der Entwicklung trotz der gärenden Unruhe muß Bettines intensive Beschäftigung mit dem Modell Polen verstanden werden. Sie hatte ja trotz ihrer Bemühungen um die sozialen Mißstände keine ganz klare Vorstellung von einer neuen Gesellschaftsordnung und wollte sie wohl auch nicht haben, wollte die Entwicklung nicht programmatisch eingeengt sehen, sondern das Umdenken fördern helfen. Sie hatte die widersprüchlichsten Ansichten kennengelernt, die sie an der geschichtlichen Realität überprüfte, immer überzeugt von der Veränderbarkeit dieser Realität. (Ihre Vorliebe für Sprachbilder aus dem pflanzlichen Bereich, die wachsen, blühen, aussamen bezeichnen, sollte hier angemerkt werden. Sie hatte Malthus und Proudhon gelesen, kannte Bluntschli's Schrift über Weitling und die Kommunisten in der Schweiz und Lorenz Steins Buch über Sozialismus und

Kommunismus in Frankreich, sie hatte viele Broschüren über Armenfragen durchgearbeitet und hielt Püttmanns ›Deutsches Bürgerbuch‹, in dem Friedrich Engels' ›Ein Fragment Fouriers über den Handel‹ veröffentlicht hatte, dazu viele Zeitungen der Revolutionszeit. Das ›Kommunistische Manifest‹ und Engels Ausführungen ›Über die Lage der arbeitenden Klasse in England‹ hat sie aller Wahrscheinlichkeit nach nicht gekannt. Dennoch war sie etwa über Hansemanns Vorschlag, die Güter der Edelleute zu besteuern, entrüstet, kaum aus Klassenegoismus, sondern weil sie durch die Weitlingschen Entwürfe geschreckt die klassenlose Gesellschaft fürchtete, in der die Gesetze nur die Leidenschaft befriedigten, die nicht das »edelste und höchste« sei, »es gibt noch etwas Höheres in der Liebe«. Sie hatte Angst vor der »brotlosen Volksmasse«, vor der willkürlichen »Aufteilung der Güter«, vor dem Chaos beim Zusammenbruch der bestehenden Ordnung.

Aber die Angst lähmte sie nicht. Seit ihrer Jugend hatte sie sich mit der Aufklärung durch Bildung beschäftigt. Wenn sie einmal in ihrem Briefwechsel mit Rudolf Baier, der eine Zeit lang ihr Mitarbeiter im Arnimschen Verlag war, den Gedanken an Ackerbauschulen ausspricht, erscheint das überaus kühn, macht aber deutlich, daß sie in der Verbreitung und Verbreiterung der Bildung das Merkmal des Fortschritts sah, das Mündigwerden durch Wissen. Im Armenbuchkonvolut heißt es: »Es ist eine falsche Idee, wenn man zwischen Volk und Regierung einen Kontrakt machen will. Eine Nation macht keinen Vertrag mit ihren Mandatarien, sie komittiert sie zur Ausübung ihrer Vollmacht.« Dieser Gedanke kehrt in der Polenbroschüre wieder, belebt durch die Erfahrung der Revolution.

Als die Polenbroschüre unter dem Titel ›An die aufgelöste Preußische Nationalversammlung‹ erschien, herrschte in Berlin Belagerungszustand und schärfste Zensur, seit Wrangel am 9. November 1848 die Stadt besetzt hatte, um die preußische Nationalversammlung zu sprengen, die sich gegen das Ministerium Brandenburg erklärt hatte; war der Anfang in Wien von Windischgrätz blutig niedergeschlagen und Robert Blum hingerichtet worden; waren in der Frankfurter Nationalversammlung die Grundrechte genehmigt und vom Reichsverweser unterschrieben worden und war die Auseinandersetzung um die Verfassung im Gange. Schon zeichnete sich der Kampf um die Vormachtstellung zwischen Preußen und Österreich ab. Am 13. Januar 1849 wurde das Gagernsche kleindeutsche Programm angenommen. Volkswut und Zynismus, die Erscheinungen politischer Hilflosigkeit waren für die Stimmung kennzeichnend. Kam die Broschüre zu spät? Konnte sie noch irgendetwas bewirken?

Bettine war schon im Mai mit der Arbeit beschäftigt gewesen, als sie an Pauline Steinhäuser geschrieben hatte: » ... Was ist das alles gegen den scheußlichen politischen Verrat, der an Polen verübt wird!« Sie war völlig informiert und zornig über den König und über die Verzerrungen in der preußischen Presse. Aber die Enttäuschung des Jahres 1848 machten ihr die Idee von der Volkssouveränität nur deutlicher. Die zu artikulieren war zwingend und nach dem Königsbuch und den für das Armenbuch zusammengetragenen Erfahrungen folgerichtig. Dennoch konnte sie die Broschüre nicht unter ihrem eigenen Namen herausgeben, weil sie dann der Zensur unweigerlich anheimgefallen wäre, sondern gab ein Titelblatt bei, das zum Anlaß wurde, daß ihre Verfasserschaft fast hundert Jahre lang nicht bekannt geworden ist, weil Bettines Nachfahren nicht interessiert waren, den Sachverhalt zu erhellen. Bettine stellte der Veröffentlichung nach dem Titelblatt »An die aufgelöste Preußische Nationalversammlung, Stimmen aus Paris (Paris Massue & Cie, Quai Voltaire), Berlin 1848« eine Zueignung mit der Unterschrift St. Albin voran, so als wäre die Schrift von ihrer Übersetzerin Hortense Cornu, die ihre Briefe häufig mit Séb. Albin und nicht sehr leserlich unterzeichnete, herausgegeben worden. In einem Brief an Hortense Cornu vom 23. Januar 1849 erklärte sie ihr Verhalten und bat um Pardon, sie hätte anders keine Möglichkeit zur Veröffentlichung gesehen. »C'est vous qui avez la première éveillée en moi l'intérêt pour les Polonais.«

Die Forschung hat erwiesen, daß die Arbeit Bettine zuzu-
schreiben ist, auch wenn sich das Originalmanuskript nicht im
Wiepersdorfer Familienarchiv gefunden hat, wohl aber Vorent-
würfe, die in Bettines Arbeitsweise die Aufweitung und Aktua-
lisierung bis zur Entwicklung allgemeingültiger Erkenntnisse
hin zeigen, so daß der Arbeitsverlauf von der ersten brieflichen
Äußerung im Mai 1848 über eine Mitteilung an Friedmund, die
Arbeit betreffend, bis zur Veröffentlichung zum Jahresende erkennbar ist. Bettine hatte nicht nur über Hortense Cornu und
Mieroslawski Verbindung zu den führenden Polen, sondern
auch über die französischen Gesandten Circourt und Aragon,
die trotz unterschiedlicher politischer Haltung einander als Gäste
in ihrem Hause ablösten, so wie sie sich auf dem Berliner Posten abgelöst hatten. Vor allem aber wechselte sie Briefe mit
Julia Woykowska, der Gattin des Herausgebers zweier Mo-
natsschriften, ›Pismo dla namzyciele‹ und ›Pismo dla ludu
polskiego‹ (einer Zeitschrift für Lehrer und einer Zeitschrift für
das polnische Volk). Das Ehepaar hatte sie 1847 in Berlin besucht. Woykowsky galt als Verbindungsmann zur Pariser polnischen Emigration, das preußische Innenministerium mutmaßte
auch Verbindungen zu Marx. Als Volkserzieher hatte Woykowsky Bettines Zuneigung, der Briefwechsel mit Julia Woykowska verrät ähnlich wie der mit Pauline Steinhäuser und
Hortense Cornu sachliche Übereinstimmung und ist sehr herzlich. Die Achtung der jüngeren Frauen muß Bettine im Alter
gutgetan haben und zeigt sie frei von jeder Exzentrik.

Die Einzelheiten, die Bettine über die Vorgänge in Polen erfuhr, verarbeitete sie in der Broschüre. Mit seltener Konsequenz, genötigt durch die Dringlichkeit, genötigt durch den
einer Broschüre gemäßen Umfang, bleibt sie am Thema und
entwickelt so klar den Gedanken, der im Königsbuch noch nicht
eingegrenzt ist und in den ›Gesprächen mit Dämonen‹ in eine
unscharf konturierte Utopie aufgeweitet wird: Daß das Volk
»der Gesamtheit« bedarf, um »geistig zu bestehen«, und aus
solchen Voraussetzungen allein »in der Völkerverwandtschaft
ein notwendiges Glied« sein könnte. »Regieren, wo das freie

Volksbewußtsein nicht die Grenzen bestimmt, ist immer unter-
drücken ... aber das Notwendige, wie und wann es sich geltend
macht, ins Gleichgewicht zu bringen und fortschreiten mit dem
Volk in seinen Grundtönen von einer Harmonie zur andern,
dazu gehören Kraft und Wille eines Fürsten ... Einsamkeit, im
Frieden mit sich durchlebt, um Heil zu verbreiten, ist schön.
Aber wo die Volksstürme brausen, da ist es menschlich groß,
um den Frieden bei ihnen zu werben. Es ist ein Wille der Gerechtigkeit in diesen Volksstürmen!« Sie verhehlt sich auch
nicht, daß »mancher Fortschritt des Liberalismus ein verkehr-
ter und mancher demokratische Charakterzug einen entschieden
absolutistischen Grund habe«, dennoch ist ihr der Schutz der
Menschenrechte vordringlichste Aufgabe und sie steigert sich
nach Verdammung der Kampfmethoden gegen die ungarische
Freiheitsbewegung, der Niederschlagung des Wiener Aufstands
und der Erschießung Robert Blums in eine Apotheose der Revolution. Ihre Empfindlichkeit gegen Falschheit, gegen das
»Orakel von Frankfurt« (die Nationalversammlung), gegen Lamartine, der das Hilfsversprechen für die Polen nicht eingelöst
hatte, und ihre Sympathie für die aufständischen Italiener und
Ungarn lassen sie das Bild von Joseph und seinen Brüdern finden, das so eindeutig auf die ›Gespräche mit Dämonen‹ hin-
weist, daß die zentrale Bedeutung der Polenbroschüre für Bettines Alter unzweifelhaft ist.

» ... den Joseph erhob ein göttliches Geschick auf den Platz,
da er seine Weisheit schützend über alle Völker aufbreitete!
Sie genossen den Segen seiner Menschlichkeit und Vorsicht ...
werden wir's erleben, daß Brüder-Nationen die Sünden einander vergeben, die ihnen eingeimpft waren? – Werden sie Festig-
keit gewinnen und Vertrauen zueinander, das nicht wie leichte
Spreu im Winde verfliegt? –«

Die Wirkung der Polenbroschüre ist nirgends bestätigt. Der
Verkauf war nach den Unterlagen des Familienverlages schlecht.
Das Jahr 1849 brachte nicht nur das klägliche Scheitern der
Frankfurter Nationalversammlung an Preußens und Österreichs
Kampf um die Vormacht, erwies nicht nur, daß der klassische

Liberalismus zwischen dem Druck des vierten Standes und der verhärteten Feudalstruktur des konservativen Flügels nicht standhielt, sondern sich der mächtigeren Gruppe anpaßte. Der liberale Rudolf Haym schreibt: »Unwiderstehlich, scheint es, ist dermalen der Instinkt der Nation, das Bedürfnis derselben, sich zu einigen und ihr Einheit monarchisch zusammenzufassen. Dieser gesunde Drang der Nation nach Einheit und der monarchischen Darstellung und Zuspitzung derselben hat daher jede prinzipielle gefährliche Konzession unschädlich gemacht; das Prinzip der Volkssouveränität liegt wirkungs- und konsequenzlos in unserem Beschlusse eingehüllt; seine Spitze ist abgestumpft dadurch, daß die freie Wahl der Nationalversammlung einen Prinzen traf, abgestumpft dadurch, daß man ihn unverantwortlich hinzustellen keine Bedenken trug.« Die Reichsverfassung blieb formale Möglichkeit, während in Preußen eine Verfassung oktroyiert wurde und die Wahlen zu diesem frustrierten Parlament schon die Wahlmißbräuche späterer Zeiten erkennen ließen. Kranke und Krüppel wurden zu den Wahllokalen geschleppt, alte Leute hingeleitet. Und doch war das Wahlergebnis in Berlin den Erwartungen der Regierung entgegen und feierte Kalisch mit seinem anti-reaktionären Schwank ›Berlin bei Nacht‹ einen großen Erfolg. Noch waren die revolutionären Kräfte in Europa nicht zerschlagen. Noch war der »Völkerfrühling « voller Kraft.

Bettines persönliches Leben scheint in diesen Jahren nebensächlich, wie aufgesogen vom allgemeinen Anliegen und den Pflichten, die immer wieder an sie herangetragen wurden.

»Während wir die Köpfe hängen ließen, blickte die Mutter (und mit ihr natürlich auch Gisel) rosig in die Zukunft und war Feuer und Flamme für die Revolution als einen gewaltigen Fortschritt in der Entwicklung«, schreibt Maxe in ihren Erinnerungen. Auch Herman Grimm war wie Bettine für die Revolution begeistert. Andere gesellschaftliche Verbindungen zerfielen, so der biedermeierlich-gemütliche ›Kaffeter‹, andere entstanden neu, so der Briefwechsel mit Kertbeny, durch den sie mit Petöfi und der ungarischen Dichtung bekannt wurde, ihre letze große literarische Anregung, die sich in den ›Gesprächen mit Dämonen‹ und im Petöfi-Gedicht niederschlagen sollte.

Kertbeny hatte sie 1847 in Berlin aufgesucht, und war, weil er die verabredete Stunde nicht eingehalten hatte, von ihr abgewiesen worden, eine Episode, an die Bettine sich kaum erinnerte, die aber in den angespannten 40er Jahren charakteristisch für sie ist, so daß sie nicht übergangen werden sollte. ». . .Da wurde plötzlich die Flügeltüre aufgerissen, und eine Dame rauschte imposant heraus«, schildert Kertbeny, »eine nicht sehr große Figur, ganz in Schwarz gekleidet, aber durchaus nicht modisch, vielmehr wie in einem schwarzseidenen Schlafrocke, die grauen Haare zwar gescheitelt, aber doch vielfach fliegend. Und ein Kopf wie der der Elisabeth auf dem Grabstein zu Westminster oder auf dem Bild des Delacroche. Und welche Augen!« Sie schalt ihn in einer ausführlichen Suada, unpünktlich gewesen zu sein, ließ ihn unabgefertigt stehen und verschwand in den hinteren Gemächern. Ähnlich stellte sie sich auch Christoph Theodor Schwab, Gustav Schwabs Sohn, dar (der als der erste Herausgeber der sämtlichen Werke Hölderlins bei seinem Besuch sein Hölderlin-Exemplar für den Günderode-Briefwechsel, den Frühlingskranz und ›Dies Buch gehört dem König‹ eintauschte): Begeistert, schroff im Urteil, Widerspruch nicht gern duldend. Goethe hätte Hölderlin verkannt, weil er nicht vertrug, daß einer größer war als er, sagte sie. Sie verteidigte auch Jean Paul gegen die Vorwürfe der jungen Gäste, die seine Trunksucht tadelten. Und sie trat für Petöfi ein, der durch Kertbenys schwache Übersetzung in Deutschland kaum anerkannt wurde.

Obwohl ein wenig mißgestimmt, war der junge Schwab doch fasziniert und nannte Bettine sehr viel jünger in ihrem Wesen als die verwirrend genialische Tochter Gisela.

Bettine hielt auch noch Verbindung zu Hoffmann von Fallersleben, der durch ihre und Franz Liszts Vermittlung in Weimar zusammen mit Oskar Schade das ›Weimarische Jahrbuch für deutsche Sprache, Literatur und Kunst‹ herauszugeben beauftragt worden war. Auch die Verbindung zu Adolf Stahr, der nach der Lösung seiner ersten Ehe Fanny Lewald geheiratet hatte, war nicht abgebrochen. Einmal hatte er zusammen mit Freimund die Insel Helgoland durchstreift, und Bettine hatte sich herzlich darüber gefreut. Trotz unterschiedlicher Meinungen waren ja ihre und die Welt der Kinder nicht voreinander verschlossen. Und da war natürlich die Verbindung zur Familie, seltene Briefe, Besuche der Neffen und Nichten, Nachrichten über Reichtum und Gepflegtheit in den Frankfurter Familien, schwesterliche Harmlosigkeiten zwischen Gunda und ihr. Überall Altern. Sie waren sehr weit auseinandergekommen, aber sie ließen es einander nicht spüren. Savigny hatte 1848 sein Ministeramt niedergelegt, 1850 sein Doktorjubiläum gefeiert. Der König hatte ihm das Schlößchen Freienwalde für sommerliche Aufenthalte zur Verfügung gestellt. Noch immer war das Städtchen im Norden von Berlin das kleine vornehme, höfische Bad wie zum Ende des 18. Jahrhunderts. Maxe und Armgart verbrachten manche Wochen dort, während Savignys Sohn Leopold in Wiepersdorf bei Freimund die Landwirtschaft gelernt hatte und gern zu den herbstlichen Jagden kam.

Bettines Leben konnte so aussehen wie ein ganz gewöhnliches Leben mit Neugier und Traurigkeit und Teilnahme; ein paar Hunde werden bis zum Sterben gepflegt, Liebe zum Land, zur Einsamkeit, zur Stille kommt – wie spät! – bei Bettine zur Sprache. »Berlin ist eine Laxierstadt«, so hätte Arnim reden können. Sie sammelt Champignons, wie sie in den Wiesen um Wiepersdorf und Dahme reichlich wachsen, und trocknet sie für Gunda, sie arbeitet in der Bibliothek, sie schreibt bis in die Nächte, aber sie nimmt auch teil an den Sorgen der Landfrauen, berät sie und hilft, wenn die Kinder krank sind. In der Stadt liebt sie dann wieder Geselligkeit, Konzerte, Theater, Ausstellungen. Und doch ist alles anders als zwanzig Jahre früher, nur noch Folie vor einem sehr tätigen, sehr bewußten, sehr engagierten täglichen Leben. Das Phänomen der alternden Bettine ist das der jungen Bettine: Ihre Kraft, die zwei Leben durchzuhalten, das von ihr in ihren familiären und gesellschaftlichen Umständen erwartete und das dem entgegengesetzte der leidenschaftlichen

Welt-Ergreifung. Anders als die junge Bettine, ist sie nicht mehr die unruhig Erwartende, die ihre ungezügelte Lebenskraft in Effekthascherei und Aufdringlichkeit äußerte, sondern sie hat Aufgaben gefunden, die ihr angemessen sind, auch wenn ihr die bitterste Erfahrung, die der Vergeblichkeit, nicht erspart bleiben wird.

Zerstörte Beharrlichkeit — zerstörte Erwartungen

Als sich Johanna Kinkel, die vor ihrer Verheiratung Bettines Töchtern Musikunterricht gegeben hatte, im Sommer 1849 an Gisela um Hilfe wandte, weil sie von Bettines Einfluß auf den König wußte, war »die Sache der Revolution« schon verloren, die Frankfurter Nationalversammlung gescheitert und das Rumpfparlament am 18. Juni in Stuttgart aufgelöst worden. In Preußen hatte die oktroyierte Verfassung mit der Auflösung der zweiten Kammer am 27. April ihr Ende gefunden. Im Mai war in Dresden der Aufstand ausgebrochen, bei dem Bakunin eine führende Rolle gespielt hatte. Die Unruhen in Thüringen, Hannover, Westfalen, Rheinbayern waren erstickt, die Barrikaden in Elberfeld und Düsseldorf niedergerissen worden. Die Schleswig-Holsteiner wehrten sich gegen die Dänen, Rußland drängte auf Räumung Jütlands, Preußen hatte den Eisenbahntransport eines russischen Grenadierregiments durch Schlesien gegen die ungarischen Freiheitskämpfer genehmigt und eigene Truppen zusammengezogen. In Breslau herrschte Belagerungszustand. In Italien waren die Kämpfe um Venedig wieder aufgeflackert. Baden war nach der Auflösung des Rumpfparlamentes im Aufstand. Aber in Berlin waren Unter den Linden zu Pfingsten zum ersten Mal Bänke aufgestellt worden.

»Preußen geht fortan in Deutschland auf.« Friedrich Wilhelms IV. Ausspruch aus dem Jahr 1848 hatte nach seiner Ablehnung der Kaiserkrone einen schrillen Unterton bekommen. Überall waren preußische Truppen an der Niederschlagung der

Aufstände beteiligt, die Legitimität der Reichsverfassung war außer Kraft gesetzt. In Preußen wurde zum 1. Juni das Dreiklassenwahlrecht eingeführt, die Demokratie der Besitzenden hatte die Volkssouveränität ersetzt – Ruhebänke auf der Paradestraße, Wohlfahrt statt Sozialismus.

Professor Gottfried Kinkel, Führer der demokratischen Partei in Bonn, Gründer des Handwerkerbildungsvereins, Mitbegründer der ›Bonner Zeitung‹ und Herausgeber der Wochenbeilage ›Spartacus‹ war offen gegen die oktroyierte Verfassung gewesen und hatte als Mitglied der zweiten Kammer in Berlin seine Konzeption von der sozialdemokratischen Republik formuliert. Nach Auflösung der zweiten Kammer hatte er Berlin verlassen und sich am Zug gegen das Zeughaus in Siegburg beteiligt, durch den die Einberufung der preußischen Landwehr boykottiert und die Aufständischen unterstützt werden sollten. Nach dem mißglückten Unternehmen Mitglied der provisorischen revolutionären Regierung der Pfalz, trat Kinkel in das Willichsche Freikorps ein. Beim Gefecht zwischen Rothefeld und Muggensturm geriet er am 29. Juni verwundet in preußische Gefangenschaft und wurde nach der Einnahme von Rastatt, der schwere Kämpfe vorausgegangen waren, vor das Kriegsgericht gestellt.

Als Johanna Kinkel ihren ersten Brief an Gisela von Arnim schrieb, waren die Kämpfe um Rastatt noch im Gange. Bettine entschloß sich aus ihrer Niedergeschlagenheit heraus, sich beim König für Kinkel zu verwenden. Sie fuhr mit Gisela nach Sanssouci und wartete in der Nähe ihrer Equipage, bis Gisela in der Reihe der Bittsteller den Brief der Mutter und die Bittschrift Johanna Kinkels abgegeben hatte. Aber sie und ihre Tochter wurden gesehen, und die Zeitungen brachten die Notiz, obwohl dem König an der Geheimhaltung jeder Aktivität im Falle Kinkel gelegen war. Noch einmal entspann sich der Briefwechsel zwischen Bettine und Friedrich Wilhelm IV., der mit ihrem Einsatz für das Ministerium Schön-Waldeck im Herbst des Vorjahres abgebrochen worden war. Weil jener Versuch, in die Tagespolitik einzugreifen, Bettine gezeigt hatte, wie wenig sie auszurichten vermochte, war sie nun im Falle Kinkels bemüht, politische Schärfen zu vermeiden. Doch Friedrich Wilhelm IV., so geistreich und ironisch er seine Ohnmacht darstellte und dabei halbe Versprechungen machte, war ein gebrochener Mann. Darüber täuschten die sieben Ausrufungszeichen hinter ›Sanssouci‹ nicht hinweg, darüber täuschte die noch immer zügige Handschrift nicht hinweg. Er wollte sich nicht decouvrieren, indem er sich für einen seiner profilierten Feinde einsetzte, für dessen Freilassung durch Ernst Moritz Arndts Initiative 11 000 Unterschriften in nur achtzehn Stunden gesammelt worden waren. Er wollte aber auch vor Bettine nicht als hartherzig und tyrannisch erscheinen. So stellte er seine Abhängigkeit von den Ministern dar, gab seinem Mitgefühl für Kinkel Ausdruck und schlug dann in einer Erklärung zu, die Kinkel einen Verräter nannte, der »das Blut meiner treuen rührend-tapfern prächtigen Jungen im Heere, im unehrlichen Kampfe vergossen hat«. Dem Vorschlag, Kinkel solle bereuen und sein Handeln als Verbrechen erklären, traute er selbst nicht recht, bestand aber darauf. Er verschwieg auch nicht, daß ihm Kinkels Verhältnis zur Religion ärgerlich war, der »reuelos seinen Abfall vom Christentum – ach! was sag ich – seinen Abfall vom Begriff Gottes« zur Schau stellte. Kinkel hatte als protestantischer Theologe begonnen und war zur Philosophie und Kunstgeschichte übergewechselt, Johanna hatte ihre erste katholische Ehe mit großen Schwierigkeiten gelöst. Kinkels Bonner Haus war ein Mittelpunkt der Gesellschaft gewesen; Johanna hatte komponiert und Konzerte gegeben, Kinkels rhetorische Begabung hatte ihm großen Einfluß unter den Studenten verschafft. Der Wunsch, ihn gedemütigt zu sehen, die Entrüstung über das Aufbegehren der intelligenten jungen Männer muß hinter der so geläufigen Formel von den »rührend-tapfern prächtigen Jungen im Heere« vermutet werden. Die Aufwertung des Gehorsams, die Preußen später angelastet wurde, hat sich in den Jahren der Revolution und der Revolutionskriege herausgebildet, als das große Truppenkontingent des preußischen Königs die Entscheidungen gegen die Demokraten erzwang.

Friedrich Wilhelms IV. Pathos in den Antwortbriefen an Bettine zeigte seine Schwäche. Ihre Antwort vom 8. August 1849 war denn auch die Absage an ihn. Er zeigte, daß sie Niederlagen nicht nur ertragen, sondern umwerten konnte. Sie hatte begriffen, daß auch im Scheitern Größe sein kann.

Kinkel wurde zu lebenslänglicher Festungshaft verurteilt. Die bis zur Hysterie erregte Johanna Kinkel hatte sich bei der Mitteilung über die Nachrichten des Königs nicht ganz korrekt verhalten, es hatte Mißstimmigkeiten zwischen ihr und Bettine gegeben. Der devot-anklagende Ton in den Briefen Johannas erschreckt, wenn ihn Bettine auch tolerant übergangen hat.

Auch ein Bittbrief an den Großherzog von Baden, die Begnadigung Otto von Corvins zu erwirken, war vergeblich gewesen, Bettine hatte ihn auf Wunsch der in Berlin lebenden Frau geschrieben. Wie viele Bittbriefe noch? Bettine kargte nicht mit ihrer Hilfsbereitschaft.

Aber die Revolution war erstickt. Noch flackerte in Kroatien der Aufstand auf, noch warfen die Hamburger mit Steinen nach den preußischen Truppen, die nach dem Sieg von Fredericia aus Schleswig kamen. Doch die aufgeregten Städte waren wieder ruhig, die Gefängnisse waren überfüllt. Ungarn, Italien, Polen waren gegen Österreich, die Aufständischen in Deutschland gegen Preußen unterlegen. Vergeblich. Und doch nicht vergeblich. Denn der Anspruch blieb. »Ja, es gibt eine Sünde, aber nur der Verantwortliche sündigt! – Sünde bezeichnet schon eine Geltung des Seins«, hatte Bettine geschrieben und Kinkels Nein zum Schuldbekenntnis vor dem König verteidigt: »Im Kampf lehnt sich der Mensch selbst an den freien Willen.« Sie war für Johanna Kinkel eingetreten, eine Frau für die andere Frau, die weiß, wie schwer es ist, in jeder Lebensstunde für die Kinder da sein zu müssen. »So verstehe ich die Christuslehre nicht vom Samariter ... Ich will dem Samariter gleichen! – Ich will nichts anderes von Gott, als daß mein Herz nicht zu Stein werde in meiner Brust, wenn er mich zum Werkzeuge ausersieht seiner unmittelbaren Barmherzigkeit! und daß die eigne Energie mir nicht fehle, selbständig zu wirken und zu handeln, wie es einem

Des Knaben Wunderhorn

Alte deutsche Lieder

L. Achim v. Arnim. Clemens Brentano.

❖

Heidelberg, bey Mohr u. Zimmer.
Frankfurt bey J. C. B. Mohr
1806.

Titel des zweiten Teils von »Des Knaben Wunderhorn«.

Johann Wolfgang von Goethe.

Caroline von Günderode (1780–1806).

Bettine von Arnim im Jahre 1859.

göttlichen Anregen entspricht. Ich will mich auch nicht feilschen und Bedingungen stellen; ich will mich ganz vergessen; wo Elend, Schmach und Verzweiflung sich mir entgegendrängen, da will ichs höchste Gnade von Gott annehmen, diese lindern zu können! und will kein menschlich Urteil oder Gesetz mich darin beschränken lassen und immer weiter dringen in dieser großen göttlichen Eigenschaft der Barmherzigkeit, der Gnade, die unsterblich macht! Was wollen wir aber um ein Jenseits streiten, oder um Unsterblichkeit, wenn wir die Eigenschaften nicht haben, die der Unsterblichkeit wert sind! . . .«

Das also blieb, so zu handeln, wie sie glaubte handeln zu müssen. »Das moralische Gesetz in mir.« Bettine hatte keine Beziehung zu Kant, hatte nie etwas von ihm gelesen. Aber sie vertraute darauf – und das hatte sich in ihrem bedingungslosen Einsatz für Menschen in Not immer wieder gezeigt –: daß der Mensch gut sei. Ihr Briefwechsel mit Friedrich Wilhelm IV. machte deutlicher als ihre anderen großen Briefwechsel, daß sie bis zu einer gewissen Grenze aus der Reaktion des andern Kraft schöpfen konnte, daß sie, sehr fraulich, in der Anpassung, im Anschmiegen an die Gedanken und Empfindungen des andern über ihn verfügen konnte. Doch jenseits dieser Grenze, jenseits der erotischen Demut, die sie in der häufig benutzten Formulierung vom Zu-Füßen-liegen zum Ausdruck brachte, war die Einsamkeit, die nur allein zu bestehen war. Allein. Das hieß aber der Forderung folgen, die sie begriffen hatte. Das hieß: An die Revolution glauben.

Bei Varnhagen taucht in den Notizen aus diesen Monaten der Gedanke der permanenten Revolution auf. Sie werden miteinander darüber gesprochen haben, Varnhagen nörgelnd und dabei genau informiert, der uralte Alexander von Humboldt, der noch immer ohne Sympathie in der Nähe des Königs lebte und doch eigentlich zwischen seinen Büchern und Karten und Sammlungen zu Hause war, und gelegentlich auch der noch immer schöne, längst weißhaarige Fürst Pückler, den die Armut und die Kommunisten und die Sozialisten und die Urwählerprobleme wohl kaum leidenschaftlich erregten, der aber aus seiner englischen Zeit eine Vorliebe für die Demokratie behalten hatte. Varnhagens Nichte Ludmilla Assing saß dabei, begierig, alles wahrzunehmen und anzumerken.

Herbst 1849. Gottfried Kinkel war nach Spandau gebracht worden. Carl Schurz, sein Schüler und nächster Mitarbeiter, der aus Rastatt durch die Abwässerkanäle entkommen war, arbeitete an der Vorbereitung von Kinkels Flucht. In Paris und London sammelten sich die gescheiterten Revolutionäre. In Berlin wurde Waldeck, der im Mai wegen seines Artikels in der letzten Nummer der verbotenen Nationalzeitung verhaftet worden war, freigelassen, die Berliner Arbeiter drängten sich in den Straßen der östlichen Vorstädte, die illuminiert waren, während es in den westlichen Bezirken ruhig und dunkel blieb.

In diesen Wochen hatte Bettine den ersten Brief an »den Übersetzer Petöfis«, an Kertbeny geschrieben. Wir dürfen auf Varnhagens Anregung schließen, der mit dem jungen Mann seit 1847 in Verbindung stand und ihm da schon zur Ungarisierung seines Namens – er hieß eigentlich Benkert – geraten hatte. Kertbeny stammte aus deutsch-ungarischer Familie und hatte 1849 Gedichte von Sandor Petöfi »nebst einem Anhang anderer ungarischer Dichter« in seiner Übersetzung erscheinen lassen. War sein Besuch bei Bettine in der Zeit seines Berlinaufenthaltes auch mißglückt, so entspann sich nun doch für einige Monate ein reger Briefwechsel. Kertbeny war keineswegs sympathisch, ein Vielschreiber, der sich von der Welle der Ungarnbegeisterung hochtragen ließ, dabei ein schlechter Übersetzer und ein oberflächlicher Deuter Petöfis. Dennoch muß seinem Eifer zugestanden werden, daß er Petöfis Weg in die Weltliteratur vorbereitet hat. Heine, Uhland, Varnhagen, Bettine, Alexander von Humboldt und Béranger lobten seine Übersetzungen. In dem Briefwechsel mit Bettine ging Kertbeny mit seinem ungarischen Schicksal hausieren, gab sich gern als Magyar und spielte seine flüchtige Begegnung mit Petöfi im Kreis der Drzembiren hoch. Seine Briefe waren lang und ausschweifend, er brillierte mit Kenntnissen und klagte alle Welt an. Bettine blieb sein Charakter nicht verborgen, zu deutlich hatte er sich in seinem ersten Antwortbrief als Held und Flüchtling und urwüchsiger Ungar entworfen. Dennoch war sie gerecht genug, seine literarische Mittlerschaft anzuerkennen. »Das Buch Deiner Übersetzungen hat mich in Deine Heimat geführt. Der Petöfi redet mich tausendfach drin an, und aller Schmerz der Vaterlandsperlen, den nimmt er mir von der Lippe und vom Blick –.« Durch Varnhagens Schilderungen, der Ungarn aus der Zeit seines Wiener Aufenthaltes während des Wiener Kongresses kannte, hatte sie eine deutliche Vorstellung von Land und Leuten. Ihre Begeisterung für Petöfi hatte auch außerliterarische Ursachen. Petöfi war bei den Kämpfen für die Freiheit Ungarns verschwunden, niemand wollte an seinen Tod glauben, und die Legende von seiner künftigen Wiederkehr hielt sich lange. Doch wenn diese Umstände auch dazu beigetragen haben mögen, Bettines Phantasie anzuregen und in dem jungen ungarischen Dichter das Bild der aufbegehrenden Jugend zu verehren, zeigt ihr Urteil über Kertbenys Übersetzung des ›Held Janós‹, daß sie dem Dichter Petöfi näher war als er. Sie schlug Kertbeny vor, den Text, der an seiner Sprachunsicherheit krankte, zu überarbeiten, denn sie glaubte nicht an die unbeholfene Ausdrucksweise, die der Übersetzer als typisch ungarisch verteidigte. Durch rasche Drucklegung seines Textes umging er Bettines Angebot und verwischte durch seine Interpretation des ›Held Janós‹ den politischen Akzent dieser Märchen-Utopie, so daß das Epos lange unterschätzt wurde.

Für Bettine traf die Begegnung mit dem Dichter Petöfi in das Vakuum nach den Revolutionskriegen, in dem sie mit ihrer Arbeit an »Des Königsbuches zweiter Teil« nicht recht vorankam. Petöfis Sprachkraft erregte sie, sie stellte ihn mit Goethe gleich; sie ließ sich zu einem Fehlurteil über Heine hinreißen, seine Gedichte wären Gift, kein sehr schnell wirkendes, tötendes aber ein »latschiges Gift der Selbstbekosung«, sie gönnte ihm alles Gute, möchte auch seine Schmerzen gelindert wissen, aber die Gesundheit eines echten Dichters wäre nicht in ihm. Sie gönnte jedem die Erdenlust, auch die des nicht natürlich Erwachsenen, »wenn es genossen werde mit Appetit. Aber! – Viel hänge da-

von ab. – Nämlich der ganze Mensch!« Dieser bei Bettine ganz
ungewohnte Ekel zeigte sie von der Stimmung in Europa infi-
ziert. Inmitten der Uneinigkeit der revolutionären Gruppen
nach der Niederschlagung der Revolution feierten Prüderie und
Frömmlertum ihren Sieg über die Stimmung des »Völkerfrüh-
lings«. Europa schien alt und zäh, Petöfi war als Repräsentant
der von Europa unberührten ungarischen Literatur ein ermu-
tigendes Gegenbild zur Wirklichkeit, dem Bettine in dem Gedicht ›Petöfi dem Sonnengott‹ huldigte. Am 16. Januar 1850
entstanden, ist es nicht nur ihre reifste lyrische Leistung, sondern bedeutet einen Höhepunkt ihres späten Schaffens. Die
Sprache ist Hölderlin nachempfunden, ohne ihn nachzuahmen.
Noch einmal hatte sie der Sprachrausch zur Gestaltung hochge-
rissen und ihr geholfen, die Trauer um Petöfi und ihre eigene
Niedergeschlagenheit zu überwinden. Der Briefwechsel mit
Kertbeny brachte Bettine aber auch Kenntnis von den Mißhandlungen an den ungarischen Gefangenen, die sie veranlaßte, an
den englischen Dichter und Politiker R. L. Milnes zu schreiben,
der sich für die ungarischen Flüchtlinge eingesetzt hatte. Um
wirksame Maßnahmen anregen zu können, ermunterte sie Kertbeny, Nachrichten zu sammeln und ihr zu übermitteln, immer
noch war sie organisatorisch sicher und sehr zielbewußt aktiv.
Kertbenys Beschreibung von den Quälereien und Erschießungen der gefangenen Freiheitskämpfer in Arad sind unmittelbar
in das Dämonenbuch, »des Königsbuches zweiter Teil« eingegangen. Die Zueignung des Buches an Abdul-Meschid-Khma,
den Kaiser der Osmanen – der den ungarischen Flüchtlingen
Asyl bot, die in Europa von Grenze zu Grenze geschickt wurden, selbst wenn sie verwundet waren – aber auch der ungarische
Freiheitsruf »Eljen a Hasa« sind Niederschlag des Austauschs
mit Kertbeny. Dennoch kann kaum von einer Sympathie zwischen
ihnen gesprochen werden. Bettine unterstützte den immer über
Geldnot Klagenden, doch als er, immer ein Verschwender, zu
weit ging und dringend forderte, wies sie ihn ungeduldig zurecht: »Jetzt willst Du noch wissen, warum ich immer nicht
antworte auf Deine Fragen! Gott weiß! – vielleicht, weil ich in

gar keinem Verkehr mit Dir stehe, und frage, warum ich Dir das Wort *Frau* statt *Weib* anempfehle? – Ich schreibe Dir hier die Worte aus Deinem Brief ab, auf welche das Wort *Weib* sich bezieht. ›Willst Du nicht die stille verschwiegne zu jedem Opfer des wollüstig nicht opfernden, bereite Mutter meines Geistes sein, Weib! (führst Du drohend fort) so werde ich Dich mit jenem eine scheußliche Verachtungsspur hinter sich lassenden dämonischen Widerwillen von mir stoßen wie alle jene Weiber, die das Mark meiner Beine mir ausgesaugt, den Rosenduft meiner Seele mir chemisch abstehlen wollten!‹ – Diese seltsamste aller Exklamationen, es gibt Niemand, der darüber nicht lachen müßte; da Du sie gerade schriebst, als der Pfarrer mit Dir getrunken hatte, und Du selbst ziemlich entzückt sprachst über den Trunkenheitstaumel, so spiegelten sich mir darin allerlei lächerliche Abenteuer von trunkenen Feuerbusen etc. etc. – da wollte ich Dir nur bescheiden andeuten, was Du mit dem oft mißbrauchten Wort: Weib! für unüberlegte Gedankenstrichartige Reden machst. Hättest Du *Frau* statt *Weib* geschrieben, so würde diese Phrase gar nicht haben folgen können, die ich aus Deinen Briefen über Bord werfen muß, mag sie an irgend einem theatralischen Ufer in Weimar oder sonst wo an Sehnsuchtschwellenden Busen anlanden.«

Sie grenzte sich gegen Kertbeny ab, sehr anders als zehn Jahre früher noch in den Briefen an Nathusius und an Döring. Sie suchte sich nun selber zu verstehen, eine Fünfundsechzigjährige, die ihr Leben überblickt, voller Erstaunen: »Lasse mich indessen Dir mehr über mich sagen. Ich bin in solchen Anregungen immer ganz konzentriert, immer ganz hingegeben, aber es ist, als ob meine Natur facettiert sei und nach allen Seiten hin in jeder Facette abgeschlossen die heterogensten Bilder in sich aufnehme! – es begegnet mir so oft, daß sterbende Menschen nach mir begehren, mit denen ich im Leben noch nie viel gewechselt habe – sie wollen mir dann die Hand reichen, mich anlächeln, sie wollen mit meinen Scherzen in Schlummer gewiegt sein ...« Aber ein wenig wird auch die Verbitterung laut gegenüber dem Bohèmien, der es sich so leicht machte, und der Stolz, selber bestanden zu haben. So äußerte sie sich vor Kertbeny das einzige Mal vor einem Fremden über ihre wirtschaftlichen Sorgen. Er sollte ja wissen, daß sie als einzige ihrer Familie nicht reich wäre, aber immer bereit zu helfen, weil Besitz ihr wenig bedeutete, schrieb sie nach seiner Anspielung auf ihre reichen Verwandten in Frankfurt. »Es zwingt mich nun etwas in Deinem Brief, daß ich Dir hier ein paar historische Notizen über mich hinschreibe, ich tue es ungern und fühle mich beschämt, daß ich Dich gerade von etwas unterrichte, was ich noch nie ausgesprochen habe, weil es mir jedenfalls nicht in der Natur liegt, so was zu erörtern. Allein ich hoffe es in wenige Zeilen zu drängen. Als ich noch ganz jung war, hab ich andern Menschen oft Carte Blanche über das gegeben, was man mir als mein Vermögen angab. Ein Teil ist hierdurch zu Grund gegangen. Als Arnim um meine Hand anhielt, sagte er mir ›Ich habe nichts Rundes als die Knöpfe an meinem Rocke‹. – Dennoch hat er nie von meinem Geld etwas berührt, aber (als) die großen Kontributionen von 13 und 14 zu zahlen waren und als Schulden auf den Gütern standen, die 25 Prozent zahlten, da zwang ich den Arnim, daß er sie mit meinem Geld bezahle, so ist es gekommen, daß ich nur geringe Summen noch frei hatte. Nach seinem Tod habe ich auf das Wittum verzichtet, und geerbt habe ich nichts, es gehörte mir nicht das geringste von Allem, was da ist, und ich würde auch nie etwas davon annehmen, wenn man es mir anböte. – Bei der Erziehung meiner Kinder machte man mir Unannehmlichkeiten, sie führten alle meist von einem Verwandten her. Das Gefühl, so herzzerreißend in meinem Innern gestört zu werden, veranlaßte mich, mein übriges Vermögen an die Erziehung der Kinder, an die Reisen der Söhne etc. etc. zu wenden; es waren vielleicht nicht zwanzigtausend Tlr: – Ich gab Bücher heraus und bestritt davon die Haushaltung und das Einführen meiner Kinder in die Welt. – Vor zwei Jahren erhielt ich einen Sekretär, er betrog auf die geschickteste Weise mich um alle Einnahme, da ich gewohnt war, die Rechnungen durch ihn bezahlen zu lassen, so fand ich nach seiner Entfernung, daß alle

Rechnungen falsch quittiert waren, er hatte sich auch eine falsche Prokura zu verschaffen gewußt, womit er noch alle ausstehende Gelder einzog, – nächstdem am 15ten Mai – total durch Einbruch beraubt! – Dies alles hat mich keinen Seufzer gekostet ...«

Sie strich Kertbeny auch die pathetischen Sätze seiner Zueignung der ungarischen Volkslieder. Seine Verehrung war ihr ebensowenig glaubwürdig wie seine revolutionäre Geste. Ihre Empfindlichkeit für Charaktere war ja immer schon deutlich ausgeprägt. Kertbenys Aufdringlichkeit war ihr unangenehm. Dennoch brach sie den Briefwechsel nicht ab. Sie vermochte es nicht, jemanden vor den Kopf zu stoßen. Sie versuchte, so lange sie konnte, den anderen ernst zu nehmen, ein sehr mütterlicher Zug, vielleicht auch die Fähigkeit, noch immer zugleich zu leben und zuzusehen. Der Austausch ermüdete. »Hebe die heilige Ferne nicht auf, die Zweie voneinander trennt, weit genug, um das Bild samt Schlagschatten aufzufassen vom Baum des Vertrauens ...« hatte sie einmal an ihn geschrieben und hatte seinen Deutschenhaß als Völkerhaß zurückgewiesen – schon im Armenbuch hatte sie einmal die Formulierung ›Arbeiterweltbürger‹ gebraucht – und sie hatte ihr Europäertum aus ihrer Abstammung von den Viscontis und der Blutmischung der Brentanos erklärt. Eine Andeutung im Briefwechsel mit Kertbeny läßt mutmaßen, daß sie zu Kinkels Flucht beigesteuert hat: »Von Kinkel sage ich nichts, denn es ist ein Gelöbnis des Schweigens und da sage ich schon zu viel; aber (glaube mir), ich brauche mir die Zunge nicht abzubeißen, um etwas zu verschweigen! Geheimniskrämerei ist dennoch mein Abscheu! ich vergeß also gleich wieder, was ich nicht sagen will, so ist's gesichert. – Wer wollte auch in Verbreitung des Überflüssigen sich ergehen. (und es ist überflüssig zu wissen, ob etwas von mir dabei geschehen ist. –) ...«

Sie war bereit einzustehen, wo es not tat. Sie überwand sich nach dem Attentatsversuch Sefeloges auf den König im Mai 1850 zu einem Bittbrief an Friedrich Wilhelm IV. zugunsten des Attentäters; ein ungezeichneter Artikel in der ›Urwählerzeitung‹ vom 29. Mai »Sie (die Reaktion) trägt die Schuld«, der die Königstreuen der Hetzkampagne anklagt, durch die haltlose Menschen wie Sefeloge zum Attentat provoziert würden, stammt wahrscheinlich aus ihrer Feder. (Jedenfalls fand sich die Nummer der Zeitung mit diesem Artikel im Wiepersdorfer Archiv.)

Kinkels Entführung aus der Spandauer Zitadelle gelang am 6. November 1850 unter Mitwirkung des Moabiter Arztes Dr. Falkenthal, des Spandauer Gastwirts und vormaligem Stadtverordneten Krüger und des Gefängniswärters Brune durch Carl Schurz. Beide reisten über Warnemünde und durch das Kattegatt nach Paris, wo sie Johanna Kinkel trafen. Nach Kinkels Übersiedlung nach London, wo Arnold Ruge, Mazzini, Ledru-Rollin, Bratianu und Darasz an der Vorbereitung einer neuen Revolution arbeiteten, gründete Kinkel mit Gustav Struwe, Ernst Haug und Johannes Ronge ein nationales deutsches demokratisches Komitee. Carl Schurz wies aus Paris auf die Notwendigkeit hin, die Arbeiter zu gewinnen und hoffte auf die nächste französische Erhebung, die »die Kommunisten obenauf werfen« würde. Aber Napoléons III. Staatsstreich enttäuschte die Hoffnungen aller Revolutionäre, die Volksabstimmung erwies sich schon als verfügbares Instrument. Die Idee von der Volkssouveränität war wieder in die Utopie verwiesen. Schurz erkannte: »Die Demokratie hat eine Position, sobald Amerika mitspielt«, noch ehe er zur Fahrt über den Atlantik entschlossen war. Kinkel trennte sich von Ruge. Marx und Engels hatten das Komitee ohnehin kritisch beurteilt. Das Emigrantendasein zeichnete sich als Schicksal der deutschen Opposition ab.

Vor solchem Hintergrund müssen Bettines ›Gespräche mit Dämonen‹ gesehen werden. Sie war keine Politikerin, die sich auch noch in der Enttäuschung und Verstörtheit an einem Programm orientieren konnte. Sie lebte und sie schrieb aus der Zusammenschau »von Bild samt Schlagschatten«. Sie blieb wahrnehmendes Ich.

Schon anläßlich des Abschieds von Heinrich Grunholzer im August 1843 hatte sie aus dem zweiten Teil des Königsbuches gelesen. Im Februar 1845 notierte Rudolf Baier, ihr Mitarbeiter im Arnimschen Verlag, daß sie sich mit den Papieren zum zweiten Teil des Königsbuches beschäftigte und einen Text aus ihren jungen Jahren vorgelesen hätte »wie sie wohl nicht mehr schreiben kann«. Der von ihm genannte Text ›Unter der Linde‹ findet sich nicht in der Buchfassung. Da jedoch die Druckvorlagen, Entwürfe und Umarbeitungen 1929 versteigert wurden und bisher nicht auffindbar waren, läßt sich darüber nichts Bestimmtes sagen. Im September 1845 äußerte Bettine jedenfalls zu Baier: »An meinem Königsbuch abarbeite ich mich im vollsten Sinne des Wortes; denn, denken Sie, über ein paar Zeilen habe ich schon acht Tage herumlaviert, ohne in Port einlaufen zu können, es ist zwar die einzige närrische Klippe, die mir im Wege stand; denn etwas zu sagen, so, daß es Menschen mit richtigem Verstand nicht mißverstehen und die Ochsen sich dessen annehmen, hat manchmal unerwartete und fast nicht zu überwindende Schwierigkeiten.« Obwohl sie Baier schon den Auftrag an den Korrektor Klein weitergab, also wohl mit mühsamer, doch zügiger Arbeit rechnete, sie wollte »erst ein gut Teil Manuskript durchgehen ... und es ihm dann schicken ...«, schrieb sie dann fast vier Jahre später an Varnhagen: »Alles kann ich trefflich brauchen und schmelze es in einem Brief zusammen (an den König). Heute bin ich über sein Buch her und morgen auch ...« Und an Friedmund schrieb sie im Herbst 1850: »Das oft umhergeschleuderte Buch, das schon lang im

Publikum spukt, ist aber eben seiner Vollendung nah ... Ach es ist um die endgültige Befreiung Kinkels zu erwirken, der in seinem Martyrtum eingeschraubt ist in Spandau. Nicht weil er mich vor anderen jammert, aber weil mir die Zuflucht der Frau ein Gotteswink war – es laufen so viele eitle Narren in der Welt herum –. Es ist mir auch so etwas Närrisches, daß gerade dieser Anlaß werden mußte zu dem Buch ...« Im Mai 1851 lagen dann 15 Druckbogen vor, die Bettine Varnhagen zu beurteilen gab. Sie war »oft ins freie Feld gelaufen, um ihre Gedanken zu sammeln und neue zu bekommen«, hatte sie einmal gestanden. Varnhagens Urteil traf vor allem die Un-Form des Buches, die »fortdauernde Prophetensprache«, er vermißte die Frische der Jugendgeschichten, »mir ist der Zusammenhang zu locker, die gedehnte Dichtung des Gesprächs zwischen dem Dämon und dem schlafenden König viel zu eintönig ...« Kurz bevor das Buch im Frühjahr 1852 erschien, dachte Bettine selber daran, es ›Die Wolkenkammer‹ zu nennen, um die Formlosigkeit zu rechtfertigen. Daß sie aufatmete, als sie das Buch, an dem sie sich so lange gemüht hatte, vorlegen konnte, zeigen die »Lücken eigener Zensur«, die sie nach Art der Zensorstriche in ihr Buch eingefügt hatte, eine ironische Selbstkritik, und nunmehr, nach Aufhebung der Zensur, auch eine ironische Rechtfertigung der im Buch genutzten Meinungsfreiheit.

Sie hatte ursprünglich die Absicht gehabt, die Idee von der Volkssouveränität, die im ersten Königsbuch entwickelt worden war, zu differenzieren. Dafür spricht das Einleitungskapitel »Die Klosterbeere – zum Andenken an die Frankfurter Judengasse«. Das schon einmal zitierte Bild von der durchsichtigen Frucht mit den Kammern für jeden einzelnen, das eben damals in Fritzlar als Bild des Klosters gedeutet wurde, ist programmatisch. Die Datierung dieses Kapitels auf den Goethe-Geburtstag 1808 nach der Datierung des sich selber zum Künden berufenden Hymnus auf ihren eigenen Geburtstag 1808 zeigt die geistige Beziehung, die sie herstellen wollte, die Legitimation der eigenen durch die Goethesche Weltsicht, und stellt äußerlich die Beziehung zum Königsbuch erster Teil (›Dies

Buch gehört dem König‹) als unmittelbare Fortsetzung der Gespräche mit der Frau Rat dar.

Doch das Scheitern der Märzrevolution, das Aufgeriebenwerden der Demokratie, die Herausformung des Nationalbewußtseins in ganz Europa, die vollzogene aber weiter von Ressentiments gestörte Emanzipation der Juden – 1842 hatte man von neuen Judengesetzen gesprochen – die Entstehung des vierten Standes, die Verlagerung der politischen Macht vom Feudaladel auf das Bürgertum hatten längst das klare Bild getrübt. Die organische Wechselbeziehung zwischen Volk und König war durch die Reaktion der Könige auf die Revolution entstellt worden, die gradlinige Entwicklung von Bettines Gedanken und Hoffnungen war nach 1849 gestört. Sie war einsam und müde, auch wenn sie das nicht zugab, als sie sich von der Begeisterung für Petöfi hochtragen ließ. Ein Brief an Gunda aus dem Frühjahr 1850 macht das sichtbarer, als es ihr beim Schreiben bewußt gewesen war, weil sie sich noch immer zur Munterkeit zwang: Sie erinnerte sich an ihre Übereinstimmung mit Savigny in der Jugend, »nun aber ist's, als ob einer ein Nervenweh bekommt, wenn man sich ihm nähert. Die Wahrheit getraue ich mich nicht, vor ihm auszusprechen, es ist, als wenn sein Unwille sie von sich blase; es ist als ob man ihn wie eine Blähung inkommodiere!« Sie hatte zwar noch mit Stahr Verbindung, mit Moritz Carrière, mit Varnhagen, der Verlag beschäftigte sie, die Töchter waren meist um sie. Doch mit ihnen konnte sie sich nicht aussprechen. Armgart hatte den dringenden Wunsch, der Einladung der Gräfin Circourt nach Paris zu folgen, und Bettine gab nach, obwohl sie gestand, daß es »wahnsinnig (wäre) in dieser Zeit, wo jeden Tag die Revolutionen losbrechen ... außerdem wissen wir wenig von Circourt, was er ist, wie er steht«. (Circourt hatte Lamartine 1848 aus Berlin mit angeblichen Originalberichten aus Polen versehen, die aber mit Hilfe der preußischen Regierung hergestellt wurden und sicher mitgewirkt haben, Lamartines Eingreifen in Polen zu unterbinden.) Aber die Gräfin Circourt, eine geborene Gräfin Tolstoi, deren Salon in Paris in hohem Ansehen stand, hatte Armgart

wie eine Tochter liebgewonnen. Bettine überwand es, sich »jede
Minute so ängstigen zu müssen«, und ließ Armgart reisen, tolerant aus Besorgnis, ihren Kindern durch ihr eigenes asketisches
Arbeitsleben irgendwelche Freude vorzuenthalten. Nur mit
Friedmund tauschte sie ihre Gedanken aus. Siegmund blieb verstimmt und Freimund verschlossen. Einmal ihr leiser Spott, daß
er die Kreuzzeitung läse, kaum mehr. Dabei mußte es sie kränken, daß er sogar gegen die Geschworenengerichte war, die neben der Aufhebung des feudalen Jagdrechts von der Preußischen Nationalversammlung als einzige Neuerung für die
Landbevölkerung durchgebracht worden waren.

Im Herbst 1850 mobilisierte Preußen gegen den Deutschen
Bund, im Herbst 1850 feierte Savigny sein 50jähriges Doktorjubiläum, über das es einen enttäuschten Bericht Jacob Grimms
gibt, »mir waren die feinen Leute, die man dort traf, meistens
unangenehm«. Wilhelm Grimm hatte die Festrede in der Akademie gehalten, Bettine war unterdessen in Wiepersdorf und
erfuhr erst nachträglich von dem Fest. Die langen Landaufenthalte waren Fluchten vor der Gesellschaft, die nicht mehr die
ihre war. Dort schrieb sie am Dämonenbuch, ein wenig lustlos
und mühsam, weil sie den Bruch im Entwurf spürte. Dort
schrieb sie am 23. Dezember 1850 auch den dunklen Abschieds-
brief an den König, der nicht anders zu verstehen ist, denn als
Wunsch, sich schmerzhaft bewußt zu machen, wie weit sie vom
König, von dem Bild, das sie sich von ihm gemacht hatte, abgekommen war; um diesen Schmerz, den Riß in ihrer Erfahrung als schöpferischen Anlaß ihres letzten Buches zu begreifen.
Die Anklage gegen den König in den ›Gesprächen mit Dämonen‹
konnte ihr nur aus der tiefen Enttäuschung, aus der Trauer über
Verlorenes gelingen, denn sie konnte nicht aus dem Haß, aus
der Verachtung schreiben. Polemik lag ihr fern. »Ich liebe Dich,
ich habe die Einsamkeit geliebt, weil sie mich mit Dir zusammenführte, ich habe mir kein geschnitztes Bild aber einen erha-
benen Geist aus Dir hervorgezaubert, der die von Gott in Dich
gedachte Idee bezeichnet, weil sie die Geschichte Deiner Tage
glorreich erfüllt . . .« Noch einmal entwarf sie den König, wie sie

ihn sehen wollte: »Du bist wirklich der, den ich denke und der König von Preußen, wie ihn die Zeit denkt und sieht und wie sie in Versammlungen und auf Konferenzen Ihn unter dem Purpur der Absolutheit geknebelt in die Küche des Teufels bringen und wie er selbst vielleicht sich zu verstehen meint, der ist mir Chimäre ...« Als eine Ergänzung dazu ist ein undatierter, jedenfalls früher geschriebener Brief zu verstehen, in dem es heißt: »Ich weiß es, wie er (der König) noch heute dem Volk den Beweis seines rechten Herzens könnte mit goldenem Griffel in die Brust schreiben; und wie dieser von den Ministern gebildete Phalanx, mit dem er seine Beschlüsse durchzusetzen droht, mit oder ohne Willen des Königs sich beugen würde, sich beugen müßte vor diesem genialen *einfachen* naturgemäßen Willen, und wie sie nichts mehr wagen würden dagegen! – Alle Tage bietet der Baum der Geschichte Blüten des Ruhmes, jeden Tag bietet er die reifenden Früchte eines beglückenden Selbstbewußtseins ...«

Maxe hat später von einer Rückwendung Bettines zum König gesprochen, vielleicht um den geringen Erfolg der späten Bücher und die völlige Erfolglosigkeit des letzten Buches zu überspielen und Bettines politisches Engagement, das der Familie mit Ausnahme von Friedmund so unangenehm war, zu bagatellisieren – vielleicht auch wirklich aus Kenntnis dieses und späterer Briefe und Bittgesuche Bettines an den König. Vielleicht aus Gesprächen am Krankenlager nach dem Schlaganfall, von dem Bettine unverkennbar senile Züge blieben.

Doch die Interpretation des formal nicht geglückten letzten Buches hebt Maxes Deutung auf. Es enthält Bettines letzte Aussage: Die Vision von der unterdrückten Völkergemeinschaft. Es nimmt den Begriff des Dämons auf, der bei Bürger und Goethe schon auftaucht, und den der junge Marx als treibende Kraft der Entwicklung deutet: »Ideen ... an die der Verstand unser Gewissen geschmiedet hat, sind Ketten, denen man sich nicht entreißt, ohne sein Herz zu zerreißen, das sind Dämonen, *welche der Mensch nur besiegen kann, in dem er sich ihnen unterwirft.*« Anders als Marx personifiziert Bettine den Dämon und führt folgerichtig das Partnerschaftsverhältnis zum König weiter, nun nicht mehr als »Vorrednerin«, sondern als Erkennende, die dem König ihre Erkenntnis zuflüstert, um ihn zu überzeugen, beinahe schon zu hypnotisieren, das Rechte, Zukünftig-Notwendige zu tun. Denn ihr Partner ist der schlafende König, der sich versäumt hat, der »Madensack«; ihr Partner ist der Volkskönig, der versagt hat, also ihre eigene Idee, die von der Erfahrung zerstört oder doch gebrochen wurde.

Sie verteidigt die Revolution, die Revolutionäre, die aufstrebenden Völker. »Es sind also nicht Revolutionen, was Du zu verhüten hast. Und darum steht der König seines Volkes an der Spitze seiner Revolution.« Sie redet auf den König ein, sie wiederholt, was sie im Vormärz schon in ihren Briefen an die jungen Prinzen gesagt hatte: Daß der König Volksgewissen, Volksgesetz, Volksgenie sei. Aber: »Ein König hört alles nur wie im Traum! Schlafend dringt die Wahrheit heller ihm ins Ohr als wachend, wo ein Markt voller Untertanentreue und Tugendideale sich ihm feilbietet.« Der Fürst-Primas als Gesprächspartner des ersten Kapitels, das sie zum Andenken an die Frankfurter Judengasse schrieb, bereitet das Gespräch außerhalb der Tagesrealität vor, ein Gespräch unter Geistern, das Bettine, jeder Irrationalität abhold, durch den Zustand des Schlafes an die Realität heranholt. So kann sie – ohne ins Märchenhafte auszuweichen – Ahnengeister und Volk und Volksgeist und Genius zitieren. Magyar, Pole, Germane, Lombarde und Gallier treten auf, der Proletarier wird sehr bewußt gegen Volk und Volksgeist abgesetzt, zwei Begriffe, die im Sprachgebrauch der liberalen Opposition damals häufig verwendet wurden. Dennoch läßt sich Bettines Proletarierbegriff nicht marxistisch definieren. Sie benutzt ihn, um den vierten Stand von den Nationen gesondert darzustellen, ohne die derzeit schon gebräuchliche politische Akzentuierung, empfindlich für sprachschöpferische Wertsetzungen. Im Wechselgespräch der Vertreter der Völker ist der Proletarier in ihrer Deutung kein Waffenträger, kein Krieger, sondern Vertreter der Gesetze der Natur, die in »unser Rechtsbuch« eingeschrieben werden sollen, also Vertreter des Naturrechts der Aufklärung. Er erscheint als Personifizierung der hinter den nationalen Aufständen andrängenden Kraft.

Bettine hat sich im Dämonenbuch auf Fakten gestützt wie etwa auf die Erschießungen in Arad; sie hat zur Lösung anstehende Fragen wie die der sozialen Veränderungen oder die der Judenemanzipation aufgegriffen. Sie hätte auch die Zusammenhänge der Revolutionen und Aufstände der Jahre 1848 und 1849 sachlich definieren können, etwa wie sie es in der Polenbroschüre geleistet hat. Ihre Sachkenntnis hätte dazu ausgereicht, wie die Bestände der Wiepersdorfer Bibliothek haben erkennen lassen. Daß sie das jedoch nicht getan hat, sondern »bis zur absoluten Sinnlosigkeit ... das buntscheckige Zusammenschweißen bildlicher und abstrakter Vorstellungen« ausgebildet hat, wie es in einer der ersten, kenntnisreichen und klugen, aber bitteren Kritik im ›Deutschen Museum‹, die mit Cl. A. unterzeichnet ist, heißt, gibt ihre Absicht preis und weist dem Buch seinen Platz im Zusammenhang der Werke: Den Wunsch, noch einmal alles zu sagen, wenn zum Lebensende die Realität über den Horizont wegkippt und, schon entstofflicht, noch wie im Spiegel erscheint. Bettine geht nicht so weit, das Leben als Traum umzudeuten, aber ihre geistige Hochgespanntheit spart ihr diese Erfahrung nicht aus und sie wehrt sich, wie sich ein schöpferischer Geist wehrt:

Sie benennt noch einmal, was sie immer zu fassen versucht hat. Die Formlosigkeit des wie hypnotisierenden Einsprechens auf den König, das schließlich in einen Chor von vielen beschwörenden Einzelstimmen übergeht, ist gehört, nicht mehr gesehen, nicht mehr gedacht. Wechselnde Stimmen wie in der Arena eines Parlaments, sprechen die Vertreter der Völker, der Geschichte, der Ideen manchmal zueinander, manchmal aneinander vorbei, alle nur von der Hoffnung getragen, den schlafenden König in ihrer Mitte für das Volkskönigtum zu begeistern. Sie fügen Sprachbilder zueinander, überschwänglich, unsagbar vielfältig, vielfarbig, um diese Idee zu preisen. Das Raunen und Rauschen der Stimmen bleibt in der Erinnerung, kaum die einzelnen, oft auf die Tagespolitik in Preußen hinweisenden Passagen.

So sind die ›Gespräche mit Dämonen‹ kein schönes, kein gelungenes, kein verständliches, auch kein hilfreiches Buch, aber sie sammeln noch einmal die Erfahrungen, Hoffnungen und Wünsche Bettines und spielen ihr Thema, die Partnerschaft, aufgefächert zur Weltverbrüderung noch einmal durch. Die »betäubende Monotonie des Dialogs«, von der der Rezensent in den ›Blättern für literarische Unterhaltung‹ spricht, nimmt er mit einer »halb lächelnden, halb schmerzlichen Empfindung« wahr, weil er sieht, »daß Bettine sich nicht völlig im Äther der reinen Abstraktionen herumtummelt, sondern dann und wann konkrete Persönlichkeitsbeziehungen im Sinn hat und unter damaligen Umständen, Verhältnissen und Bedingungen von Plänen träumt, für deren Realisierung die Welt bisher wohl nur ein ausreichendes Genie schuf, Alexander den Großen«. Macht dieses liebenswürdig-ironische Urteil die Gefahr für Bettine deutlich, mißverstanden und als Phantastin abgetan zu werden, so ist Moritz Carrières freundschaftliches Urteil, der auch die Schwächen des Buches benennt, ein ungenaues Lob: »Die Schrift ging wirkungslos vorüber, doch war sie in den Tagen der ideenlosen Reaktion ein Signal hoffenden Mutes, eine Weissagung schönerer Zukunft, die ihre Erfüllung gefunden hatte.«

Weissagung sind die ›Gespräche mit Dämonen‹ nicht, eher Forderung, eher Ausdruck der permanenten Revolution, die sich die permanente Utopie entwirft, und ein Signal ja wohl kaum, weil von niemandem wahrgenommen. »Fastnachtsscherze im tollgewordenen Kothurn-Stile sind wahrlich nicht, was wir in der Politik bedürfen.« Für die aktiv politisch Tätigen war Bettines Glaubwürdigkeit damals durch das Buch in Frage gestellt.

1919 jedoch erschienen die ›Gespräche mit Dämonen‹ in rotem Umschlag mit dem Untertitel: ›Aufruf zur Revolution und zum Völkerbunde‹. Die Utopie war lebenskräftig geblieben.

Bettine übersandte das Buch einige Monate nach dem Erscheinen dem König, spielte auf das Hofgerede an, daß sie die

Könige hasse, »aber wenn ich etwas durch sie erreichen wolle, was mir gut scheine, dann seien sie mir gut genug«, und kehrte noch einmal zu der Vorstellung zurück, daß der König von der wahren Einsicht abgeschnitten lebte. »Wolfsgruben und Fuchsschlingen auf jeden Schritt und dazwischen mit verbundenen Augen den Eiertanz aufführen, das scheint mir jetzt die Aufgabe eines Mannes, der ausersehen war, mit festem Schritt die falschen Gesetze der Politik und Geistesfesseln zu zertrümmern, und Herr zu sein über alle, durch seinen Bund mit dem Genius der Menschheit.« Bei Hofe hieß es, Bettine hätte Friedrich Wilhelm IV. in ihrem Buch verhöhnt. Sie war in den beiden mit der Übereignung des Buches befaßten Briefen noch einmal auf ihr Goethe-Denkmal eingegangen, dessen Skizze derzeit im Schloß Bellevue ausgestellt war, hatte Steinhäusers Kostenplan aufgestellt, hatte auch noch einmal um Unterstützung einer jungen Künstlerin gebeten. Ähnlich überlagerten sich die Anliegen bei der Zueignung des Buches an den Sultan. Varnhagen notierte, daß sie mit der Widmung Hilfe für eine verarmte Türkenfamilie in Berlin initiieren wollte. Eine spätere Notiz besagt, Bettine hätte den Sultan für ihr Goethe-Denkmal interessieren wollen. Aus dem Briefwechsel mit Kertbeny aber wurde deutlich, daß Bettine damit ein Zeichen zu setzen gedachte. Der Spott darüber, daß sie sich nun nach Osten gewendet hätte, weil ihre Stimme in Preußen nicht mehr gehört würde, blieb nicht aus. Selbst Friedrich Wilhelm IV. gab Bettine zu verstehen, daß ihre Stimme nicht mehr galt.

Über das Ende hinaus — Zeitgebundenheit und Zeitdurchbruch

Die Alterserschöpfung trat nach dem Buch ein. Laut Varnhagen und Herman Grimm wurde es nicht verkauft. Da auch die Polenbroschüre offenbar wenig umgesetzt worden war, lassen sich die Vorwürfe, schlimmer die nicht ausgesprochenen Vorwürfe der Familie, die ja an dem Arnimschen Verlag beteiligt war, vorstellen. Bettines Entschluß, Arnims sämtliche Werke in der zweiten Ausgabe herauszugeben und ihre sämtlichen Schriften erscheinen zu lassen, beides zwischen 1853 und 1856, rührte also sicher nicht nur von dem Verlangen her, sich noch einmal der Ernte zu vergewissern, sondern hatte vor allem geschäftliche Ursachen. Dennoch müssen die Unrast, auch die sich zersplitternden Interessen dieser späten Jahre angemerkt werden.

Schwer vorzustellen, daß sie alt wurde: Bettine, das Kind, der Kobold, quirlend, temperamentvoll, begeistert, begeisternd. Schwer vorzustellen die weißen Haare über dem schmalen, blassen Gesicht mit den klar gezeichneten dunklen Brauenbögen und den dunklen Augen. Schwer vorzustellen, daß sie nicht mehr teilnehmen sollte am Leben der Jungen, daß ihre Fähigkeit zu lieben, »die Liebe zu lieben«, erlöschen sollte. Und doch wurde es stiller um sie. Die Parabel war ausgezogen und steilte abwärts, das Blickfeld verengte sich. Familiäres kam mehr in den Vordergrund, frühe Interessen wurden wieder wichtiger, die Künste, das nie recht vergessene Goethedenkmal, die Musik. Im Mai 1853 gratulierte sie zur Verlobung ihres Neffen Carl Friedrich von Savigny mit Marie von Arnim-Boitzenburg, der Tochter des Grafen Adolf von Arnim-Boitzenburg, einst als Minister ihr Gegner. Galt das noch? Im Juni heiratete Maximiliane, nun schon Mitte Dreißig, den Husarenobersten Graf Eduard von Oriola. Die Hochzeit fand in Wiepersdorf statt. Kaum mehr das jubelnde Glück junger Brautleute. Und dennoch der märkische Park im Juni, helles Laub, die Gräser rosig überhaucht, Wolkengestrichel, der Geruch der Mahd und die schöne Braut. Bettine hatte Wohlgefallen an dem jungen Paar, eine herzliche Mütterlichkeit ist aus ihren Briefen an die Oriolas abzulesen. Ob Maxe die beim Abschied schon erwidert hatte? Komm bald, besuch uns! Die gebräuchlichen Formeln. Bettine gab sich vor den Kindern nicht preis. Mutter, unterschrieb sie die Briefe. Ob sie wußte, daß es Maxe schwer gehabt hatte neben ihr? In den Erinnerungen der Tochter steht kein Vorwurf.

Sie waren sehr weit voneinander in ihrem Denken und Fühlen trotz der Familienähnlichkeit. Armgart, blond, helläugig, auch nicht mehr jung, war eine leidenschaftliche und begabte Zeichnerin, immer ein wenig kränklich, hing sie an der Mutter und Bettine hing an ihr. Bei den Konzerten des Quartetts Joseph Joachim, Rudorff, Bargiell und Graf Flemming in der Berliner Wohnung hatte sie ihr Augenmerk auf den Cellisten Flemming gerichtet. Was dachte sie? Was hoffte sie? In den Konzertpausen gab es »interessantes« Gebäck, und wer wollte, konnte die lederfarbene Tapete betrachten, auf der kleine bunte Chinesen zwischen Rankenwerk herumkletterten, oder sich von Bettine das Modell ihres Goethe-Denkmals zeigen lassen, das Steinhäuser für sie abgegossen hatte und das auf einem riesigen Tisch in einem Saale stand. »Das ist sehr groß! Sieh, wie herrlich das ist! Es gibt nichts Größeres!« begeisterte Bettine sich und erklärte den Fries, auf dem zwischen Akanthusblüten die Verkörperungen der Ideen, die sie beschäftigten, dargestellt waren, erklärte auch den Mechanismus des Brunnens, der das Denkmal lebendig machen sollte. In ihren Augen »lag eine Mischung von Weltverachtung und phantastischem Feuer«, schrieb Ernst Rudorff, der auch von Klara Schumanns Besuch in Berlin berichtet, denn das Quartett spielte seine Kompositionen. Bettine war eine leidenschaftliche Zuhörerin. Joseph Joachim führte das Quartett, ein Gott auf der Violine, jung, und ein Ungar! Ob sie sich an Paganini erinnerte oder an Petöfi dachte? Die Ekstase war ihr noch immer nicht fremd. Wenn die Musiker gegangen waren, schwärmte sie mit Gisela von dem Benjamin Joseph Joachim, seine Verehrung erregte sie, sein Künstlertum faszinierte sie. Sie schrieb ihm ein Gedicht: »Mitten im Winter der einem Sommer gleicht / Und dem der fragt, das Wasser nicht reicht / Sonnt angeflogen der Reif an einem Christale / Drei Namen zeichnet er mit hellem Schale / Wie sollen die verklingen / Bei allen guten Dingen ... Bettine.« Gewiß kein großes Gedicht, auch mit der Rechtschreibung hielt sie es noch immer nicht sehr genau, wenn kein Korrektor ihre Texte durchging. Dennoch macht die erste Zeile aufhorchen. Sie begriff den Winter, das Alter, und war für seine Schönheit nicht blind. Sie war bereit, Ja zum Leben zu sagen. Sie wärmte sich an Giselas Leidenschaft für Joseph Joachim, sie wechselte Briefe mit ihm. Der Henrici-Katalog zählt siebenundzwanzig Briefe, die Joseph Joachim ihr geschrieben hat, unterzeichnet mit Joseph Joachim, Jussuph, Benjamin J. Joachim und Benjamin. In diesen Briefen stellt er sich als Künstler dar, der Künstlertum als Priestertum auffaßt. Er fand sich im Haus In den Zelten 5 verstanden. »Ich muß Gewißheit haben, ob ich wieder mit denen, die mir auf Erden am höchsten stehen, verkehren darf, mit Euch, deren liebendes Wesen mich zuerst aus meiner Dumpfheit gerissen, die mich der Natur zurückgeführt, mich mir selbst wiedergegeben haben ...« War Kunst alles? Gab es keine andere Unsterblichkeit?

Drüben jenseits der Spree war das Fabrikgelände des Maschinenbauers Borsig. Der Stadtrand »In den Zelten« war schon kein Stadtrand mehr. Die Proletarier, die sie in den ›Gesprächen mit Dämonen‹ herausgestellt hatte, arbeiteten an der Veränderung der Wirklichkeit mit. Eigentümlicherweise gibt es bei Bettine keine Äußerungen des Erstaunens über die technischen Errungenschaften. Sie hat in den späteren Jahren gern die Eisenbahn benutzt, die das Reisen verkürzte, so als wäre das ganz selbstverständlich. Die Zusammenhänge zwischen der industriellen Entwicklung und ihren Ideen vermochte sie noch nicht zu erkennen. Sie hatte immer wieder versucht, die Einsichten, die sie weitergeben wollte, zur Kunstform zu sublimieren. So war sie weit vorgeprescht und doch dem tradierten Glauben an die Unsterblichkeit der Kunst verhaftet geblieben. Vor dem Lärmen in den Fabrikhallen wich sie in die Wertvorstellungen ihrer Jugend zurück. Darüber täuschen auch nicht die vielen Bittbriefe hinweg, die sich in Wiepersdorf fanden, und die das Vertrauen, das sie noch immer hatte, bestätigen.

Ihr fast verkrampftes Interesse an der Ausführung ihres Goethe-Denkmals, das alle ihre Gäste und Freunde in den letzten Lebensjahren anmerken, scheint tragisch und lächerlich zugleich. Herman Grimm teilt mit, daß es ihre einzige Freude war, den Gedanken auszuspinnen, daß sie und die Kinder nach Rom reisten, um Steinhäuser bei seiner Arbeit am Goethe-Denkmal zuzusehen, die er schließlich für Weimar in Auftrag bekommen hatte. Ihre Bemerkung an Friedrich Wilhelm IV. wurde schon erwähnt, hinter der sich die Hoffnung verbarg, das Denkmal in Berlin aufzustellen. Die Ausfälle gegen Rauch und Olfers als Direktor der Nationalgalerie redete ihr Varnhagen aus. Ihre Äußerungen über die Schwierigkeiten mit dem Denkmal sind zugleich rechthaberisch und hilflos, peinlich genau notiert sie das Für und Wider, halbe Versprechungen – eine beleidigte Künstlerin, die der »kühnen Vorrednerin« in den politischen Auseinandersetzungen kaum gleicht. Die Kunst, oft genug auf ihre allgemeinverbindende Funktion hin reflektiert, war nun wieder nur Darstellung der Gesellschaftsschicht, in der sie lebte.

Oder hatte Bettine sich nicht weit genug vorgewagt?

»Wie soll man die Macht eines Menschen beschreiben, jeden Moment inhaltsreich zu machen, den man mit ihm zubringt? Die Anziehungskraft, der niemand widerstand? ... Sie brachte Licht in die Menschen und machte sie froh und zutraulich. Alles, was mir an Erinnerungen an sie aufsteigt, ist freudiger, freundlicher Natur. Immer sehe ich sie vor mir als mit ganz bedeutenden Dingen beschäftigt. Nicht einen Moment wüßte ich aufzufinden, wo ich sie kleinlich oder für den eigenen Vorteil bemüht gesehen hätte. Sie gleicht Goethe darin in meinen Augen, bei dem auch jede Handlung von dem gleichen Licht innerer Erleuchtung, die aus ihm heraus die Dinge anstrahlte, beschienen war«, schrieb Herman Grimm über die alternde Bettine. War das, was sie gewollt hatte, noch möglich in der Zurückgezogenheit, zu der sie unvermeidliche Altersbeschwerden doch nötigten? Gewiß war sie zum Schreiben immer allein gewesen, aber schreibend hatte sie sich im Gespräch mit dem Dialogpartner gewußt, in Übereinstimmung und Widerspruch. Das war nun vorbei, der Kräfteabfall veränderte die Welt, weil er sie veränderte. Lange Jahre war sie Mittelpunkt gewesen, bewundert oder abgelehnt, jetzt war sie nur noch dabei und ertrug es nicht recht. Wieder wurde ihre Exzentrik denen, die sie nicht mit liebevollem Verstehen beurteilten, unangenehm wie damals in ihrer Jugend. Gottfried Keller hatte ein Stipendium für den Aufenthalt in Berlin und verkehrte bei Varnhagen, Uhland kam kurz nach Berlin, bescheiden beschämt über die Aufführung seines ›Herzog Ernst‹. Varnhagens Wohnung war Ort der Begegnungen. Dort traf Bettine auch mit Alexander von Humboldt zusammen, der ihr wie stets mit freundlich-liebenswürdiger Achtung entgegenkam und die Bittgesuche beim König vermittelte. Durch ihn erfuhr sie vom langsamen geistigen Verfall Friedrich Wilhelm IV., mit ihm sprach sie über die Sklaverei in Amerika, die Humboldt die Ehrungen verleideten, die er aus den Staaten erfuhr. Doch alt sein hieß: Nicht mehr eingreifen können. Die politisch aktive Opposition in Berlin fand außerhalb dieses Zirkels statt. Alt sein hieß: Nicht mehr zählen.

Im Oktober 1854 trat Bettine die Reise nach Bonn zu den Oriolas an. Sie machte in Weimar Station. Savigny notierte, daß die Zeitungen den Besuch des Großherzogs bei ihr gemeldet hätten. Im November blieb sie in Frankfurt, auch dort fast schon eine Fremde. Von den Geschwistern lebte noch Meline. Georg und Christian waren 1851 gestorben, Lulu in eben dem Jahr 1854. Bettine beschäftigte sich mit der Biographie von Clemens, die den zwei Bänden gesammelter Briefe des Clemens vorangestellt war, und die ihr nicht genügte. Darüber äußerte sie sich in einem Briefentwurf, der für Savigny bestimmt war, den sie wohl nicht ins Reine geschrieben hat. Aber daß sie sich überhaupt wieder an ihn zu wenden bereit war! Auch er hatte sich nun aus dem öffentlichen Leben zurückgezogen, auch er kränkelte, Trennendes wurde dadurch verwischt, daß man aufeinander angewiesen war. Sie streifte kaum in Frankfurt umher, schon in Weimar war sie unpäßlich gewesen, doch sie freute sich auf ihren ersten Tochterenkel Waldemar von Oriola. Ihr erster Enkel Achim von Arnim hatte ja den Tod der jungen Mutter Anna nach sich gezogen, und das Leben in Wiepersdorf war überschattet gewesen, bis Freimund sich die verwitwete Cousine Claudine dorthin geholt hatte. Doch hatte wohl nur die Vorfreude Bettines Gesundheit aufrecht erhalten. In Bonn bei den Oriolas bekam sie einen Schlaganfall, der sie einseitig lähmte und taub und stumm machte. Entsetzliche Wochen, entsetzliche Monate. Unvorstellbar für alle, die sie kannten, unvorstellbar wie jedes Mal, wenn ein Leben, das weit ausgegriffen hatte, plötzlich verkümmert. Niemand vermag die Bilder wiederzugeben, die durch ihr Hirn jagten und nach Sprache, nach Bewegung drängten. Dachte sie an die teppichbelegten Stufen und die fremden immergrünen Gewächse vor Savignys palastartigem Haus in der Wilhelmstraße, der so hoch gestiegen war und doch blind geblieben war für die in den Mietskasernen? Dachte sie an den Augenblick, als Friedrich Wilhelm IV. die Logentür aufgerissen und sie sich verborgen hatte, weil sie 1851 schon Mühe hatte, an die Idee seines Königtums zu glauben, und ihm nicht begegnen wollte? Oder erinnerte sie sich an die alte Frau mit ihrem Hundekarren, die ihr jeden Morgen die Milch gebracht hatte, als ihr Haus noch voller Kinder war? (Die »Freßkompanie« hatte sie die vier Söhne scherzend genannt, und es war doch damals oft so schwer gewesen, mit allen durchzukommen!) Dachte sie an den Lebensbericht der Alten, der noch bis in den siebenjährigen Krieg zurückreichte und an dem sie zum ersten Mal begriffen hatte, daß die Armen auch nach siegreichen Kriegen die Verlierer sind? Oder freute sie sich noch an den Studentenfackelzügen der vierziger Jahre, an *ihrem* Fackelzug nach dem Erscheinen der Günderode? Oder sah sie Arnim vor sich, der so jung geblieben war in der Erinnerung, und der ihr durch die genaue Beschäftigung mit seinem Nachlaß fremder als in den letzten Ehejahren und doch viel vertrauter als in den zwanzig Jahren ihrer Gemeinschaft geworden war, einer, der in einer anderen Welt als der ihren beheimatet war? Erinnerte sie sich an die Geschwister, an die lustige, oberflächliche und zuletzt frömmelnde Lulu oder an Georg mit seinem Charme und seinem Kunstverstand oder an den genialischen Christian, von dem nie einer gedacht hatte, daß er es zu was bringen würde, oder an Clemens mit der roten Jacobinermütze und den schwarzen

Locken, geckenhaft neben dem schlampigen Arnim? Wie viele Menschen hatte sie gekannt! Wie vielen war sie nahe gewesen! Goethe. Nein, er hatte ihr viel Schmerz zugefügt. Ihn wollte sie so sehen, wie ihn Steinhäuser aus dem Marmor geschält hatte, jung, mächtig, schön, vor seinen Knien der schmalhüftige Genius, Bettine, das Kind, das sie so lange geblieben war in ihrem Denken, bedürftig zu verehren, sich anzuschmiegen, liebend geliebt zu werden, bis sie begriff, daß Lieben, Sich-Ausgeben mehr ist als geliebt zu werden, und sie sich keiner Not und Bitte verschloß.

Sie lag bis in den hohen Sommer. Die Ärzte zweifelten an ihrem Aufkommen. Aber sie wollte noch nicht sterben. Im Juli besserte sich ihr Befinden nach der Krise jäh. Reisepläne tauchten auf. Und schon im September schrieb sie aus Badenweiler an Savigny und Gundel, die in Baden-Baden waren und die sie erwarteten; ein Brief, den jemand anders geschrieben haben könnte mit seinen Wiederholungen und seiner Unbeholfenheit im Ausdruck, und der doch durch die Freude an Wärme und Spaziergängen, an Forellengericht und Wein rührt. »Kommt, wenn's möglich ist, gleich, denn jetzt ist es noch schön Wetter.« Das also blieb noch: Auf Armgart und Gisela gestützt die Sonne genießen! Bis sie nach Berlin zurückreisen konnte, wurde es Dezember. »Sie ist nicht mehr die frühere, sondern wie ein ausgebranntes Licht ...«, heißt es bei Varnhagen eine Woche nach ihrer Rückkehr. Er blieb ihr Umgang, besuchte sie oft, sein Tagebuch hält ihren Verfall fest. Er nennt sie »kranke Hexe«, beschreibt, wie sie sich mit Tischrücken und dem Psychographen beschäftigte. Spiritistische Sitzungen In den Zelten 5! Auch das kaum vorstellbar! Vom Tod gestreifte Intelligenz. Er beschreibt auch ihre Herrschsucht und Eitelkeit, ihre fixen Ideen, ihre verworrenen Gedanken. So wie er früher seine Bewunderung protokolliert hatte, protokolliert er jetzt seinen Ekel. Weil er selbst, gleichaltrig wie sie, noch rüstig war, übersah er das Alter, das Bettine entstellte. Zwischendurch verhehlte er sich nicht, was Bettine an Wohltätigkeit und Hilfe geleistet hatte. »Ich las in diesen Tagen viele Zeugnisse von Bettines vielfacher, eifriger und segenvoller Wirksamkeit für die Armen; was sie alles erstrebt und vollbracht, ist zum Erstaunen, aus eigenen Mitteln hat sie viel geleistet und fremde Mittel zu solchen Zwecken geleitet, ohne in die lästige Unart des Anforderns und Zusammenbettelns zu verfallen.« Hier zur Ergänzung eine Nachricht aus den vierziger Jahren, die in den ›Berliner Pfennigblättern‹ abgedruckt war: »Nicht nur hat sie 400 Familien in den Familienhäusern besucht und unterstützt, sondern in dem verflossenen Winter 1100 Schuhmachern Arbeit gegeben, welche sie an die armen Bewohner des Vogtlandes verschenkte. Sie hat ferner zweimal an den Geldfürsten Rothschild geschrieben und Unterstützung für die armen Juden Berlins von ihm erbeten, so daß diesen 700 Taler zuteil wurden.« Trotz freundlicher Reminiszenzen bleibt die Peinlichkeit der späten Notizen Varnhagens, und es ist schwer, sie nur mit der Genauigkeit des Protokollanten abzutun. Varnhagens Charakter bleibt seltsam zwielichtig. Hatte ihn Bettine in den Jahren nach der Revolution mit ihrer Bereitschaft zur Offenheit ihren einzigen Vertrauten genannt, so erscheint Varnhagen bei aller Gesprächigkeit und Klatschsucht immer verschwiegen, nie frei zur hingebenden Tat, ein Sammler von Menschen und Meinungen und Handschriften, und vielleicht darum für Bettine wichtig, der das Sammeln, das Fixieren des Augenblicks so wenig lag. Am 9. Oktober 1858 notiert Varnhagen: »Nur wenn von dem Goethe-Denkmal die Rede ist, zeigt sie lebhaftere Aufmerksamkeit, und wenn man ihr von dessen Ausführung spricht, einige Befriedigung.« Am 10. Oktober besuchte er sie noch einmal. Nach der Rückkehr in seine Wohnung in der Mauerstraße starb er unerwartet am Herzschlag. Bettine nahm das kaum mehr zur Kenntnis.

Schon im Sommer hatte Savigny an Armgart geschrieben: »Ich bin immer recht verlangend nach Trost über die Mutter«, und Friedmund versah Armgart ständig mit ärztlichen Ratschlägen, die Rückschlüsse auf das Krankheitsbild erlauben. Er riet Wacholder zum Tee zu geben, um das Wasser abzutreiben, empfahl Natron gegen Magenverstimmung und Terpentin gegen Haarausfall, schickte auch Geld und fragte nach Armgarts

und Giselas Gesundheit, die beide die Mutter pflegten. »Sie ist
mir recht oft im Kopf herumgegangen und hat mir den Glauben aufrecht erhalten, daß es noch anständige Menschen gibt«,
schrieb er. Bettines Krankheit schloß die Kinder in der Sorge
zusammen. Sogar Siegmund war einbezogen; er möge der Mutter Arnica besorgen, bat ihn Friedmund im Dezember 1858. Ein
langsames, mühseliges Sterben. Die Kinder rückten das Bett vor
das Modell des Goethe-Denkmals und hängten das Bild Arnims
gegenüber auf, als wollten sie das Leben in den Tod hinüber-
retten. Ob Bettine noch fühlte, was sie früher gesagt hatte:
»Denken ist Gott aussprechen, ist sich gestalten in der Harmonie« – »Denken ist beten« – »Vermöge meines Charakters und
meiner Kraft handeln und, was ich überschaue auch bemeistern
in meinem Innern; das erscheint mir der Herd des Lebens oder
der Altar, auf dem die Opferflamme alles Irdische verzehrt dem
innern Gott zu Ehren, und ich will dies immerhin Religion nennen, obschon dies ganz und gar das innerste tiefste Wurzellager
ist des Geistes«. In der ›Günderode‹ hatte sie so geschrieben
und das Buch veröffentlicht, als sie den großen Sprung ins politische Handeln wagte, als sie die Wirklichkeit als ihr Ar-
beitsfeld erkannte, vor dem die Frömmigkeit der Pietisten zur
Farce wurde und der Gott der Sonntagspredigten versagte. Und
sie hatte so gelebt, wie sie geschrieben hatte. Sie hatte kein Ach-
selzucken und keine Feindschaft gefürchtet. Hielt das nun noch
stand? Trug es sie hinüber? Galt das erfüllte Leben, das so vielen versagt bleibt?

Bis auf den sorgenden Friedmund waren die Kinder um sie,
als sie am 20. Januar 1859 starb, einen Tag vor Arnims Todes-
tag, nicht ganz vierundsiebzig Jahre alt. »Ihr Ende war ruhig
und sanft und auch das Antlitz der Leiche machte einen beruhi-
genden Eindruck, indem darauf keine Spur eines schweren To-
deskampfes zu erblicken war. Sie ist von der ganzen Familie
auf das Gut Wiepersdorf begleitet und daselbst an der Seite
ihres Gatten beerdigt worden«, schrieb Savigny an Nepomuk
Ringseis, den alten Freund der Landshuter Zeit.

Das ›Frankfurter Museum – süddeutsche Monatsschrift‹ brachte am 29. Januar ein Titelgedicht auf Bettines Tod, worin es heißt: »Vor klugen Toren dieser Welt ein Spott / Hast Du gesucht auf ungebahntem Pfad / In eignen Herzenstiefen / Gott ...« In der Anzeige ihres Todes in der gleichen Nummer wurde auf ihre Familie hingewiesen: » ... Neid und Verleumdung haben niemals dieses eheliche Verhältnis angetastet und Bettinas Ruf ist fleckenlos. Sie hatte alle ihre Kinder selbst genährt und später ohne überflüssige Glücksgüter trefflich erzogen.« In Heft 8 dieser Zeitschrift vom 19. Februar ging Karl Eitner auf ihr Schaffen ein, beschäftigte sich vornehmlich mit dem Goethebuch und erwähnte ihre Tätigkeit für die Armen. » ... So werden wir finden, daß Liebe der Kernpunkt ihres Wesens war, Liebe in der umfassendsten Bedeutung, Liebe zu allem Großen, Guten und Schönen in der Geisteswelt wie in der Natur, zu Persönlichkeiten hoher und tiefer Lebensanschauung, zur Heimat wie zum allgemeinen Vaterlande, und endlich Liebe zur Menschheit in allgemein menschlichster Bedeutung, wie sie in persönlicher Hilfe das Elend der Hütten von ihr erfuhr ...« Er konnte dann auch nicht umhin, auf ihre »seltsame Form, ja Formlosigkeit« hinzuweisen, ohne sie jedoch zu tadeln.

So war das Bild umrissen, das sich lange von Bettine erhalten hat, der Gesellschaftsschicht, der sie entstammte, gemäß: angenehm, das Exzentrische weggeschliffen, sympathisch familiär; nichts von der eruptiven Vitalität, die es ihr und den anderen oft so schwer machte und die sie so weit hatte ausgreifen lassen, nichts von ihren politischen Einsichten.

Die Kinder mochten trotz aller Liebe zur Mutter aufatmen, nachdem sie in den Jahren der Krankheit unter ihren Launen gelitten hatten. Und doch spürten sie den kalten Luftzug, der nachwehte. Graf Flemming ließ die Wohnung In den Zelten 5 in Aquarellen festhalten. So blieb die großzügige Behaglichkeit vorstellbar, die Bettine zuletzt nach so vielen Wohnungswechseln und Unbequemlichkeiten umgeben hatte. Armgart und Gisela dachten ans Heiraten. Noch im Herbst des Jahres wurden Gisela und Herman Grimm in der Dorotheenkirche getraut. »Am andern Mittag aß das junge Paar bei uns. Sie kennen sich von Kind an und so hoff ich, daß es eine glückliche Ehe wird«, schrieb Wilhelm Grimm Ende Oktober zwei Monate bevor er starb. Armgart und Flemming fanden 1860 zusammen.

Was blieb?

Ein aufgefächerter Stammbaum, der Dachboden in Wiepersdorf voller unverkaufter Bücher aus dem Arnimschen Verlag, voller Manuskripte, Zeitschriften, Broschüren. Die Erinnerung löste sich schwer heraus. Bettines junge Freunde waren in alle Winde verstreut. Adolf Stahr äußerte sich nicht sehr begeistert über das Goethe-Denkmal, das im Weimarer Landesmuseum Aufstellung gefunden hatte, Moritz Carrière veröffentlichte erst 1890 seine Lebensbilder, in denen Bettine als Prophetin des Wilhelminischen Deutschland erscheint. Sicher, Herman und Gisela verehrten Bettine, sie hatten ihr ja auch in der Revolutionszeit nahe gestanden, Friedmund hielt der Mutter die Treue im Tun, er bewirtschaftete das Gut Blankensee sehr modern, entwickelte homöopathische Mittel, die sich bei der Krankenpflege auf dem Lande bewährten. Seine politischen Schriften und auch die Sammlung von Märchen sind den Anregungen des Elternhauses verpflichtet; seine Beschäftigung mit mathematischen Problemen erinnert an Arnims Studien; seine Verteidigung Bettines in der Rezension über Max Stirners ›Der Einzige und sein Eigentum‹ in der Zeitschrift ›Epigonen‹ zeigt ihn der Mutter von allen Geschwistern am nächsten, wenn auch die lebhafte, hochbegabte Gisela mit ihren Dramen und Märchenveröffentlichungen sich als legitime Nachfahrin angesehen haben mag. Talentiert waren sie ja alle. Maxe und Armgart zeichneten, ihre Musikalität wurde gerühmt. Doch was Bettine gewollt hatte, verschloß sich ihnen.

Das Gerücht vom Nachlaß in Wiepersdorf blieb wach. Als Helene Stöcker ihre Dissertation über Bettine schreiben wollte, erklärte ihr Lehrer Erich Schmidt, daß er keine Dissertationen über Bettine genehmigen könnte, solange der Nachlaß nicht zugänglich wäre. Siegmund, der nach Freimunds Tod über Wiepersdorf zu verfügen hatte, und Freimunds Sohn Achim von Arnim als der Erbe hielten den Nachlaß selbst gegenüber dem

Schwager und Onkel Herman Grimm verschlossen – Achim von Arnim gab Grimm folgenden abschlägigen Bescheid: »Deinem Wunsch, Dir für den Herrn Prof. Suphan Teile des Goethe-Briefwechsels zu geben, kann ich leider nicht entsprechen. Ich lege auf eine Verteidigung meiner Großmutter in ihren Beziehungen zu Goethe nicht nur keinen Wert, sondern würde, wenn es in meiner Macht stünde, sogar zu verhindern suchen, daß ihr Name von Neuem durch die Goethe-Literatur geschleppt werde ... Ich aber denke in diesen Dingen in erster Linie an meinen Großvater und in seinem Andenken ist es mir geradezu peinlich, wenn die Schwärmerei seiner Freundin, Braut, Frau und Witwe für andere Männer, mögen diese nun Goethe oder Pückler oder Schleiermacher oder Döring oder sonst wie heißen, immer wieder breit getreten wird.«

Von Claudine geb. Brentano, der zweiten Frau Freimunds, fand sich die Nachricht: »Was den literarischen Nachlaß betrifft, so haben die Brüder ihren Rechten nicht entsagt, namentlich um unangenehme Veröffentlichungen zu verhindern.« Selbst Herman Grimm war deswegen besorgt, als er mit Reinhold Steig zusammen die drei Bände ›Achim von Arnim und die ihm nahestanden‹ vorbereitete: »Denken Sie sich, es hat sich herausgestellt, daß auf der hiesigen (Berliner) Staatsbibliothek aus einem Vermächtnis des Herrn von Varnhagen ganze Stöße Arnimscher und Brentano'scher Papiere sich befinden ... die wieder in Besitz der Familie zu bringen oder zu vernichten von höchster Wichtigkeit ist.« Und als Ludwig Geiger die Herausgabe des Briefwechsels mit Friedrich Wilhelm IV. vorbereitete, warnte Reinhold Steig: »Hochgeehrter Herr Baron, der Geiger ist ein Jude und zwar einer der ›betriebsamsten‹ widerwärtigsten Literaturjuden, die es geben kann. Er hat der Reihe nach literarisch Ihre Vorfahren verunglimpft, Ihren Großvater Achim zugunsten der Juden, gegen die er in der Hardenbergschen Zeit sich gewandt hatte, Ihre Großmutter Bettina, deren Bruder Clemens und so fort. Der Brief ist eitel Heuchelei, und es ist eine Frechheit sonder Gleichen, daß er versucht, direkt von Ihnen als dem Enkel, Materialien für seine Buchmacherei herauszuho-

len ... Von der Sache, daß er sich die Briefe ihrer Frau Großmutter Bettina aus dem Königl. Hausarchiv in seine jüdischen
Hände hatte ausliefern lassen, wußte ich ... Wenn ich an Ihrer
Stelle wäre, ich überließe die Briefe meiner Großmutter nicht
solchen Händen.«

Wilhelminische Ära, kaum fin de siècle und décadence, eher
viktorianische Prüderie, die Üb-immer-Treu-und-Redlichkeit-
Moral, die Heinrich Mann und Sternheim geißeln werden. Das
also blieb: Der Philister als Idol, den Bettine so leidenschaftlich
bekämpft hatte, und die Erinnerungen an ›Goethes Briefwechsel
mit einem Kinde‹, weil Genie und Geniekult hoch im Kurs
standen.

Jedoch die Literaturwissenschaftler gaben nicht nach. Schon
1902 begann Waldemar Oehlke den Vergleich zwischen den
Briefbüchern und den Originalbriefen zu erarbeiten. Nach dem
ersten Weltkrieg brachte er 1920–22 in Berlin die sämtlichen
Werke in sieben Bänden heraus. Otto Mallon begann sich mit
der Bibliographie zu beschäftigen und erschloß die politischen
Schriften. Doch die Archivarbeit war bereits durch die Auktion
der »geschäftstüchtigen Arnims« (Martin Beradt am 22. 2. 1929
in der Vossischen Zeitung) erschwert. Dennoch tauchten hier
und da Briefwechsel auf, wurde der Briefwechsel mit Savigny
erschlossen, beschäftigten sich Dissertationen mit Werk und
Briefen und wurde von Hilde Wyss und Andreas Müller schon
die Aufwertung der politischen Tätigkeit Bettinens geleistet.
Doch erst nach der Enteignung von Wiepersdorf, nach 1945,
als Wiepersdorf Erholungsheim für Schriftsteller wurde und
sich Kantorowicz noch einmal an die junge Bettine, an das Kind
des Goethe-Briefwechsels erinnerte, wurde das ungeordnete Ar-
chivmaterial durch Gertrud Meyer-Hepner erschlossen und
konnten die blinden Flecken in der Biographie der letzten Le-
bensjahrzehnte ausgefüllt werden. Die Herausgabe des Ehebrief-
wechsels und des Armenbuches sowie fortlaufende Einzelveröffentlichungen in der Bundesrepublik brachten biographische
Details ein. Irene Forbes-Mosse, Erbin des Nachlasses der Bet-
tina-Enkel Roderich von Oriola und Irene von Oriola geb. von

Flemming überließ ihren Nachlaß dem Frankfurter Hochstift. Die Bemühungen, die in der Welt verstreuten Handschriften auf dem internationalen Markt wieder zu erwerben, mögen noch manche Episode erhellen, manche Beziehung verdeutlichen helfen. Die schillernde Vielseitigkeit Bettines schließt Überraschungen nicht aus. Das familiäre und das Vorurteil einer Epoche sind zurückgeblieben. Das Handwerkszeug der Literatursoziologie ermöglicht die Ortung des Bettineschen Werkes. Die Zeitgebundenheit und der Zeitdurchbruch, der sich in den Texten darstellt, werden sichtbar.

Wer war Bettine?

Die Frage ist neu zu stellen, weil die Biographie sich dichter zusammenfügt, weil Teilaspekte absorbiert werden, ohne deswegen geringfügiger zu sein. So etwa ihre Schwierigkeiten mit den Buchhändlern, die sie nicht nur mit ihrem eigenen, sondern wesentlich auch mit Arnims Werk hatte und die ihren Genauigkeitsfanatismus ebenso bezeigen, wie den derzeit noch kaum reflektierten Anspruch auf geistiges Eigentum. Oder auch ihre anhaltende Freundschaft mit Meusebach, für dessen Witwe und Nachlaß sie sich mit einem durchaus praktischen Vorschlag beim König bemühte. Oder auch ihre exakt sorgende Liebe zu Hoffmann von Fallersleben, ihr Takt im Umgang mit denen, die Hilfe brauchten, ihre Geduld mit denen, die litten. Ihre vielfältige Hilfsbereitschaft genügte, um sie als Wohltäterin zu etikettieren. Daß diese Aktivität immer im Zusammenhang mit ihrer Gesinnung stand, daß sie über das augenblickliche Helfen hinaus hilfreich sein wollte, ist erst jetzt absehbar. Sie hatte erkannt, daß die bestehende nach-feudalistische Gesellschaftsordnung verändert werden mußte. »Der Arme muß das Gut der Reichen verwalten. Der Reiche kann nicht das Gut der Armen verwalten.« War sie eine Revolutionärin? Vertrat sie die Sache der »Communisten«, wie die Gesandtschaftsberichte im Wiener Haus-, Hof- und Staatsarchiv während der vierziger Jahre besagten?

Es wurde deutlich, daß der Begriff »Communismus« bis 1848 weit gespannt war, diese Einschätzung Bettines also durchaus zutrifft. Aber sie schloß sich keiner Gruppe, keiner Organisation an. Sie beobachtete, dachte mit, unterstützte, kaum aus der Sorge, absorbiert zu werden, sondern weil sie ihre Aufgabe in der Vermittlung sah; weil sie den radikalen Umsturz fürchtete, denn sie hatte noch die Modell-Entwicklung der französischen Revolution im Gedächtnis und sie wußte aus eigener vielfältiger Anschauung, daß zu einer radikalen Veränderung noch die Voraussetzungen fehlten. Sie hielt die Bildung, ganz der Aufklärung verpflichtet, für wesentlich zur Festigung der Volkssouveränität und sah in der Vermittlung von Bildung die vordringlichste Pflicht der herrschenden Schicht. Sie sah noch nicht, wie Marx und Engels oder wie auch Weitling, eine neue Gesellschaftsstruktur. Die Ausmaße und Auswirkungen der Industrialisierung waren ihr noch fremd. Doch hatte sie schon in den Ehejahren und wohl im Austausch oder in der Auseinandersetzung mit Arnim und angeregt durch ihren Berliner Freundeskreis die romantische Staatsauffassung kritisiert. Die Papiere aus Arnims Nachlaß zeigen seine langsame Abkehr von Meinungen und Vorurteilen in der »christlich-deutschen Tischgesellschaft«. Bettines Einfluß ist spürbar.

In ihrem Werk lassen sich sehr viele Denkanstöße ablesen, die sie zur Idee von der Volkssouveränität, also einer Selbstvertretung des Volkes, die den König mit einschließt, zusammengefaßt hat. Die Gemeinschaft der souveränen Völker erscheint ihr möglich und erstrebenswert, auch nachdem die Völker im Kampf um ihre nationale Souveränität 1849 gescheitert sind. Ihr Weltbild ist also eine visionär-utopische Transformation derzeit bereits bestehender Ordnungsvorstellungen. Die vielfältige Deutbarkeit ist seine Schwäche, der utopische Gehalt jedoch seine Kraft. Völkerbund, Internationale, Weltparlament, die Verwandtschaft der realisierten und realisierbaren Utopien ist ersichtlich. Dennoch läßt sich die Antizipation einer Ideologie durch Bettines Werk und Leben nicht halten, weil ihr politisches Konzept nicht originär ist, sondern weil sie – aufnahmefähig wie ein Wesen mit tausend Fühlern – von den Geschehnissen und Nötigungen ihrer Gegenwart erregt worden ist und sie sich darum in Einzelheiten durchaus realpolitisch mit den Mißständen der Zeit befassen konnte.

Sie darf aber nicht nur als Dichterin, die von den Ideen ihrer Gegenwart besessen war, verstanden oder aus ihrem gesteigerten Verlangen nach Partnerschaft, das sie zur Mystifikation, ja zur Menschenvergottung drängt, gedeutet werden. Diese Deutung trifft so lange zu, bis sie sich selber als Geschöpf gewahr wird und geistig die Entwicklung von der Geliebten zur Frau, vom Mädchen zur Mutter, von der Bajadere zur Mater gloriosa vollzieht und danach lebt. Diese Identität zwischen dem geistigen Vollzug und dem realen Vollzug, die ja früh schon als Sehnsucht in ihr angelegt ist, ist ihr ganz eigener Entwurf, ihre ganz eigene Bewährung, ist ihre Konfession. »O Goethe, was geht mit dem Menschen vor? Was erfährt er, was erlebt er in dem innersten Flammenkelch seines Herzens? – Ich wollte Dir meine Fehler gern bekennen, allein die Liebe macht mich ganz zum idealischen Menschen.«

Und: »Gewähre, solange es Zeit ist. Es wird eine Zeit kommen, wo Du gewähren möchtest, aber keinen findest, der es annehme. *Wärst du gestern gekommen, heute bedarf ich es nicht.*«

Diese beiden extremen Erfahrungen, die Vollendung des Ich in der Liebe und das Verlangen derer, die in Not sind, nach der Liebe, umspannen Bettines Leben. Sie selbst gibt in den letzten Zeilen der ›Gespräche mit Dämonen‹ das Stichwort vom »heidnischen« Dämon, das etwaiger christlicher Deutung ihres Lebens und Werkes quersteht. Vor allem aber entzieht sie ihr Glaube, daß der Mensch gut sei, den sie nie anzweifelt, dem christlichen Dualismus Gut – Böse, Himmel – Hölle. Sie holt die Verantwortung für das Leben ins Individuum zurück, sie holt damit auch die Schuld aus dem metaphysischen Bereich ins Leben zurück und trennt sich vom Mysterium der Gnade. Die Nähe zum Existenzialismus ist unverkennbar, auch wenn Bettine ebensowenig eine philosophische wie eine politische Struktur entwickelt hat. Aber es ist ihr gelungen, die große Zeitenwende, die die französische Revolution signalisierte und die bis heute nicht eingependelt ist, zu erfühlen und zu reflektieren, um mit den Jahren immer genauer danach zu leben: Sich selbst und allen, die ihre Hilfe brauchten, verantwortlich, dabei mutig bis zur Gefährdung für ihre Meinung einzustehen. Ungewöhnlich vital, ungewöhnlich begabt verzweigen sich ihre Fähigkeiten, ohne an Kraft einzubüßen. Das Bild des Baumes, das sie so oft beschworen hat, gibt viel von ihr preis und ergänzt das andere, ebenso bevorzugte Bild erotischer Verehrung, das Kauern, das Zu-Füßen-Liegen, das Vertrauen und Demut mitmeint, den Wunsch einzuwurzeln.

»Kühne Vorrednerin« hatte Gutzkow sie genannt. Sie war mehr. Sie entdeckte die Völker, das Volk und seine Arbeit, die den Staat trug, und forderte das Recht dafür ein. Sie holte das Paradies aus der unverbindlichen verbalen Vertröstung in die Tagespolitik. Sie entwarf es als Ziel. » ... es ist viel Arbeit in der Welt, mir zum wenigsten deucht nichts am rechten Platz ... Ich meine immer, ich müsse die ganze Welt umwenden, ja, ich sage Dir, es liegt mir so nah ... Nur ein einzig Ding, am rechten Ende angefaßt, zieht eine Menge andere nach sich, die von selbst dann ins rechte Geschick kommen würden. Die Menschen lernen dann allmählich auch das Rechte denken, wenn sie erst eine Weile das Rechte haben tun müssen.«

Diese optimistische Erwartung einer permanenten Veränderung zum Guten hat Bettine bis in die dunklen Stunden der Todeskrankheit nicht verlassen. Ob sie da noch standgehalten hat, wissen wir nicht, aber die Parabel war ausgezogen. Sie sah den Chor der Völker in Harmonie vereint, bedrängt von dem Verlangen, sich zu verwirklichen. Zwischen die Welteinsicht des deutschen Idealismus mit dem Ziel der Verwirklichung des Individuums und eine ihr noch unerkennbare Zukunft hatte Bettine die Forderung nach der organischen Gesamtheit der Menschen gestellt.

Kurz nach dem zweiten Weltkrieg erschienen Aufzeichnungen von Nico Rost ›Goethe in Dachau‹. In diesem Erinnerungsbuch an die furchtbare Lagerzeit taucht Bettine auf, kaum mehr als ein freundlicher Gedanke an ihre Kraft zu lieben, ihre frühe Hinwendung zu Hölderlin, ihren Einsatz für die schlesischen

Weber. Im Lager noch hatte Rost sich vorgenommen, wenn er überleben sollte, sich gründlicher mit Bettine zu beschäftigen, und hat diesen Vorsatz eingehalten.

Seltsame Zeichen: 1919 die rot eingebundenen ›Gespräche mit Dämonen – ein Aufruf zur Revolution und zum Völkerbunde‹ und in Dachau die jähe Helligkeit bei der Erinnerung an ihren Namen –

Bettine Arnim –

wie sie zuletzt immer unterschrieb.

ANHANG

Zeittafel

1785	4. Januar: Jacob Grimm geboren.
	21. Februar: Karl August Varnhagen von Ense geboren.
	4. April: Elisabeth Catharina (Bettine) Brentano als siebtes Kind des Kaufmanns Peter Anton Brentano und seiner zweiten Frau Maximiliane von Laroche in Frankfurt am Main geboren.
1786	24. Februar: Wilhelm Grimm geboren.
	17. August: Friedrich der Große von Preußen gestorben. Sein Neffe Friedrich Wilhelm II. wird König.
	Der Engländer Edmund Cartwright erfindet den mechanischen Webstuhl.
1787–1792	Letzter Krieg Österreichs gegen die Türken.
1787	Österreichisch-russischer Krieg.
	24. April: Ludwig Uhland geboren.
	15. November: Christoph Willibald von Gluck gestorben.
1788	22. Februar: Arthur Schopenhauer geboren.
	Kant: »Kritik der praktischen Vernunft.«
1789	4. März: Proklamation der amerikanischen Verfassung.
	5. Mai: Erstmals seit 1614 treten die französischen Generalstände in Versailles zusammen.
	20. Juni: Ballhaus-Schwur.
	14. Juli: Sturm auf die Bastille.
1790	20. Februar: Kaiser Joseph II. gestorben. Leopold II. wird Nachfolger.
1791	15. Januar: Franz Grillparzer geboren.
	27. August: Pillnitzer Deklaration. König Friedrich Wilhelm II. von Preußen und Kaiser Leopold II. beschließen, die Monarchie in Frankreich zu stützen.
	5. Dezember: Wolfgang Amadeus Mozart gestorben.
1792–1797	Erster Koalitionskrieg.
1792	1. März: Leopold II. gestorben. Sein Sohn Franz I. wird römisch-deutscher Kaiser.
	10. August: Erstürmung der Tuilerien in Paris.
	20. September: Kanonade von Valmy. Rückzug Preußens. Das linke Rheinufer wird besetzt und Belgien durch die Revolutionsheere erobert.

| 1793 | 21. Januar: König Ludwig XVI. von Frankreich hingerichtet. Das Deutsche Reich, England, Holland, Spanien, Portugal, Sardinien und Neapel schließen sich daraufhin zur antifranzösischen Koalition zusammen.
Zweite Teilung Polens.
13. Juli: Jean Paul Marat ermordet.
September: In Frankreich beginnt die Schreckensherrschaft.
16. Oktober: Königin Marie Antoinette hingerichtet.
19. November: Maximiliane Brentano, Bettines Mutter, gestorben. Bettine und ihre Schwestern kommen für vier Jahre ins Ursulinenkloster von Fritzlar.
Goethe: »Reineke Fuchs«. |
|---|---|
| 1794 | 5. April: Danton und Desmoulins hingerichtet.
28. Juli: Es folgen die Hinrichtungen von Saint-Just und Robespierre. |
| 1795–1799 | Regierung des Direktoriums in Frankreich. |
| 1795 | 5. April: Friede von Basel (Frankreich und Preußen).
21. Dezember: Leopold von Ranke geboren. |
| 1796 | Italien-Feldzug Napoleons.
17. November: Katharina die Große gestorben. Paul I. wird russischer Zar.
Goethe: »Hermann und Dorothea«. |
| 1797 | 10. Januar: Annette von Droste-Hülshoff geboren.
31. Januar: Franz Schubert geboren.
18. April: Vorfriede von Leoben.
Peter Anton Brentano, Bettines Vater, gestorben.
Mai: Bettine bei ihrem Halbbruder Franz in Frankfurt.
Juli: Mit den Schwestern Lulu und Meline übersiedelt sie zur Großmutter Laroche.
4. September: Staatsstreich Napoleons.
4. Oktober: Jeremias Gotthelf geboren.
17. Oktober: Friede von Campoformio zwischen Frankreich und Österreich.
13. Dezember: Harry (Heinrich) Heine geboren. |
| 1798/99 | Ägypten-Feldzug Napoleons. |
| 1798 | 19. Januar: Auguste Comte geboren.
13. Februar: Wilhelm Heinrich Wackenroder gestorben.
22. März: Eduard Gans geboren. |
| 1799–1802 | Zweiter Koalitionskrieg gegen Frankreich. |
| 1799 | 20. Mai: Honoré Balzac geboren.
9. November: Staatsstreich Napoleons. |
| 1801 | *Bettine lernt Achim von Arnim, den Studienfreund ihres Bruders Clemens, kennen. Freundschaft mit Karoline von Günderode.* |

9. Februar: Friede von Lunéville zwischen Frankreich und Österreich.

23. März: Zar Paul I. ermordet. Alexander I. folgt auf den russischen Thron.

25. März: Novalis gestorben.

11. Dezember: Christian Dietrich Grabbe geboren.

1802   *Beginn der Freundschaft mit Achim von Arnim.*

26. Februar: Victor Hugo geboren.

26./27. März: Friede von Amiens zwischen Frankreich und England.

August: Napoleon wird Konsul auf Lebenszeit.

13. August: Nikolaus Lenau geboren.

1803   25. Februar: Reichsdeputationshauptschluß von Regensburg.

14. März: Friedrich Gottlieb Klopstock gestorben.

18. Mai: England erklärt Frankreich den Krieg.

Clemens Brentano heiratet Sophie Mereau.

18. Dezember: Johann Gottfried von Herder gestorben.

1804   12. Februar: Immanuel Kant gestorben.

April: Gunda Brentano heiratet Karl Friedrich von Savigny.

8. September: Eduard Mörike geboren.

23. Dezember: Charles-Augustin Saint-Beuve geboren.

1805   *Bettine bei dem Ehepaar Savigny in Marburg.*

Dritter Koalitionskrieg gegen Frankreich.

9. Mai: Friedrich von Schiller gestorben.

21. Oktober: Nelsons Sieg bei Trafalgar über die französisch-spanische Flotte.

23. Oktober: Adalbert Stifter geboren.

2. Dezember: Dreikaiserschlacht bei Austerlitz. Sieg Napoleons.

15. Dezember: Vertrag von Schönbrunn.

26. Dezember: Friede von Preßburg.

1806   Vierter Koalitionskrieg gegen Frankreich.

Sommer: Entfremdung und Selbstmord der Freundin Karoline von Günderode.

12. Juli: Gründung des Rheinbundes unter der Führung Frankreichs.

August: Franz II. dankt als römisch-deutscher Kaiser ab.

14. Oktober: Schlacht von Jena und Auerstedt. Sieg der französischen Truppen.

27. Oktober: Napoleon in Berlin.

November: Clemens nach dem Tod seiner Frau bei Bettine.

Dezember: Marburger Aufstand.

Achim von Arnim und Clemens Brentano: »Des Knaben Wunderhorn« Band 1.

1807   *Februar: Sophie von Laroche, Bettines Großmutter, gestorben. Besuch bei Goethe. Beginn eines Briefwechsels.*

7.–9. Juli: Friede von Tilsit. Das Königreich Westfalen und das Großherzogtum Warschau werden gebildet.

August Clemens heiratet Auguste Bußmann.

November: Arnim wieder in Frankfurt. Die Beziehung zu Bettine vertieft sich.

1808–1814 Krieg Napoleons gegen Spanien und Portugal.

1808   27. Januar: David Friedrich Strauß geboren.

13. September: Frau Rat Goethe gestorben.

19. September: Theodor Mundt geboren.

Bettine reist mit Savigny und Clemens nach München, später nach Landshut. Musikstudium beim Hofkapellmeister Peter von Winter. Freundschaft mit Friedrich Heinrich Jacobi, Ludwig Tieck und den Brüdern Ringseis. Achim von Arnim gibt die »Zeitung für Einsiedler« heraus. Clemens Brentano und Achim von Arnim: „Des Knaben Wunderhorn«, Band II und III.

1809   *Arnim, Brentano, Fouché und Kleist werden Mitglieder der Christlich-Teutschen Tischgesellschaft.*

31. Mai: Joseph Haydn gestorben.

Krieg Österreichs gegen Frankreich.

21./22. Mai: Niederlage Napoleons in der Schlacht von Aspern.

5./6. Juli: Schlacht bei Wagram. Napoleon besiegt die österreichischen Truppen.

Bettine wieder in München. September: Landshut-Aufenthalt.

6. September: Bruno Bauer geboren.

Oktober: Friede von Schönbrunn. Eröffnung der Universität in Berlin. Goethe: »Die Wahlverwandtschaften«.

1810   1. März: Frédéric Chopin geboren.

2. Mai: Bettine verläßt Landshut. Fahrt zum Familientreffen in Bukowan/Nordböhmen.

8. Juni: Robert Schumann geboren.

17. Juni: Ferdinand Freiligrath geboren.

Beziehung zu Max Prokop von Freyberg. August: Bettine auf der Rückreise nach Berlin. Besuch bei Goethe. Dezember: Verlobung mit Achim von Arnim. Achim von Arnim: »Armut, Reichtum, Schuld und Buße der Gräfin Dolores«.

1811   *11. März: Bettine und Achim von Arnim heiraten.*

17. März: Karl Ferdinand Gutzkow geboren.
August: Bettine und Arnim auf der Reise über Giebichen-stein, Weimar und Frankfurt an den Rhein. In Weimar langer Besuch bei Goethe. Streit mit Christiane von Goethe und Bruch mit Goethe.
Achim von Arnim: »Halle und Jerusalem«.

1812–1822 Jacob und Wilhelm Grimm: »Kinder- und Hausmärchen«.
1812 *Januar: Vergeblicher Versöhnungsversuch mit Goethe auf der Rückreise nach Berlin.*
28. März: Französische Truppen in Berlin.
Mai: Sohn Johannes Freimund geboren.
24. Juni: Beginn des französischen Rußland-Feldzugs.
17. September: Brand von Moskau.
Oktober/November: Rückzug der Großen Armee.
30. Dezember: Neutralitätsvertrag von Tauroggen.
Achim von Arnim: »Isabella von Ägypten«.

1813/14 Deutsche Befreiungskriege.
1813 20. Januar: Christoph Martin Wieland gestorben.
18. März: Friedrich Hebbel geboren. *Savigny und Arnim beim Berliner Landsturm.*
5. Mai: Sören Kierkegaard geboren.
22. Mai: Richard Wagner geboren.
2. Oktober: Sohn Siegmund geboren.
3. Oktober: Blücher erzwingt den Elbübergang.
16.–19. Oktober: Völkerschlacht von Leipzig.
17. Oktober: Georg Büchner geboren.
31. Oktober: Auflösung des Rheinbundes.
Achim von Arnim: »Schaubühne«.

1814 19. Januar: Johann Gottlieb Fichte gestorben.
31. März: Einzug der Alliierten in Paris.
6. April: Napoleon dankt ab. Verbannung nach Elba.
10. April: Ludwig XVIII. wird König von Frankreich.
Frühjahr: Bettine und Arnim übersiedeln nach Wiepers-dorf/Bärwalde.
30. Mai: Erster Friede von Paris.
Herbst: Clemens zu Besuch.
November: Beginn des Wiener Kongresses.
Dezember: Familie Arnim wieder in Berlin.

1815 21. Januar: Matthias Claudius gestorben.
Februar: Sohn Friedmund geboren.
1. März: Napoleon landet in Frankreich. Die Herrschaft der Hundert Tage beginnt.
1. April: Otto von Bismarck geboren.
Sommer: Achim von Arnim schwer erkrankt.

8. Juni: Wiener Kongreßakte.
18. Juni: Schlacht bei Waterloo.
22. Juni: Zweite Abdankung Napoleons.
11. August: Gottfried Kinkel geboren.
26. September: Heilige Allianz.
20. November: Zweiter Friede von Paris.
Winter: Bettine und Arnim wieder in Wiepersdorf.

1816–1818	Jacob und Wilhelm Grimm: »Deutsche Sagen«.
1816	*Frühjahr: Schwere Erkrankung Arnims.*
	Winter: Zurück in Berlin.
	Amalie von Helvig, die Nichte der Frau von Stein, befreundet sich mit Bettine.
1817/18	Karl Friedrich Schinkel baut die Berliner Neue Wache.
1817	*März: Sohn Kühnemund geboren.*
	Sommer: Arnim in Karlsbad.
	Clemens Brentano: »Geschichte vom braven Kasperl und dem schönen Annerl«.
	31. Mai: Georg Herwegh geboren.
1818–1824	Schinkel erbaut das Schauspielhaus in Berlin.
1818	5. Mai: Karl Marx geboren.
	Sommer: Tochter Maximiliane geboren.
	Kongreß von Aachen. Vorzeitiger Abzug der Besatzungstruppen aus Frankreich.
	14. September: Theodor Storm geboren.
	Achim von Arnim: »Der tolle Invalide auf dem Fort Ratonneau«.
1819	23. März: Der Student Karl Ludwig Sand ermordet August von Kotzebue.
	19. Juli: Gottfried Keller geboren.
	30. Dezember: Theodor Fontane geboren.
	Goethes »West-östlicher Diwan« abgeschlossen. Erste Fahrt eines Ozeandampfers.
1820	29. Januar: Georg III. von England gestorben. Nachfolger auf dem Königsthron wird sein Sohn Georg IV.
	15. Mai: Wiener Schlußakte. Grundgesetz des Deutschen Bundes.
	28. November: Friedrich Engels geboren.
	Ausbruch der Revolution in Spanien und Portugal.
	Achim von Arnim: »Die Majoratsherren«.
1821–1829	Griechischer Unabhängigkeitskrieg.
1821	*Tochter Armgart geboren.*
	Januar: Europäischer Kongreß in Laibach.
	7. April: Charles Baudelaire geboren.

5. Mai: Napoleon auf Sankt Helena gestorben.

12. Dezember: Gustave Flaubert geboren.

1822   26. Juni: E. T. A. Hoffmann gestorben.

Niepce erfindet die Fotografie.

1823   *Ehekrise. Bettine beginnt mit der Arbeit am Goethe-Denkmal. Briefwechsel mit Philipp Hößli.*

17. Januar: Zacharias Werner gestorben.

2. Dezember: Monroe-Doktrin. Prinzip der Nichteinmischung europäischer Mächte in die Angelegenheiten der USA.

1824   *Sommer: Bettine in Schlangenbad. Besuch bei Goethe in Weimar. Wiedersehen mit den Brüdern Grimm und mit Clemens.*

16. September: Ludwig XVIII. gestorben. Karl X. wird König von Frankreich.

1825   Leopold von Ranke erhält eine Professur an der Universität Berlin.

11. April: Ferdinand Lassalle geboren.

19. Mai: Claude-Henri de Saint-Simon gestorben.

Winter: Malla Montgomery-Silfverstolpe in Berlin. Bekanntschaft mit Bettine.

14. November: Jean Paul gestorben.

1. Dezember: Zar Alexander I. gestorben. Sein Bruder Nikolaus wird Nachfolger.

1826   29. März: Wilhelm Liebknecht geboren.

1827   *Tochter Gisela geboren.*

17. Februar: Johann Heinrich Pestalozzi gestorben.

26. März: Ludwig van Beethoven gestorben.

1828   *Sommer: Arnim zur Kur in Karlsbad.*

9. September: Leo Tolstoi geboren.

19. November: Franz Schubert gestorben.

1829   12. Januar: Friedrich von Schlegel gestorben.

Goethe vollendet »Wilhelm Meisters Wanderjahre«.

1830/31   Polnische Revolution.

1830   25. Juni: Georg IV. von England gestorben. Sein Bruder Wilhelm IV. wird König.

26. Juli: Julirevolution in Frankreich. Karl X. dankt ab und flieht nach England. Louis Philippe zum »König der Franzosen« proklamiert.

Sommer: Typhuserkrankung der Tochter Maximiliane.

Berliner Schneiderrevolution.

November/Dezember: Arnims letzter Besuch bei Bettine in Berlin.

Hermann v. Pückler-Muskau: »Brief eines Verstorbenen«.

1831	21. Januar: Achim von Arnim gestorben. Wilhelm Grimm wird zu seinem Nachlaßverwalter bestimmt.
	Sommer: Choleraepidemie in Berlin. Bettine engagiert sich für die sozialen Hilfsmaßnahmen.
	25. August: August Graf Neidhardt von Gneisenau in Posen an der Cholera gestorben.
	8. September: Wilhelm Raabe geboren.
	14. November: Georg Wilhelm Friedrich Hegel in Berlin an der Cholera gestorben.
	Freundschaft Bettines mit Schleiermacher.
1832	22. März: Johann Wolfgang von Goethe gestorben.
	27. Mai: Hambacher Fest.
	21. September: Sir Walter Scott gestorben.
	Vermutlicher Beginn des Briefwechsels mit Pückler-Muskau.
1833	7. März: Rahel Varnhagen von Ense gestorben.
	C. Brentano: »Das bittere Leiden unseres Herrn Jesu Christ«.
1834–1839	Karlistenkriege in Spanien.
1834	Gründung des Deutschen Zollvereins.
	12. Februar: Friedrich Schleiermacher gestorben.
1835	»Goethes Briefwechsel mit einem Kinde«.
	2. März: Kaiser Franz I. von Österreich gestorben. Ferdinand I. wird Nachfolger.
	8. April: Wilhelm von Humboldt gestorben.
	24. Juni: Sohn Kühnemund tödlich verunglückt.
	14. November/10. Dezember: Die Schriften des Jungen Deutschland werden in Preußen, dann im ganzen Bundes-Gebiet verboten.
	Bekanntschaft mit Philipp Nathusius.
1836	12. September: Christian Dietrich Grabbe gestorben.
1837	Sieben Göttinger Professoren (»die Göttinger Sieben«) werden von König Ernst August von Hannover entlassen, da sie sich gegen die Aufhebung der Verfassung wenden.
	10. Februar: Alexander Puschkin im Duell gefallen.
	12. Februar: Ludwig Börne gestorben.
	16. Februar: Georg Büchner gestorben.
	20. Juni: Wilhelm IV. gestorben. Königin Victoria besteigt den englischen Thron.
	Daguerre erfindet sein fotografisches Verfahren, Morse den Schreibtelegraphen.
1838	Februar: Gerstenbergh gestorben.
	21. August: Adalbert von Chamisso gestorben.
	Feuerbach: »Zur Kritik der positiven Philosophie«. Arnold Ruge und Theodor Echtermeyer geben die »Hallischen Jahrbücher« heraus.

<table>
<tr><td>1839</td><td>Februar: Bettine beginnt den Briefwechsel mit Julius Döring.</td></tr>
<tr><td></td><td>5. Mai: Professor Eduard Gans in Berlin gestorben.</td></tr>
<tr><td>1840</td><td>»Die Günderode«, Briefwechsel.</td></tr>
<tr><td></td><td>7. Januar: König Friedrich Wilhelm II. von Preußen gestorben. Sein Sohn Friedrich Wilhelm IV. wird Nachfolger.</td></tr>
<tr><td></td><td>22. Februar: August Bebel geboren.</td></tr>
<tr><td></td><td>2. April: Emile Zola geboren.</td></tr>
<tr><td></td><td>7. Mai: Peter Iljitsch Tschaikowski geboren.</td></tr>
<tr><td></td><td>Sommer: Maler Karl Blechen gestorben.</td></tr>
<tr><td></td><td>25. August: Karl Immermann gestorben.</td></tr>
<tr><td></td><td>Herbst: Die Brüder Grimm werden nach Berlin berufen.</td></tr>
<tr><td></td><td>Beginn des Briefwechsels zwischen Bettine und dem Kronprinzen Karl von Württemberg.</td></tr>
<tr><td>1841</td><td>9. Oktober: Karl Friedrich Schinkel in Berlin gestorben.</td></tr>
<tr><td>1842</td><td>»Dédié à Spontini«, Liederheft.</td></tr>
<tr><td></td><td>18. März: Stéphane Mallarmé geboren.</td></tr>
<tr><td></td><td>23. März: Stendhal (Henri Beyle) gestorben.</td></tr>
<tr><td></td><td>28. Juli: Clemens Brentano gestorben.</td></tr>
<tr><td></td><td>In Kreuznach begegnen sich Bettine und das Brautpaar Karl Marx und Jenny von Westphalen.</td></tr>
<tr><td>1843</td><td>»Dies Buch gehört dem König«.</td></tr>
<tr><td></td><td>7. Juni: Friedrich Hölderlin gestorben.</td></tr>
<tr><td></td><td>Bettine beginnt den Briefwechsel mit Erbprinz Carl-Alexander von Sachsen-Weimar.</td></tr>
<tr><td>1844</td><td>»Clemens Brentanos Frühlingskranz«. Arbeit am »Armenbuch«.</td></tr>
<tr><td></td><td>30. März: Paul Verlaine geboren.</td></tr>
<tr><td></td><td>16. April: Anatole France (Anatole Thibaut) geboren.</td></tr>
<tr><td></td><td>Juli: Mißglücktes Attentat Tschechs auf Friedrich Wilhelm IV.</td></tr>
<tr><td></td><td>15. Oktober: Friedrich Nietzsche geboren.</td></tr>
<tr><td></td><td>Weberaufstand in Schlesien. Heine: »Deutschland. Ein Wintermärchen.«</td></tr>
<tr><td>1845</td><td>13. Februar: Henrik Steffens gestorben.</td></tr>
<tr><td></td><td>Frühjahr: Bettine setzt sich für den verhafteten Kommunisten Friedrich Wilhelm Schloeffel ein.</td></tr>
<tr><td></td><td>12. Mai: August Wilhelm von Schlegel gestorben.</td></tr>
<tr><td>1846</td><td>Februar: Aufstand in Österreichisch-Polen.</td></tr>
<tr><td>1847</td><td>»Ilius Pamphilius und die Ambrosia« vor dem Erscheinen beschlagnahmt.</td></tr>
<tr><td></td><td>21. April: »Kartoffelrevolution« in Berlin.</td></tr>
<tr><td>1848</td><td>»Ilius Pamphilius und die Ambrosia«, Briefwechsel mit Philipp Nathusius.</td></tr>
</table>

»*An die aufgelöste Preußische Nationalversammlung, Stimmen aus Paris, Berlin 1848*«.

Februar: Kommunistisches Manifest von Karl Marx und Friedrich Engels.

22.–24. Februar: Februar-Revolution in Frankreich. Abdankung des Bürgerkönigs, Ausrufung der Republik.

März–Mai: Aufstände in Berlin, Wien und München.

7./9. März: Volksversammlungen im Berliner Tiergarten.

19. Mai: Deutsche Nationalversammlung in der Paulskirche eröffnet.

24. Mai: Annette von Droste-Hülshoff gestorben.

23.–26. Juni: Pariser Juni-Aufstand der Arbeiter.

9. November: Wrangel besetzt Berlin.

2. Dezember: Kaiser Ferdinand I. dankt ab. Franz Joseph I. besteigt den österreichischen Thron.

1849   28. März: Die Deutsche Reichsverfassung wird in Frankfurt angenommen. Friedrich Wilhelm IV. von Preußen zum deutschen Kaiser gewählt.

28. April: Er lehnt die Kaiserwürde ab.

Mai: Aufstände in Dresden und Baden.

Gottfried Kinkel zu lebenslanger Festungshaft in Spandau verurteilt.

17. Oktober: Frédéric Chopin gestorben.

1850–1855   Gottfried Keller in Berlin.

1850   »*Petöfi der Sonnengott*«.

31. Januar: In Preußen tritt die vom König oktroyierte Verfassung in Kraft.

März/April: Erfurter Parlament.

Mai: Mißglücktes Attentat Sefeloges auf König Friedrich Wilhelm IV.

2. Juli: Friede von Berlin zwischen Preußen und Dänemark.

5. August: Guy de Maupassant geboren.

18. August: Honoré de Balzac gestorben.

22. August: Nikolaus Lenau gestorben.

6. November: Gottfried Kinkel von Karl Schurz befreit. Er geht nach London.

30. November: Wiederherstellung des Deutschen Bundes. Vertrag von Olmütz zwischen Preußen und Österreich.

1851   Erste Weltausstellung in London.

1852   4. März: Nikolai Gogol gestorben.

2. Dezember: Louis Napoléon wird als Napoleon III. französischer Kaiser (»Zweites Kaiserreich«).

1853   28. April: Ludwig Tieck gestorben.

*Juni: Tochter Maximiliane heiratet Graf Eduard von
Oriola.*

1854   20. August: Friedrich von Schelling gestorben.
*Oktober: Bettine in Bonn bei Maxe und ihrem Mann. Dort
erleidet sie einen Schlaganfall.*
20. Oktober: Jean-Arthur Rimbaud geboren.
22. Oktober: Jeremias Gotthelf gestorben.
Heinrich Goebel erfindet die elektrische Glühbirne.

1855   11. November: Sören Kierkegaard gestorben.
Weltausstellung in Paris.

1856   17. Februar: Heinrich Heine in Paris gestorben.
6. Mai: Sigmund Freud geboren.

1857   Auguste Comte gestorben.

1858   10. Oktober: Karl August Varnhagen von Ense gestorben.

1859   *20. Januar: Bettine nach langer Krankheit in Berlin gestorben.*
27. Januar: Friedrich Wilhelm, der spätere Kaiser Wilhelm II. von Preußen, in Potsdam geboren.
6. Mai: Alexander von Humboldt in Berlin gestorben.
11. Juni: Fürst Clemens von Metternich gestorben.

Peter Anton Brentano
* 1735 †1797

Stammtafel

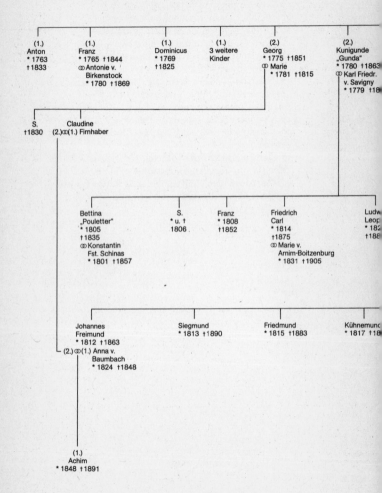

(1.)
Anton
* 1763
†1833

(1.)
Franz
* 1765 †1844
∞ Antonie v.
Birkenstock
* 1780 †1869

(1.)
Dominicus
* 1769
†1825

(1.)
3 weitere
Kinder

(2.)
Georg
* 1775 †1851
∞ Marie
* 1781 †1815

(2.)
Kunigunde
„Gunda"
* 1780 †1863
∞ Karl Friedr.
v. Savigny
* 1779 †18

S.
†1830

Claudine
(2.)∞(1.) Firnhaber

Bettina
„Pouletter"
* 1805
†1835
∞ Konstantin
Fst. Schinas
* 1801 †1857

S.
* u. †
1806

Franz
* 1808
†1852

Friedrich
Carl
* 1814
†1875
∞ Marie v.
Arnim-Boitzenburg
* 1831 †1905

Ludw
Leop
* 182
†188

Johannes
Freimund
* 1812 †1863
(2.)∞(1.) Anna v.
Baumbach
* 1824 †1848

Siegmund
* 1813 †1890

Friedmund
* 1815 †1883

Kühnemun
* 1817 †18

(1.)
Achim
* 1848 †1891

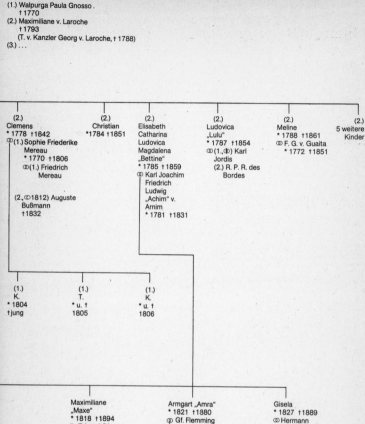

(1.) Walpurga Paula Gnosso .
    † 1770
(2.) Maximiliane v. Laroche
    † 1793
    (T. v. Kanzler Georg v. Laroche, † 1788)
(3.) . . .

(2.) Clemens	(2.) Christian	(2.) Elisabeth Catharina Ludovica Magdalena „Bettine"	(2.) Ludovica „Lulu"	(2.) Meline	(2.) 5 weitere Kinder
* 1778 † 1842	*1784 † 1851	* 1785 † 1859	* 1787 † 1854	* 1788 † 1861	
∞ (1.) Sophie Friederike Mereau		∞ Karl Joachim Friedrich Ludwig „Achim" v. Arnim	∞ (1.,∞) Karl Jordis	∞ F. G. v. Guaita	
* 1770 † 1806		* 1781 † 1831	(2.) R. P. R. des Bordes	* 1772 † 1851	
∞ (1.) Friedrich Mereau					
(2.,∞1812) Auguste Bußmann † 1832					

(1.) K.	(1.) T.	(1.) K.
* 1804 † jung	* u. † 1805	* u. † 1806

Maximiliane „Maxe"	Armgart „Amra"	Gisela
* 1818 † 1894	* 1821 † 1880	* 1827 † 1889
∞ Eduard Gf. v. Oriola	∞ Gf. Flemming	∞ Hermann Grimm
* 1809 † 1862	* 1813 † 1894	* 1828 † 1901
		(S. v. Wilhelm Grimm)

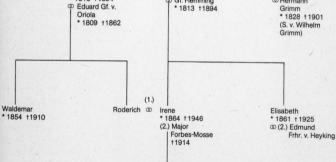

Waldemar	Roderich	(1.) Irene	Elisabeth
* 1854 † 1910		∞	* 1864 † 1946	* 1861 † 1925
		(2.) Major Forbes-Mosse † 1914	∞ (2.) Edmund Frhr. v. Heyking

Irene

Bibliographie

Bettina-Bibliographie. Von Otto Mallon. In: Imprimatur IV (1933),
S. 141–156

ARNIM, Achim und Bettina in ihren Briefen. Bd 1–2. Hg. Werner
Vordtriede. Einleitung R. A. Schröder. Frankfurt 1961
ARNIM, Achim v. und Bettina Brentano. Bearb. Reinhold Steig. Stutt-
gart und Berlin 1913
ARNIM, Achim v. und Clemens Brentano. Bearb. Reinhold Steig. Stutt-
gart 1894
ARNIM, Achim v. (Hg.): Zeitung für Einsiedler (1808). Neudruck
Stuttgart 1962
ARNIM, Adolf Heinrich Graf v.: Die Berliner Märztage vom militäri-
schen Standpunkt aus gesehen. Berlin 1850
ARNIM, Bettina v.: Sämtliche Werke. Hg. Waldemar Oehlke. Bd 1–7.
Berlin 1920–22
– Werke und Briefe. Hg. Gustav Konrad. Bd 1–4. Frechen 1958–63.
Bd 5 Briefe. Hg. Johannes Müller. Frechen 1961
– Briefe und Konzepte aus den Jahren 1849–1852. In: Sinn und
Form 5. Jg. 1953, Heft 1
– Briefe und Konzepte aus den Jahren 1809–1846. In: Sinn und
Form 5. Jg. 1953, Heft 4
– Das Armenbuch. Hg. Werner Vordtriede. In: Jahrbuch d. Freien
Dt. Hochstifts 1962. Als Buch: Frankfurt 1968
– Bettinas Briefe an Julius Döring. Hg. Werner Vordtriede. In:
Jahrbuch d. Freien Dt. Hochstifts 1963 und 1964
– Bettina und Goethe in Teplitz. Hg. Werner Vordtriede. In: Jahr-
buch d. Freien Dt. Hochstifts 1964
– Dies Buch gehört dem König (1843). Auszüge. München 1910
– Über Schinkels Entwürfe zu den Fresken in der Vorhalle des Ber-
liner Museums. Leipzig 1905
s. a. Pückler, Hermann Fürst v.: Andeutungen über Landschafts-
gärtnerei. Nachdruck der 1. Auflage. Berlin 1933
ARNIM, Friedmund v.: Die Rechte jedes Menschen. Bern 1844 (anonym)
– Was ist Eigentum? Wandsbeck 1843 (anonym)
– Die gute Sache der Seele, ihre eigenen Angelegenheiten und die aus
den Menschen und der Vergangenheit entwickelte Geschichtszukunft. Braunschweig 1843

ARNIM, Friedmund v.: Revolutionsgedanken. Bd. 2 Berlin 1849
– Die Lehre von der Liebe. Berlin 1858
– Hundert Märchen im Gebirge. Berlin 1844
ARNIM, Hans v.: Bettina von Arnim. Berlin 1963
ASSING, Ludmilla: Briefe von Alexander von Humboldt an Varnhagen von Ense. New York 1860
AUSTIN, Sarah: Fragments from German Prose-Writers. London 1841
BAXA, Jakob (Hg.): Gesellschaft und Staat im Spiegel deutscher Romantik. Jena 1924
BAUER, Bruno: Vollständige Geschichte der Partheikämpfe in Deutschland während der Jahre 1842–46. Bd 1–3. Charlottenburg 1847
BECK, Adolf: Christoph Theodor Schwab. In: Jahrbuch d. Freien Dt. Hochstifts 1964
BECK, Hilde: Die Bedeutung der Natur in dem Lebensgefühl der Bettina von Arnim. Frankfurt 1950
BENZ, Richard: Bettina schaut, erlebt, verkündet. Weibliches Wissen, Wesen, Wirken in ihrem Wort. München 1935
BERGEMANN, Fritz: Bettinas Goethedenkmal. Neues von und über Bettine. In: Jahrbuch der Sammlung Kippenberg. Leipzig 1922
– (Hg.): Bettinas Leben und Briefwechsel mit Goethe. Leipzig 1927 (Neuausgabe der von Reinhold Steig bearbeiteten Edition Leipzig 1922)
BETTINA – ein Lesebuch für unsere Zeit. Hg. Gertrud Meyer-Hepner, Gerda Berger, Lore Mallachow. Weimar 1953
BÖRNE, Ludwig: Gesammelte Schriften. Bd 1–12. Hamburg/Frankfurt 1862/63
BRAEMER, Edith und Ursula WERTHEIM: Studien zur deutschen Klassik. Berlin 1960
BRANDES, Georg: Rahel, Bettina und Charlotte Stieglitz – drei literarhistorische Charakterbilder aus der Zeit des Jungen Deutschlands. Leipzig 1896
BRENTANO, Lujo: Der jugendliche und der gealterte Clemens Brentano über Bettine und Goethe. In: Jahrbuch d. Freien Dt. Hochstifts 1929
BRUEGEL, Fritz: Geschichte des Sozialismus. (Ausstellungskatalog.) Wien 1926
CARLYLE, Thomas: Art. über Bettina von Arnim. In: Foreign Quarterly Review. London 1837
CARRIÈRE, Moritz: Lebensbilder. Leipzig 1890
– Bettina von Arnim: In: Dt. Bücherei, Heft 42. Breslau 1897
CORNU, Auguste: Karl Marx und die Entwicklung des modernen Denkens. Berlin 1950
DAFFIS, Hans: Das Inventar der Grimm-Schränke in der Preußischen Staatsbibliothek. o. O. und o. J.

DEGE, Martha: Bettina von Arnim. Kiel 1904

DEHN, T. P.: Bettina von Arnim und Rußland. In: Zeitschrift f. Slawistik 4. Jg. 1959, Heft 3

DIETZE, Walter: Junges Deutschland und deutsche Klassik. Berlin 1957

DORNEMANN, Luise: Jenny Marx. Berlin 1968

DREWITZ, Ingeborg: Berliner Salons. Literatur und Gesellschaft zwischen Aufklärung und Industriezeitalter. Berlin 1965

EBRARD, Friedrich Clemens und Louis LIEBMANN: Johann Konrad Friedrich, ein vergessener Schriftsteller. Frankfurt 1918

ENGELS, Friedrich: Die Lage der arbeitenden Klasse in England. (1845.) Berlin 1952

EYCK, Frank: The Frankfurt Parliament. London 1968

FRANKFURTER MUSEUM: Süddt. Wochenschrift. 15. Jg. 1859

FRELS, Wilhelm: Bettine von Arnims Königsbuch. Ein Beitrag zur Geschichte ihres Lebens und ihrer Zeit. Rostock 1912

FROMM, Leberecht: Ruchlosigkeit der Schrift ›Dies Buch gehört dem König‹. Bern 1844

GASSEN, Kurt (Hg.): Bettina von Arnim und Rudolf Baier. Greifswald 1937

GEIGER, Ludwig: Dichter und Frauen. Berlin 1896
– Bettina von Arnim und Friedrich Wilhelm IV. Ungedruckte Briefe und Aktenstücke. Frankfurt 1902
– Das Junge Deutschland. Berlin 1907

GLOSSY, Karl: Literarische Geheimberichte aus dem Vormärz 1833–47. In: Jahrbuch der Grillparzer-Gesellschaft 21.–23. Jg. Wien 1912

GRIMM, Herman und Reinhold STEIG: Achim von Arnim und die ihm nahestanden. 3 Bde. Stuttgart 1894, 1903, 1904

GRIMM, Jacob: Über seine Entlassung. Basel 1838

(GRIMM, Jacob und Wilhelm Grimm): Die Brüder Grimm. Ihr Leben und Werk in Selbstzeugnissen, Briefen und Aufzeichnungen. Hg. Hermann Gerstner. Ebenhausen b. München 1952
Briefe der Brüder Grimm an Savigny. Hg. in Verb. mit Ingeborg Schnack v. Wilh. Schoof. Berlin/Bielefeld 1953

GRIMM, Wilhelm: Kleine Schriften Bd 1. Berlin 1881

GÜNTHER, Herbert: Künstlerische Doppelbegabungen. München 1938

GUTZKOW, Karl: Ausgewählte Werke. Hg. H. H. Houben. Leipzig 1911

HABERLAND, Helga und Wolfgang PEHNT: Frauen der Goethezeit in Briefen, Dokumenten und Bildern. Stuttgart 1960

HÄCKEL, Manfred (Hg.): Für Polens Freiheit. Berlin o. J.

HAHN, Karl-Heinz: Bettina von Arnim in ihrem Verhältnis zu Staat und Politik. Weimar 1959

HAJEK, Hans: Die Mythisierung der Frau Rat durch Bettina Brentano. Wien 1937 (Diss.)

HAMMER, Konrad: Das wunderliche Leben der Bettina von Arnim. Bonn 1965

HATZFELD, Adolf v.: Aufsätze. Hannover 1923/24

HAYM, Rudolf: Hegel und seine Zeit. Hg. Hans Rosenberg. Leipzig 1927

– Ausgewählter Briefwechsel. Hg. Hans Rosenberg. In: Dt. Geschichtsquellen des 19. Jahrhunderts. Bd 27. Leipzig 1930

HAYM und die Anfänge des klassischen Liberalismus. Hg. Hans Rosenberg. München/Berlin 1933

HEER, Friedrich: Europa, Mutter der Revolutionen. Stuttgart 1964

HENRICI-Katalog. Versteigerung 148. (Wiepersdorfer Archiv I.) Berlin 28. 2. 1929

– Versteigerung 155. (Wiepersdorfer Archiv II.) Berlin 5. 7. 1929

HERING, Gerhard F.: Ein großer Herr. Das Leben des Fürsten Pückler. Düsseldorf/Köln 1968

HERMANN, Georg: Das Biedermeier im Spiegel seiner Zeit. Berlin 1913

HESSE, Hermann: Betrachtungen. Berlin 1928

HOPFE, Anneliese: Formen und Bereiche schöpferischen Verstehens bei Bettina von Arnim. Diss. München 1953

HOUBEN, Heinrich Hubert: Zeitschriften der Romantik. Veröffentl. der dt. Bibliographischen Gesellschaft Berlin 1904

– Jungdeutscher Sturm und Drang. Erlebnisse und Studien. Leipzig 1911

– Verbotene Literatur von der klassischen Zeit bis zur Gegenwart. Bd 1. Berlin 1924

– Kleine Blumen, kleine Blätter. Aus: Biedermeier und Vormärz. Dessau 1925

– Der gefesselte Biedermeier. Leipzig 1924

HUCH, Ricarda: Die Romantik. 7.–9. Auflage. Leipzig 1920

HUMBOLDT, Alexander v.: Briefe an Varnhagen von Ense aus den Jahren 1827–1858. Leipzig 1860

JÄCKEL, Günther: Frauen der Goethezeit. Berlin 1964.

KANTOROWICZ, Alfred (Hg.): Du wunderliches Kind ... Bettine und Goethe. Berlin 1950

KAUFMANN, Hans: Politisches Gedicht und klassische Dichtung. Heinrich Heine ›Deutschland ein Wintermärchen‹. Berlin 1959

KERTBENY, Karl-Maria: Karl Marx in zeitgenössischer Dokumentation. In: Deutsches Institut für Zeitgeschichte. Heft 43. Berlin 1953

KLEIN-RATTINGEN, Oskar: Geschichte des deutschen Liberalismus. Berlin-Schöneberg 1911–12

KLUCKHOHN, Paul: Persönlichkeit und Gemeinschaft. Studien zur Staatsauffassung der deutschen Romantik. Halle 1925

– Bettina von Arnim. In: Neue Dt. Biographie Bd I. Berlin 1953

Koller, Traugott: Heinrich Grunholzer. Lebensbild eines Republikaners. Zürich 1878

Kostbarkeiten und Seltenheiten der Königl. Staatsbibliothek. Katalog der zweiten Ausstellung der Maximilians-Ges. Berlin 1913 (Widmungsbrief Bettines an Friedrich Wilhelm IV. anläßlich der Übereignung von ›Dies Buch gehört dem König‹)

Kuczynski, Jürgen und Ruth Krenn: Bettina von Arnim und die Polen. Berlin 1949

Kuczynski, Jürgen: Bürgerliche und halbfeudale Literatur aus den Jahren 1840–47 zur Lage der Arbeiter. Berlin 1960

Langewiesche, Marianne: Du selbst. In: Zeitschrift der Frau und Familie 1. Jg. 1969

Lewin-Derwein, H.: Die Geschwister Brentano in Dokumenten ihres Lebens. Berlin 1927

Loeper, Gustav v.: Bettine-Biographie. In: Allg. Dt. Biographie Bd 2. Leipzig 1875

Mallachow, Lore: Bettina. Berlin 1952

Mallon, Otto: Bettine und Madame Cornu. In: Euphorion 3. Jg. 1926
– Bettines Buchhändlerepistel. In: Zeitschrift für Bücherfreunde. Jg, 1934, Heft 1/2, S. 1–4
– Ungarische Freunde Bettina von Arnims. In: Zeitschrift ›Archiv‹, März 1930
– Bibliographische Bemerkungen zu Bettina von Arnims Sämtl. Werken. In: Zeitschrift für Dt. Philologie 1931 (Sonderdruck)
– Zu Bettina von Arnims Berliner politischen Schriften. In: Forschungen zur Brandenburgischen und Preußischen Geschichte. Berlin 1933 (Sonderdruck)

Marx, Karl und Friedrich Engels: Die Heilige Familie u. a. philosophische Frühschriften (1845). Berlin 1953
– Revolution und Kontre-Revolution in Deutschland (1896). Berlin 1949
– Die deutsche Ideologie. In: Werke. 3 Bde. Neuausg. Berlin 1958

Märten, Lu: Erinnerungen an den Vormärz. Berlin 1948
– Bürgermeister Tschech und seine Tochter. Berlin 1947

Mehring, Franz: Geschichte der Dt. Sozialdemokratie (1897). Berlin 1960
– Aufsätze zur Geschichte der Arbeiterbewegung. Berlin 1963

Meyer-Hepner, Gertrud: Das Bettina-von-Arnim-Archiv. In: Sinn und Form 6. Jg. 1954, Heft 4, S. 594–611
– Der Magistratsprozeß der Bettina von Arnim. Weimar 1960
– Die Differenz. Nach Bettinas Tod. In: Neue Dt. Literatur 12. Jg. 1964, Heft 3

Milch, Werner: Goethe und die Brentanos. Kleine Schriften zur Literatur- und Geistesgeschichte. Heidelberg/Darmstadt 1957

MILCH, Werner: Bettine und Marianne. Zürich 1947
– Die junge Bettine (1785–1811). Hg. Peter Küpper. Heidelberg 1968
MONTGOMERY-SILFVERSTOLPE, Malla: Das romantische Deutschland. Eingeleitet v. Ellen Key. Leipzig 1912
MÜLLER, Andreas: Die Auseinandersetzung der Romantik mit den Ideen der Revolution. Halle 1929 (Diss.)
MUNDT, Theodor: Spaziergänge und Weltfahrten. Bd 1. Berlin 1838
– Allgemeine Literaturgeschichte. 3 Bde. Berlin 1846
– (Hg.): Literarischer Zodiacus. Journal für Zeit und Leben, Wissenschaft und Kunst. Berlin/Leipzig 1835
NICOLAJEWSKI, B. und O. MÄNCHEN-HELFEN: Karl und Jenny Marx. Ein Lebensweg. Berlin 1933
OBERMANN, Karl: Die deutschen Arbeiter in der Revolution von 1848. Berlin 1953
OBSER, Karl: Bettine von Arnim und ihr Briefwechsel mit Pauline Steinhäuser. In: Neue Heidelberger Jahrbücher XII, 2. Heidelberg 1903
POHL, Kläre: Bettine von Arnim und ihre schlesischen Freunde. In: Schlesische Bergwacht 8. Jg. 15. 2. 1957
POLIAKOV, Léon: Histoire de l'Antisémitisme. Bd 3: De Voltaire à Wagner. Paris 1968
PÜCKLER, Hermann Fürst v.: Briefwechsel und Tagebücher. Hg. Ludmilla Assing. Bd 1–9. Hamburg und Berlin 1873–76
PÜCKLER, Hermann Fürst v.: Andeutungen über Landschaftsgärtnerei (1834). Berlin 1939
PÜSCHEL, Ursula: Bettina von Arnims Polenbroschüre. Berlin 1954
– Bettinas Zorn. In: Neue Dt. Literatur 10. Jg. 1962, Heft 12
– Bettina von Arnims politische Schriften. Berlin 1965 (Diss.)
RANKE, Leopold v.: Das Briefwerk. Hg. W. P. Fuchs. Hamburg 1949
RILKE, Rainer Maria: Briefe 1897–1914. Wiesbaden 1950
RING, Max: Erinnerungen aus dem 19. Jahrhundert. Bd 1–2. Berlin 1898
ROST, Nico: Goethe in Dachau. Berlin 1946
– Bettine von Arnim. In: Zeszyty Naukowe Uniwersytetu Wroklawskiego Germanica Wratislawiensia VI. Seria A Nr. 28 (1960/61)
ROLLAND, Romain: Goethe et Beethoven. Paris 1931
ROSENKRANZ, Karl: Neue Studien. Bd 1–2 (von 4 Bänden). Leipzig 1875
RUDORFF, Ernst: Aus den Tagen der Romantik. Leipzig 1938
SALLET, Friedrich v.: Die Atheisten und die Gottlosen unserer Zeit. 2. Aufl. Hamburg 1852
SCHEER, Maximilian: Sechzehn Bund Stroh. Geschichte aus d. Fläming. Berlin 1953

SCHELLBERG, Wilhelm und Friedrich FUCHS (Hg.): Die Andacht zum Menschenbild. Unbekannte Briefe von Bettine Brentano. Jena 1942

SCHURZ, Carl: Gottfried Kinkels Befreiung. Rudolstadt 1946

– Die Briefe von Carl Schurz an Gottfried Kinkel. Hg. Eberhard Kessel. Heidelberg 1965

SCHWARZENBERG, Friedrich Fürst v. / VARNHAGEN VON ENSE: Europäische Zeitenwende. Tagebücher 1835–60. München 1960

SEIDEL, Ina: Drei Dichter der Romantik. Clemens Brentano, Bettina, Achim von Arnim. Stuttgart 1956 (Neuaufl.)

STAHR, Adolf: Bettina und ihr Königsbuch. Hamburg 1844

– Aus dem Nachlaß. Hg. Ludwig Geiger. Oldenburg 1903

STEIG, Reinhold (Hg.): Bettinas Briefwechsel mit Goethe. Leipzig 1922 (2. Aufl. siehe Bergemann)

STEIN, Lorenz v.: Der Sozialismus und der Communismus des heutigen Frankreichs (1848). München 1921

STERN, Ludwig: Die Varnhagen v. Ense'sche Sammlung. Berlin 1911

SUSMAN, Margarete: Frauen der Romantik. Jena 1929

TANNENBERG, Irmgard: Die Frauen der Romantik und das soziale Problem. Oldenburg 1928

TREITSCHKE, Heinrich v.: Deutsche Geschichte des 19. Jahrhunderts. Leipzig 1908

TSCHECH, Elisabeth: Leben und Tod des Bürgermeisters Tschech, welcher am 26. Juli 1844 auf den König von Preußen schoß und den 14. Dezember in Spandau hingerichtet wurde. Bern 1849

TURÓCZI-TROSTLER, Józcef: Petöfis Eintritt in die Weltliteratur. Karl-Maria Kertbeny, ein Petöfi-Apostel. Bettina von Arnim, Ungarn und Petöfi. In: Academiae Scientiarium Hungaricae / Acta Litteraria Tom 3–4. Budapest 1961

VARNHAGEN VON ENSE, Karl August: Denkwürdigkeiten des eigenen Lebens. Bde I–V, VII–VIII. Leipzig 1843

– Tagebücher. Leipzig 1868

– Aus dem Nachlaß. Leipzig 1865

– Nekrolog auf Achim von Arnims Tod. Staatszeitung Berlin vom 21. 1. 1831

VARNHAGEN VON ENSE, Rahel: Briefwechsel mit August Varnhagen von Ense. München 1967

VILLASANTE-BRAVO, Carmen: Vida de Bettina Brentano. Barcelona 1956

VISCHER, Friedrich Theodor: Kritische Gänge. Bde 1–6. München 1920–22

WEITLING, Wilhelm: Garantien der Harmonie und Freiheit. Hg. Franz Mehring. Berlin 1908

– (Hg.): Urwählerzeitung, Artikel ›Sie trägt die Schuld‹ (v. Bettine von Arnim – anonym), 29. 5. 1850

WERNER, Johannes: Maxe von Arnim. Leipzig 1937
WILLICH, Ehrenfried v.: Aus Schleiermachers Haus. Berlin 1909
WYSS, Hilde: Bettina von Arnims Stellung zwischen der Romantik und dem Jungen Deutschland. Diss. Bern/Leipzig 1935
ZIEGLER, Theodor: Die geistigen und sozialen Strömungen des 19. Jahrhunderts. Berlin 1899

Ergänzungsbibliographie

1. Werke/Dokumente

Härtl, H. (Hg.); Clemens Brentanos Frühlingskranz aus Jugendbriefen ihm geflochten, wie er selbst schriftlich verlangte. Leipzig 1974.

Konrad, G. (Hg.); Märchen der Bettine, Armgart und Gisela von Arnim. Frechen 1965.

Schellberg, W./Fuchs, F. (Hg.); Die Andacht zum Menschenbild. Unbekannte Briefe von Bettine Brentano. Jena 1942. Nachdruck. Bern 1970.

Segebrecht, W. (Hg.); Clemens Brentanos Frühlingskranz, aus Jugendbriefen ihm geflochten, wie er selbst schriftlich verlangte (= Die Fundgrube. 29). München 1967.

Steinsdorff, S. v.; Der Briefwechsel zwischen Bettine Brentano und Max Prokop von Freyberg. (= Quellen und Forschungen zur Sprach- und Kulturgeschichte der germanischen Völker. NF. 48). Berlin/New York 1972.

2. Literatur

Dischner, G.; Bettine von Arnim. Eine weibliche Sozialbiographie aus dem 19. Jahrhundert. (= Wagenbachs Taschenbücherei. 30). Berlin 1977.

Fambach, O.; Eine Brieffälschung der Bettine von Arnim als Nachklang des Beethovenjahres. In: Deutsche Vierteljahrsschrift für Literaturwissenschaft und Geistesgeschichte (Stuttgart) 45 (1971) S. 773–778.

Hahn, K.-H.; ». . . denn Du bist mir Vater und Bruder und Sohn«. Bettine von Arnim im Briefwechsel mit ihren Söhnen. In: Wissenschaftliche Zeitschrift. Friedrich-Schiller-Universität Jena. Gesellschafts- und Sprachwissenschaftliche Reihe (Jena) 20 (1971), S. 485–489.

Konrad, G.; Bettine von Arnim. In: Wiese, B. v. (Hg.), Deutsche Dichter der Romantik. Ihr Leben und Werk. Berlin 1971, S. 310–340.

In neuerer Zeit ist die folgende Literaturübersicht erschienen:
- Krättli, A.; Zu Clemens und Bettine Brentano. Ein Literaturbericht. In: Schweizer Monatshefte (Zürich) 50 (1970/71), S. 268–272.
Die Neuveröffentlichungen verzeichnet laufend:
- Eppelsheimer, H. W. (Hg.); Bibliographie der deutschen Literaturwissenschaft. Frankfurt a. M. 1957 ff. (jährlich).

KÜPPER, P.; Bettine Brentano – 1936. In: Euphorion. Zeitschrift für Literaturgeschichte (Heidelberg) 61 (1967), S. 175–186.

SECCI, L.; Per un nuovo »Gesamtbild« di Bettine von Arnim Brentano. In: Studi germanici. Nuova serie (Roma) 6 (1968), Nr. 3, S. 139–176.

WAGNER, A.; Bettine von Arnim und die preußische Zensur. In: Jahrbuch für Brandenburgische Landesgeschichte (Berlin) 21 (1970), S. 100–128.

Register

HEYNE BIOGRAPHIEN

Die Taschenbuchreihe mit den bedeutenden Biographien
der Großen aus Kunst, Kultur und Politik.

64 / DM 8,80

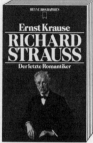

65 / DM 10,80

66 / DM 7,80

67 / DM 8,80

68 / DM 8,80

69 / DM 7,80

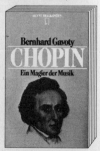

70 / DM 12,80

71 / DM 7,80

72 / DM 12,80

Wilhelm Heyne Verlag München

Heinrich Heine/
El Lissitzky
Der Rabbi von
Bacherach

112 Seiten mit
11 Farbtafeln. Leinen

Religiosität und Schicksal der Juden werden von zwei
bedeutenden Künstlern erlebt und gestaltet. Heinrich Heine,
der das jüdische Gemeindeleben, auch Ghetto und Juden-
verfolgung in seinem Romanfragment schildert.
El Lissitzky, der den Brauch des P'assahfestes in elf kost-
baren Farblithographien (»Chad Gadya«, das Lied vom
klein) wiedergibt. Diese Farblithographien, bisher nur
inziges Mal, Kiew 1919, in einer Auflage von 75 Exem-
veröffentlicht, dokumentieren vollendet den Stil
zkys in seiner vorkonstruktivistischen Periode.
ederentdeckung« kommt einer Sensation gleich.

n Diederichs Verlag